4290

D1068196

Aus unserer Zeit

Aus unserer Zeit

DICHTER DES ZWANZIGSTEN JAHRHUNDERTS

EDITED BY

IAN C. LORAM
Cornell University

AND

LELAND R. PHELPS
Northwestern University

W · W · NORTON & COMPANY · INC ·

NEW YORK

Library of Congress Catalog Card No. 56–11457

Printed in the United States of America

CONTENTS

PREFACE

Aus unserer Zeit is a collection of works by modern authors designed
to introduce the second-year German student to some of the
writers and literary trends of twentieth-century German literature.
The editors are of the opinion that the student's desire to continue
the study of German beyond the basic requirement can be aroused
in the second year if he is given the opportunity to come into
contact with some examples of good German literature. This text
includes such outstanding modern authors as Franz Kafka, Hermann
Hesse, Arthur Schnitzler and Carl Zuckmayer. The widest possible
range of subject matter has been included, from the weird world
of Kafka and the science-fiction of Gustav Meyrink to the harsh
realities of war as depicted in the stories by Borchert, Langgässer
and Zweig. The humor of Franck and Slezak and the caustic
criticism of modern man to be found in Hesse, the suspense in the
stories by Bergengruen and Schnabel, as well as the psychological
studies by Jellinek and Schnitzler furnish an adequate variety of
mood and content for both instructor and student. Selections
concerned with the opera, the theater, Faust, life on a farm and in
a small town, German colonies in Africa, and war with its attendant
problems will afford the instructor the opportunity of supple-
menting the reading material with a wide range of general cultural
information. The editors consider this an important and necessary
aspect of language instruction. In addition, Carl Zuckmayer's essay
offers the student the rare opportunity of seeing certain phases of
American life through the eyes of an outstanding German writer
who immigrated to the United States.

Two factors, degree of difficulty and variety of subject matter, have determined the order of the reading material in this book. With the exception of minor editorial changes made in "Amerika ist anders" by Carl Zuckmayer and "Der Agent" by Ernst Schnabel, all works are reprinted in their original form. A short introduction is devoted to the work of each author represented, the purpose of which is to give the student some insight into the selections involved. In these introductions no attempt has been made to give detailed biographical sketches of the writers or to discuss works other than those which appear in the book.

The meanings given in the translation of the footnotes, as well as in the vocabulary apply to the material at hand and are not necessarily the most frequently found or generally accepted meanings of the words involved. Where a colloquial translation or meaning fits the context, it is given in preference to a more formal one. All geographical terminology, except the most commonplace names, will be found in the appendix preceding the vocabulary. Such terms are marked with a star (*) in the text.

The editors are deeply indebted to the following persons: Professors Meno Spann and Heinrich Stammler for much helpful advice and criticism; Professor Jack Stein for his overall assistance in the supervision and preparation of the text; and finally, to Ruth Phelps and Margaret Loram for numerous acts of charity and technical help.

I.C.L.
L.R.P.

ACKNOWLEDGMENTS

Selections in this book are used by permission as follows:

Wolfgang Borchert: Die Kegelbahn *and* An diesem Dienstag. *From* Das Gesamtwerk. Copyright 1946, 1947, 1948 by Verlag Hamburgische Bücherei G.m.b.H. and Rowohlt Verlag G.m.b.H. Included by permission of Rowohlt Verlag.

Franz Kafka: Ein altes Blatt. *From* Erzählungen und kleine Prosa. Copyright 1935 by Schocken Verlag, Berlin. Copyright 1946 by Schocken Books, Inc., New York. Included by permission of the Noonday Press, New York.

Bertolt Brecht: Die unwürdige Greisin. *From* Kalendergeschichten. Copyright 1948 by Gebrüder Weiß Verlag, Berlin Schöneberg, and included by their permission.

Elisabeth Langgässer: Jetzt geht die Welt unter. *From* Der Torso. Copyright 1947 by Claassen und Goverts Verlag G.m.b.H., Hamburg. Included by permission of Claassen Verlag, Hamburg.

Hermann Hesse: Der Wolf. *From* Am Weg. First published 1915 by Reuss & Itta, Konstanz. Included by permission of Werner Classen Verlag, Zürich.

Hermann Hesse: Ein Abend bei Doktor Faust. *From* Fabulierbuch. Copyright 1935 by S. Fischer Verlag A.G., Berlin. Included by permission of Suhrkamp Verlag, Berlin and Frankfurt a.M.

Hans Franck: Seinselbst vergessen. *From* Totaliter aliter. Copyright 1933 by Albert Langen–Georg Müller Verlag G.m.b.H., München, and included by their permission.

Ernst Wiechert: Die Magd. *From* Das heilige Jahr. Copyright by Verlag Kurt Desch, München, 1954. Included by permission of Claude Hill, Agent.

Werner Bergengruen: Die Schatulle. *From* Der Teufel im Winterpalais und andere Erzählungen. Hesse und Becker, Leipzig, 1933. Included by permission of Verlag der Arche, Zürich.

Gustav Meyrink: Der violette Tod. *From* Des Deutschen Spiessers Wunderhorn. Copyright 1913 by Albert Langen, München. Included by permission of Frau Mena Meyrink.

Ernst Schnabel: Der Agent. *From* Sie sehen den Marmor nicht. Copyright 1949 by Claassen und Goverts G.m.b.H., Hamburg. Included by permission of Claassen Verlag, Hamburg.

Stefan Zweig: Episode vom Genfer See. *From* Kleine Chronik; Insel Verlag, Leipzig, 1929. *Reprinted in* Amok; S. Fischer Verlag, Frankfurt a.M., 1946. Included by permission of S. Fischer Verlag.

9

Aus unserer Zeit

WOLFGANG BORCHERT

Wolfgang Borchert belonged to the generation of the Weimar Republic which fell victim to the Nazi regime and World War II. This conflict and its aftermath were the sources for the central experiences around which the life and work of this twenty-six-year-old writer (1921–1947) revolved. Like the author himself, the soldiers and civilians who inhabit the doomed world of which he wrote are victims of war. In a cryptic, almost expressionistic style characterized by sentence fragments and the frequent repetition of words, phrases, and constructions, Borchert tells his tale of hopelessness and despair.

The air of false security under which the civilians are living is on the verge of dissipating, and the conflict, at the moment so far from them, is about to end, plunging them into chaos. The only reality is destruction, a destruction which leaves in its wake physical and mental despair. There is no adventure in the war about which Borchert wrote and there are no heroes. The nameless machine-gunners in "Die Kegelbahn" and the medical officer in "An diesem Dienstag" have almost reached the limits of human endurance, and can scarcely bear the burdens of personal responsibility which they feel for their actions. These men have lost faith in themselves, in God, and in life; for them there is no future, for their world is on the verge of collapse.

DIE KEGELBAHN

—

WOLFGANG BORCHERT

Zwei Männer hatten ein Loch in die Erde gemacht. Es war ganz geräumig und beinahe gemütlich. Wie ein Grab. Man hielt es aus.

Vor sich hatten sie ein Gewehr. Das hatte einer erfunden, damit man damit auf Menschen schießen konnte. Meistens kannte man die Menschen gar nicht. Man verstand nicht mal ihre Sprache. 5 Und sie hatten einem nichts getan. Aber man mußte mit dem Gewehr auf sie schießen. Das hatte einer befohlen. Und damit man recht viele von ihnen erschießen konnte, hatte einer erfunden, daß das Gewehr mehr als sechzigmal in der Minute schoß. Dafür war er belohnt worden. 10

Etwas weiter ab von den beiden Männern war ein anderes Loch. Da kuckte ein Kopf raus,[1] der einem Menschen gehörte. Er hatte eine Nase, die Parfum riechen konnte. Augen, die eine Stadt oder eine Blume sehen konnten. Er hatte einen Mund, mit dem konnte er Brot essen und Inge[2] sagen oder Mutter. Diesen Kopf sahen die 15 beiden Männer, denen man das Gewehr gegeben hatte.

Schieß, sagte der eine.

Der schoß.

Da war der Kopf kaputt. Er konnte nicht mehr Parfum riechen, keine Stadt mehr sehen und nicht mehr Inge sagen. Nie mehr. 20

Die beiden Männer waren viele Monate in dem Loch. Sie machten viele Köpfe kaputt. Und die gehörten immer Menschen, die

---

[1] *kuckte . . . raus* — looked out.
[2] *Inge* — girl's name.

15

sie gar nicht kannten. Die ihnen nichts getan hatten und die sie
nicht mal verstanden. Aber einer hatte das Gewehr erfunden, das
mehr als sechzigmal schoß in der Minute. Und einer hatte es
befohlen.

5 Allmählich hatten die beiden Männer so viele Köpfe kaputt
gemacht, daß man einen großen Berg daraus machen konnte.

Und wenn die beiden Männer schliefen, fingen die Köpfe an
zu rollen. Wie auf einer Kegelbahn. Mit leisem Donner. Davon
wachten die beiden Männer auf.

10 Aber man hat es doch befohlen, flüsterte der eine.

Aber wir haben es getan, schrie der andere.

Aber es war furchtbar, stöhnte der eine.

Aber manchmal hat es auch Spaß gemacht, lachte der andere.

Nein, schrie der Flüsternde.

15 Doch, flüsterte der andere, manchmal hat es Spaß gemacht. Das
ist es ja. Richtig Spaß.

Stunden saßen sie in der Nacht. Sie schliefen nicht. Dann sagte
der eine:

Aber Gott hat uns so gemacht.

20 Aber Gott hat eine Entschuldigung, sagte der andere, es gibt
ihn nicht.

Es gibt ihn nicht? fragte der erste.

Das ist seine einzige Entschuldigung, antwortete der zweite.

Aber uns — uns gibt es, flüsterte der andere.

25 Ja, uns gibt es, flüsterte der andere.

Die beiden Männer, denen man befohlen hatte, recht viele
Köpfe kaputt zu machen, schliefen nicht in der Nacht. Denn die
Köpfe machten leisen Donner.

Dann sagte der eine: Und wir sitzen nun damit an.[3]

30 Ja, sagte der andere, wir sitzen nun damit an.

Da rief einer: Fertigmachen. Es geht wieder los.

Die beiden Männer standen auf und nahmen das Gewehr.

[3] *wir sitzen nun damit an* — we are stuck with it.

Und immer, wenn sie einen Menschen sahen, schossen sie auf
ihn. Und immer war das ein Mensch, den sie gar nicht kannten.
Und der ihnen nichts getan hatte. Aber sie schossen auf ihn. Dazu
hatte einer das Gewehr erfunden. Er war dafür belohnt worden.
Und einer — einer hatte es befohlen. 5

FRAGEN

1. Wo befinden sich die zwei Soldaten zu Anfang der Geschichte?
2. Was mußten die beiden Soldaten tun?
3. Wie schnell konnten sie mit ihrem Gewehr schießen?
4. Was sahen die beiden Männer auf einmal?
5. Was hatten die zwei während der vielen Monate im Loch getan?
6. Warum wachten die beiden immer wieder auf?
7. Wie wird Gott von dem einen Soldaten entschuldigt?
8. Was machte den beiden Soldaten furchtbare Angst?

AN DIESEM DIENSTAG

———

WOLFGANG BORCHERT

Die Woche hat einen Dienstag.
Das Jahr ein halbes Hundert.
Der Krieg hat viele Dienstage.

An diesem Dienstag
übten sie in der Schule die großen Buchstaben. Die Lehrerin 5
hatte eine Brille mit dicken Gläsern. Die hatten keinen Rand. Sie
waren so dick, daß die Augen ganz leise aussahen.

Zweiundvierzig Mädchen saßen vor der schwarzen Tafel und
schrieben mit großen Buchstaben:

DER ALTE FRITZ[1] HATTE EINEN TRINKBECHER AUS 10
BLECH.
DIE DICKE BERTA[2] SCHOß BIS PARIS.
IM KRIEGE SIND ALLE VÄTER SOLDAT.

Ulla kam mit der Zungenspitze bis an die Nase. Da stieß die
Lehrerin sie an. Du hast Krieg mit CH geschrieben, Ulla. Krieg 15
wird mit G geschrieben. G wie Grube. Wie oft habe ich das schon
gesagt. Die Lehrerin nahm ein Buch und machte einen Haken
hinter Ullas Namen. Zu morgen schreibst du den Satz zehnmal ab,
schön sauber, verstehst du? Ja, sagte Ulla und dachte: Die mit
ihrer Brille. 20

[1] *Der alte Fritz* — a nickname for Frederick II, King of Prussia (1712–1786).
[2] *Die dicke Berta* — the nickname given to the largest cannon used by the Germans
in World War I.

Auf dem Schulhof fraßen die Nebelkrähen[3] das weggeworfene Brot.

An diesem Dienstag
wurde Leutnant Ehlers zum Bataillonskommandeur befohlen.

5   Sie müssen den roten Schal abnehmen, Herr Ehlers.

Herr Major?

Doch,[4] Ehlers. In der Zweiten[5] ist sowas nicht beliebt.

Ich komme in die zweite Kompanie?

Ja, und die lieben sowas nicht. Da kommen Sie nicht mit durch.

10 Die Zweite ist an das Korrekte gewöhnt. Mit dem roten Schal läßt die Kompanie Sie glatt stehen.[6] Hauptmann Hesse trug sowas nicht.

Ist Hesse verwundet?

Nee,[7] er hat sich krank gemeldet. Fühlte sich nicht gut, sagte er.

15 Seit er Hauptmann ist, ist er ein bißchen flau geworden, der Hesse. Versteh ich nicht. War sonst immer so korrekt. Na ja, Ehlers, sehen Sie zu, daß Sie mit der Kompanie fertig werden. Hesse hat die Leute gut erzogen. Und den Schal nehmen Sie ab, klar?

Türlich,[8] Herr Major.

20 Und passen Sie auf, daß die Leute mit den Zigaretten vorsichtig sind. Da muß ja jedem anständigen Scharfschützen der Zeigefinger[9] jucken, wenn er diese Glühwürmchen[10] herumschwirren sieht. Vorige Woche hatten wir fünf Kopfschüsse. Also passen Sie ein bißchen auf, ja?

25 Jawohl, Herr Major.

Auf dem Wege zur zweiten Kompanie nahm Leutnant Ehlers

---

[3] *Nebelkrähen* — hooded crows.
[4] *doch* — oh yes, you must.
[5] *In der Zweiten* — *In der zweiten Kompanie.*
[6] *läßt . . . Sie glatt stehen* — will not let you get away with it.
[7] *Nee* — *Nein.*
[8] *Türlich* — *Natürlich.*
[9] *Zeigefinger* — trigger finger.
[10] *Glühwürmchen* — glow worms [the lighted ends of the cigarettes].

den roten Schal ab. Er steckte eine Zigarette an. Kompanieführer
Ehlers, sagte er laut.

Da schoß es.

An diesem Dienstag
sagte Herr Hansen zu Fräulein Severin: 5
Wir müssen dem Hesse auch mal wieder was schicken, Seve-
rinchen. Was zu rauchen, was zu knabbern.[11] Ein bißchen Literatur.
Ein Paar Handschuhe oder sowas. Die Jungens haben einen ver-
dammt schlechten Winter draußen. Ich kenne das. Vielen Dank.[12]
Hölderlin[13] vielleicht, Herr Hansen?   10
Unsinn, Severinchen, Unsinn. Nein, ruhig ein bißchen freund-
licher.[14] Wilhelm Busch[15] oder so. Hesse war doch mehr für das
Leichte.[16] Lacht doch gern, das wissen Sie doch. Mein Gott,
Severinchen, was kann dieser Hesse lachen!
Ja, das kann er, sagte Fräulein Severin.   15

An diesem Dienstag
trugen sie Hauptmann Hesse auf einer Bahre in die Entlausungsanstalt.[17] An der Tür war ein Schild:

OB GENERAL, OB GRENADIER:[18]
DIE HAARE BLEIBEN HIER.   20

Er wurde geschoren. Der Sanitäter[19] hatte lange dünne Finger.
Wie Spinnenbeine.[20] An den Knöcheln waren sie etwas gerötet.
Sie rieben ihn mit etwas ab, das roch nach Apotheke. Dann fühlten

[11] *knabbern* — nibble.
[12] *Vielen Dank* — no, thank you.
[13] *Hölderlin* — German poet (1770–1843).
[14] *ruhig ein bißchen freundlicher* — something a little less serious.
[15] *Wilhelm Busch* — noted German humorist (1832–1908).
[16] *das Leichte* — the light side.
[17] *Entlausungsanstalt* — delousing station.
[18] *Grenadier* — equivalent here to "buck private."
[19] *Sanitäter* — "medic" (enlisted man in the Medical Corps).
[20] *Spinnenbeine* — spider legs.

die Spinnenbeine nach seinem Puls und schrieben in ein dickes
Buch: Temperatur 41,6.[21] Puls 116. Ohne Besinnung. Fleckfieberverdacht.[22] Der Sanitäter machte das dicke Buch zu. Seuchenlazarett Smolensk[23] stand da drauf. Und darunter: Vierzehnhundert
5 Betten.

Die Träger nahmen die Bahre hoch. Auf der Treppe pendelte
sein Kopf aus den Decken heraus und immer hin und her bei jeder
Stufe. Und kurzgeschoren.[24] Und dabei hatte er immer über die
Russen gelacht. Der eine Träger hatte Schnupfen.

10 An diesem Dienstag
klingelte Frau Hesse bei ihrer Nachbarin. Als die Tür aufging,
wedelte sie mit dem Brief. Er ist Hauptmann geworden. Hauptmann und Kompaniechef, schreibt er. Und sie haben über 40 Grad
Kälte.[25] Neun Tage hat der Brief gedauert. An Frau Hauptmann
15 Hesse hat er oben drauf geschrieben.

Sie hielt den Brief hoch. Aber die Nachbarin sah nicht hin.
40 Grad Kälte sagte sie, die armen Jungs.[26] 40 Grad Kälte.

An diesem Dienstag
fragte der Oberfeldarzt den Chefarzt des Seuchenlazarettes Smo-
20 lensk: Wieviel sind es jeden Tag?
Ein halbes Dutzend.
Scheußlich, sagte der Oberfeldarzt.
Ja, scheußlich, sagte der Chefarzt.
Dabei sahen sie sich nicht an.

25 An diesem Dienstag

[21] *41,6* — 41.6 degrees Centigrade or about 107 degrees Fahrenheit.
[22] *Fleckfieberverdacht* — suspected of having spotted fever.
[23] *Seuchenlazarett Smolensk* — Smolensk military hospital for contagious diseases
[24] *Und kurzgeschoren.* — And the hair was clipped short.
[25] *über 40 Grad Kälte* — 40 degrees below zero Centigrade or about 40 degrees
below zero Fahrenheit.
[26] *Jungs* — colloquial plural form for *Jungen.*

spielten sie die Zauberflöte.[27] Frau Hesse hatte sich die Lippen
rot gemacht.

An diesem Dienstag
schrieb Schwester[28] Elisabeth an ihre Eltern: Ohne Gott hält
man das gar nicht durch. Aber als der Unterarzt kam, stand sie 5
auf. Er ging so krumm, als trüge er ganz Rußland* durch den
Saal.
Soll ich ihm noch was geben, fragte die Schwester.
Nein, sagte der Unterarzt. Er sagte das so leise, als ob er sich
schämte.   10
Dann trugen sie Hauptmann Hesse hinaus. Draußen polterte es.[29]
Die bumsen immer so. Warum können sie die Toten nicht langsam
hinlegen. Jedesmal lassen sie sie so auf die Erde bumsen. Das sagte
einer. Und sein Nachbar sang leise:

> Zicke zacke juppheidi[30]   15
> Schneidig ist die Infanterie.

Der Unterarzt ging von Bett zu Bett. Jeden Tag. Tag und Nacht.
Tagelang. Nächte durch. Krumm ging er. Er trug ganz Rußland
durch den Saal. Draußen stolperten zwei Krankenträger mit einer
leeren Bahre davon. Nummer 4, sagte der eine. Er hatte Schnupfen. 20

An diesem Dienstag
saß Ulla abends und malte in ihr Schreibheft mit großen Buchstaben:

IM KRIEG SIND ALLE VÄTER SOLDAT.
IM KRIEG SIND ALLE VÄTER SOLDAT.   25

---

* Words marked with a star will be found in the list of Geographical Locations and
Place Names, page 230.
[27] *die Zauberflöte* — opera composed by Mozart (1756–1791).
[28] *Schwester* — nurse.
[29] *polterte es* — there was a lot of banging around.
[30] *Zicke zacke juppheidi* — rhythmic sounds which cannot be translated.

Zehnmal schrieb sie das. Mit großen Buchstaben. Und Krieg mit G. Wie Grube.

FRAGEN

1. Was taten die Mädchen in der Schule?
2. Was mußte Ulla zur Strafe tun?
3. Was mußte Leutnant Ehlers abnehmen, ehe er zur zweiten Kompanie ging?
4. Was ist mit Hauptmann Hesse geschehen?
5. Womit sollen die Soldaten vorsichtig sein? Warum?
6. Was ist Ehlers passiert?
7. Was wollte Herr Hansen dem Hauptmann Hesse schicken?
8. Was war das erste, was mit Hauptmann Hesse in der Entlausungsanstalt geschah?
9. Warum besuchte Frau Hesse ihre Nachbarin?
10. Warum trugen sie Hauptmann Hesse hinaus?

FRANZ KAFKA

"Ein altes Blatt," by Franz Kafka (1883–1924), in the form of a single page from a chronicle recording the conquest of a civilized country by nomads, is permeated with an atmosphere of despair. Many times in the course of recorded history highly developed civilizations have been overrun and destroyed by barbarians. Kafka, in this short work, is not referring to any one such specific conquest but to the general problem of the outcome of such a struggle. He does not believe that a civilized society can withstand or survive the impact of such a force.

In "Ein altes Blatt" there is only one certainty for the inhabitants of the country which has been attacked: defense against the invaders is impossible. The animal-like barbarians have swept down upon a civilization which no longer possesses the vitality to combat such an onslaught. The hopelessness of the situation is heightened by the fact that even the most elementary communication between the invaded and the invaders is impossible. A compromise between the defenseless culture and the purely destructive force is impossible. The uncertainty and anxiety of the situation and the absolute inability to come to terms with the elemental force of the invaders has cast a pall of fear and trembling over the lives of the emperor's subjects. This fear is heightened by the realization that even their lord, the emperor, is powerless to act.

The major difficulties encountered in the works of Kafka are usually not linguistic in nature, for his style is characterized by a clear and relatively uncomplicated sentence structure. The interpretation of his incredible world, verging at times on the surrealistic, is often problematical. In such instances, Kafka's letters and diaries should be consulted for valuable and reliable aid.

EIN ALTES BLATT

—

FRANZ KAFKA

Es ist, als wäre viel vernachlässigt worden in der Verteidigung unseres Vaterlandes. Wir haben uns bisher nicht darum gekümmert und sind unserer Arbeit nachgegangen; die Ereignisse der letzten Zeit machen uns aber Sorgen.

Ich habe eine Schusterwerkstatt auf dem Platz vor dem kaiser- 5 lichen Palast. Kaum öffne ich in der Morgendämmerung meinen Laden, sehe ich schon die Eingänge aller hier einlaufenden Gassen[1] von Bewaffneten besetzt. Es sind aber nicht unsere Soldaten, sondern offenbar Nomaden aus dem Norden. Auf eine mir unbegreifliche Weise sind sie bis in die Hauptstadt gedrungen, die doch sehr weit 10 von der Grenze entfernt ist. Jedenfalls sind sie also da; es scheint, daß jeden Morgen mehr werden.

Ihrer Natur entsprechend lagern sie unter freiem Himmel, denn Wohnhäuser verabscheuen sie. Sie beschäftigen sich mit dem Schärfen der Schwerter, dem Zuspitzen der Pfeile, mit Übungen 15 zu Pferde. Aus diesem stillen, immer ängstlich rein gehaltenen Platz haben sie einen wahren Stall gemacht. Wir versuchen zwar manchmal aus unseren Geschäften hervorzulaufen und wenigstens den ärgsten Unrat wegzuschaffen, aber es geschieht immer seltener, denn die Anstrengung ist nutzlos und bringt uns überdies in die 20 Gefahr, unter die wilden Pferde zu kommen oder von den Peitschen verletzt zu werden.

Sprechen kann man mit den Nomaden nicht. Unsere Sprache

[1] *aller hier einlaufenden Gassen* — of all the streets which converge here.

27

kennen sie nicht, ja sie haben kaum eine eigene. Untereinander verständigen sie sich ähnlich wie Dohlen.[2] Immer wieder hört man diesen Schrei der Dohlen. Unsere Lebensweise, unsere Einrichtungen sind ihnen ebenso unbegreiflich wie gleichgültig. Infolgedessen
5 zeigen sie sich auch gegen jede Zeichensprache ablehnend. Du magst dir die Kiefer verrenken und die Hände aus den Gelenken winden,[3] sie haben dich doch nicht verstanden und werden dich nie verstehen. Oft machen sie Grimassen; dann dreht sich das Weiß ihrer Augen und Schaum schwillt aus ihrem Munde, doch
10 wollen sie damit weder etwas sagen noch auch erschrecken; sie tun es, weil es so ihre Art ist. Was sie brauchen, nehmen sie. Man kann nicht sagen, daß sie Gewalt anwenden. Vor ihrem Zugriff[4] tritt man beiseite und überläßt ihnen alles.

Auch von meinen Vorräten haben sie manches gute Stück ge-
15 nommen. Ich kann aber darüber nicht klagen, wenn ich zum Beispiel zusehe, wie es dem Fleischer gegenüber geht. Kaum bringt er seine Waren ein, ist ihm schon alles entrissen und wird von den Nomaden verschlungen. Auch ihre Pferde fressen Fleisch; oft liegt ein Reiter neben seinem Pferd und beide nähren sich vom gleichen
20 Fleischstück, jeder an einem Ende. Der Fleischhauer ist ängstlich und wagt es nicht, mit den Fleischlieferungen aufzuhören. Wir verstehen das aber, schießen Geld zusammen und unterstützen ihn. Bekämen die Nomaden kein Fleisch, wer weiß, was ihnen zu tun einfiele; wer weiß allerdings, was ihnen einfallen wird, selbst wenn
25 sie täglich Fleisch bekommen.

Letzthin dachte der Fleischer, er könne sich wenigstens die Mühe des Schlachtens sparen, und brachte am Morgen einen lebendigen Ochsen. Das darf er nicht mehr wiederholen. Ich lag wohl eine Stunde ganz hinten in meiner Werkstatt platt auf dem Boden und
30 alle meine Kleider, Decken und Polster hatte ich über mir auf-

---

[2] *Dohlen* — jackdaws.
[3] *die Kiefer verrenken und die Hände aus den Gelenken winden* — dislocate your jaw and twist your hands out of their sockets.
[4] *Vor ihrem Zugriff* — when they help themselves to anything.

gehäuft, nur um das Gebrüll des Ochsen nicht zu hören, den von allen Seiten die Nomaden ansprangen, um mit den Zähnen Stücke aus seinem warmen Fleisch zu reißen. Schon lange war es still, ehe ich mich auszugehen getraute; wie Trinker um ein Weinfaß lagen sie müde um die Reste des Ochsen. 5

Gerade damals glaubte ich den Kaiser selbst in einem Fenster des Palastes gesehen zu haben; niemals sonst kommt er in diese äußeren Gemächer, immer nur lebt er in dem innersten Garten; diesmal aber stand er, so schien es mir wenigstens, an einem der Fenster und blickte mit gesenktem Kopf auf das Treiben vor 10 seinem Schloß.

„Wie wird es werden?" fragen wir uns alle. „Wie lange werden wir diese Last und Qual ertragen? Der kaiserliche Palast hat die Nomaden angelockt, versteht es aber nicht, sie wieder zu vertreiben. Das Tor bleibt verschlossen; die Wache, früher immer festlich 15 ein- und ausmarschierend, hält sich hinter vergitterten Fenstern. Uns Handwerkern und Geschäftsleuten ist die Rettung des Vaterlandes anvertraut; wir sind aber einer solchen Aufgabe nicht gewachsen; haben uns doch auch nie gerühmt, dessen fähig zu sein. Ein Mißverständnis ist es; und wir gehen daran zugrunde." 20

FRAGEN

1. Von wem wird die Geschichte erzählt?
2. Was sieht man jeden Morgen auf dem Platz vor dem Palast?
3. Warum schlafen die Nomaden nicht in Häusern?
4. Warum ist es unmöglich, mit den Nomaden zu sprechen?
5. Wie kriegen die fremden Soldaten, was sie nötig haben?
6. Was ist das Eigenartige an den Pferden der Nomaden?
7. Was darf der Fleischer nicht wieder tun?
8. Wovon wurden die Nomaden angelockt?

9. Welches Tor bleibt verschlossen?
10. Was können die Handwerker und die Geschäftsleute nicht tun?

BERTOLT BRECHT

In the ten or fifteen years before Hitler's rise to power Bert Brecht (1898-   ) was one of the most controversial literary figures in Germany. In many ways he still is, for in spite of the fact that he has decided to make his home in East Germany, his plays are still widely performed in the Federal Republic.

Brecht has always been a social critic and it is not impossible that his early study of science and medicine has helped train his keen powers of observation and the ability to strip the tinsel from all that he considers "phony" and unjust. He is a merciless satirist, working on the side of the proletariat. His most important writing has been for the stage, where his experiments with the theater aroused storms of criticism, but also made him beloved of those who felt that it was time for something new in the world of drama.

"Die unwürdige Greisin" brings out not only his interest in "the little people," but also his satirical side. He paints a humorous, realistic, and loving portrait of the grandmother, at the same time managing to poke fun at her narrow-minded critics. Here is an old lady who has spent her life as a hard-working wife and mother. When she is finally left alone in the world at the age of 72 the stubborn independence in her nature asserts itself, and she now decides that she will live as she pleases. And so she proceeds to horrify her conventional and stuffy relatives by going to the movies, insisting on living alone, taking her glass of wine in a tavern of rather dubious reputation, and even eating out.

Brecht, writing in a simple and straightforward style, leaves no doubt as to where his sympathies lie. Although we are forced to smile at the grandmother's new way of life, nevertheless we cannot help but admire her resilience and spirit.

The author, born in Augsburg in 1898, began his dramatic career in Munich, later working as director under Max Reinhardt in Berlin. His Communist sympathies, which he has never tried to conceal, forced him to leave Germany just before the burning of the Reichstag. He went to Denmark, Sweden, Austria, Finland, Russia, the United States, and Switzerland. In 1945 he returned to Germany, where his political leanings led him naturally to throw in his lot with Russia.

DIE UNWÜRDIGE GREISIN

—

BERTOLT BRECHT

Meine Großmutter war zweiundsiebzig Jahre alt, als mein Großvater starb. Er hatte eine kleine Lithographenanstalt[1] in einem
badischen Städtchen und arbeitete darin mit zwei, drei Gehilfen
bis zu seinem Tod. Meine Großmutter besorgte ohne Magd den
Haushalt, betreute das alte, wacklige Haus und kochte für die 5
Mannsleute und Kinder.

Sie war eine kleine magere Frau mit lebhaften Eidechsenaugen,[2]
aber langsamer Sprechweise. Mit recht kärglichen[3] Mitteln hatte
sie fünf Kinder großgezogen — von den sieben, die sie geboren
hatte. Davon war sie mit den Jahren kleiner geworden. 10

Von den Kindern gingen die zwei Mädchen nach Amerika, und
zwei Söhne zogen ebenfalls weg. Nur der Jüngste, der eine schwache
Gesundheit hatte, blieb im Städtchen. Er wurde Buchdrucker und
legte sich eine viel zu große Familie zu.

So war sie allein im Haus, als mein Großvater gestorben war. 15

Die Kinder schrieben sich Briefe über das Problem, was mit ihr
zu geschehen hätte. Einer konnte ihr bei sich ein Heim anbieten,
und der Buchdrucker wollte mit den Seinen zu ihr ins Haus ziehen.
Aber die Greisin verhielt sich abweisend zu[4] den Vorschlägen und
wollte nur von jedem ihrer Kinder, das dazu imstande war, eine 20
kleine geldliche Unterstützung annehmen. Die Lithographen-

[1] *Lithographenanstalt* — lithographic shop.
[2] *Eidechsenaugen* — lizard's eyes.
[3] *kärglichen* — limited.
[4] *verhielt sich abweisend zu* — rejected.

33

anstalt, längst veraltet, brachte fast nichts beim Verkauf, und es
waren auch Schulden da.

Die Kinder schrieben ihr, sie könne doch nicht ganz allein leben,
aber als sie darauf überhaupt nicht einging,[5] gaben sie nach und
5 schickten ihr monatlich ein bißchen Geld. Schließlich, dachten sie,
war ja der Buchdrucker im Städtchen geblieben.

Der Buchdrucker übernahm es auch, seinen Geschwistern mitunter über die Mutter zu berichten. Seine Briefe an meinen Vater,
und was dieser bei einem Besuch und nach dem Begräbnis meiner
10 Großmutter zwei Jahre später erfuhr, geben mir ein Bild von dem,
was in diesen zwei Jahren geschah.

Es scheint, daß der Buchdrucker von Anfang an enttäuscht war,
daß meine Großmutter sich weigerte, ihn in das ziemlich große und
nun leerstehende Haus aufzunehmen. Er wohnte mit vier Kindern
15 in drei Zimmern. Aber die Greisin hielt überhaupt nur eine sehr
lose Verbindung mit ihm aufrecht. Sie lud die Kinder jeden
Sonntagnachmittag zum Kaffee, das war eigentlich alles.

Sie besuchte ihren Sohn ein- oder zweimal in einem Vierteljahr
und half der Schwiegertochter beim Beereneinkochen.[6] Die junge
20 Frau entnahm einigen ihrer Äußerungen, daß es ihr in der kleinen
Wohnung des Buchdruckers zu eng war. Dieser konnte sich nicht
enthalten, in seinem Bericht darüber ein Ausrufezeichen[7] anzu-
bringen.

Auf eine schriftliche Anfrage meines Vaters, was die alte Frau
25 denn jetzt so mache, antwortete er ziemlich kurz, sie besuche das
Kino.

Man muß verstehen, daß das nichts Gewöhnliches war, jedenfalls
nicht in den Augen ihrer Kinder. Das Kino war vor dreißig Jahren
noch nicht, was es heute ist. Es handelte sich um elende, schlecht-
30 gelüftete Lokale, oft in alten Kegelbahnen eingerichtet, mit schrei-

---

[5] *als sie darauf überhaupt nicht einging* — when she did not react to that at all.
[6] *Beereneinkochen* — canning berries.
[7] *Ausrufezeichen* — exclamation point.

enden Plakaten vor dem Eingang, auf denen Morde und Tragödien der Leidenschaft angezeigt waren. Eigentlich gingen nur Halbwüchsige[8] hin oder, des Dunkels wegen, Liebespaare. Eine einzelne alte Frau mußte dort sicher auffallen.

Und so war noch eine andere Seite dieses Kinobesuchs zu bedenken. Der Eintritt war gewiß billig, da aber das Vergnügen ungefähr unter den Schleckereien[9] rangierte, bedeutete es „hinausgeworfenes Geld." Und Geld hinauszuwerfen, war nicht respektabel.

Dazu kam, daß meine Großmutter nicht nur mit ihrem Sohn am Ort keinen regelmäßigen Verkehr pflegte, sondern auch sonst niemanden von ihren Bekannten besuchte oder einlud. Sie ging niemals zu den Kaffeegesellschaften des Städtchens. Dafür besuchte sie häufig die Werkstatt eines Flickschusters[10] in einem armen und sogar etwas verrufenen[11] Gäßchen, in der, besonders nachmittags, allerlei nicht besonders respektable Existenzen[12] herumsaßen, stellungslose Kellnerinnen und Handwerksburschen. Der Flickschuster war ein Mann in mittleren Jahren, der in der ganzen Welt herumgekommen war, ohne es zu etwas gebracht zu haben.[13] Es hieß auch, daß er trank. Er war jedenfalls kein Verkehr für meine Großmutter.

Der Buchdrucker deutete in einem Brief an, daß er seine Mutter darauf hingewiesen, aber einen recht kühlen Bescheid bekommen[14] habe. „Er hat etwas gesehen,"[15] war ihre Antwort, und das Gespräch war damit zu Ende. Es war nicht leicht, mit meiner Großmutter über Dinge zu reden, die sie nicht bereden wollte.

Etwa ein halbes Jahr nach dem Tod des Großvaters schrieb der

8 *Halbwüchsige* — adolescents.
9 *Schleckereien* — luxuries.
10 *Flickschuster* — cobbler.
11 *verrufenen* — of ill repute.
12 *Existenzen* — characters.
13 *ohne es zu etwas gebracht zu haben* — without having been a success.
14 *Bescheid bekommen* — received an answer.
15 *„Er hat etwas gesehen"* — "He's been around."

Buchdrucker meinem Vater, daß die Mutter jetzt jeden zweiten Tag im Gasthof esse.

Was für eine Nachricht!

Großmutter, die zeit ihres Lebens für ein Dutzend Menschen gekocht und immer nur die Reste aufgegessen hatte, aß jetzt im Gasthof! Was war in sie gefahren?

Bald darauf führte meinen Vater eine Geschäftsreise in die Nähe, und er besuchte seine Mutter.

Er traf sie im Begriffe, auszugehen. Sie nahm den Hut wieder ab und setzte ihm ein Glas Rotwein mit Zwieback vor. Sie schien ganz ausgeglichener Stimmung[16] zu sein, weder besonders aufgekratzt[17] noch besonders schweigsam. Sie erkundigte sich nach uns, allerdings nicht sehr eingehend, und wollte hauptsächlich wissen, ob es für die Kinder auch Kirschen gäbe. Da war sie ganz wie immer. Die Stube war natürlich peinlich sauber, und sie sah gesund aus.

Das einzige, was auf ihr neues Leben hindeutete, war, daß sie nicht mit meinem Vater auf den Gottesacker[18] gehen wollte, das Grab ihres Mannes zu besuchen. „Du kannst allein hingehen," sagte sie beiläufig, „es ist das dritte von links in der elften Reihe. Ich muß noch wohin."

Der Buchdrucker erklärte nachher, daß sie wahrscheinlich zu ihrem Flickschuster mußte. Er klagte sehr.

„Ich sitze hier in diesen Löchern mit den Meinen und habe nur noch fünf Stunden Arbeit und schlechtbezahlte, dazu macht mir mein Asthma wieder zu schaffen, und das Haus in der Hauptstraße steht leer."

Mein Vater hatte im Gasthof ein Zimmer genommen, aber erwartet, daß er zum Wohnen doch von seiner Mutter eingeladen werden würde, wenigstens pro forma,[19] aber sie sprach nicht davon.

---

16 *ganz ausgeglichener Stimmung* — in a quite well-balanced frame of mind.
17 *aufgekratzt* — in good spirits.
18 *Gottesacker* — cemetery.
19 *pro forma* — as a matter of form (Latin).

Und sogar als das Haus voll gewesen war, hatte sie immer etwas dagegen gehabt, daß er nicht bei ihnen wohnte und dazu das Geld für das Hotel ausgab!

Aber sie schien mit ihrem Familienleben abgeschlossen zu haben und neue Wege zu gehen, jetzt, wo ihr Leben sich neigte.[20] Mein 5 Vater, der eine gute Portion Humor besaß, fand sie „ganz munter" und sagte meinem Onkel, er solle die alte Frau machen lassen, was sie wolle.

Aber was wollte sie?

Das nächste, was berichtet wurde, war, daß sie eine Bregg[21] 10 bestellt hatte und nach einem Ausflugsort gefahren war, an einem gewöhnlichen Donnerstag. Eine Bregg war ein großes, hochrädriges Pferdegefährt[22] mit Plätzen für ganze Familien. Einige wenige Male, wenn wir Enkelkinder zu Besuch gekommen waren, hatte Großvater die Bregg gemietet. Großmutter war immer zu 15 Hause geblieben. Sie hatte es mit einer wegwerfenden Handbewegung abgelehnt, mitzukommen.

Und nach der Bregg kam die Reise nach K., einer größeren Stadt, etwa zwei Eisenbahnstunden entfernt. Dort war ein Pferderennen, und zu dem Pferderennen fuhr meine Großmutter. 20

Der Buchdrucker war jetzt durch und durch alarmiert. Er wollte einen Arzt hinzugezogen haben. Mein Vater schüttelte den Kopf, als er den Brief las, lehnte aber die Hinzuziehung eines Arztes ab.

Nach K. war meine Großmutter nicht allein gefahren. Sie hatte 25 ein junges Mädchen mitgenommen, eine halb Schwachsinnige, wie der Buchdrucker schrieb, das Küchenmädchen des Gasthofs, in dem die Greisin jeden zweiten Tag speiste. Dieser „Krüppel" spielte von jetzt an eine Rolle.

Meine Großmutter schien einen Narren an ihr gefressen zu ha- 30

---

[20] *sich neigte* — was drawing to a close.
[21] *Bregg* — horse-drawn vehicle.
[22] *hochrädiges Pferdegefährt* — horse-drawn vehicle with big wheels.

ben.[23] Sie nahm sie mit ins Kino und zum Flickschuster, der sich übrigens als Sozialdemokrat herausgestellt hatte, und es ging das Gerücht, daß die beiden Frauen bei einem Glas Rotwein in der Küche Karten spielten.

5 „Sie hat dem Krüppel jetzt einen Hut gekauft mit Rosen drauf," schrieb der Buchdrucker verzweifelt. „Und unsere Anna hat kein Kommunionskleid!"

Die Briefe meines Onkels wurden ganz hysterisch, handelten nur von der „unwürdigen Aufführung unserer lieben Mutter" und 10 gaben sonst nichts mehr her. Das Weitere habe ich von meinem Vater.

Der Gastwirt hatte ihm mit Augenzwinkern zugeraunt:[24] „Frau B. amüsiert sich ja jetzt, wie man hört."

In Wirklichkeit lebte meine Großmutter auch diese letzten Jahre 15 keinesfalls üppig. Wenn sie nicht im Gasthof aß, nahm sie meist nur ein wenig Eierspeise[25] zu sich, etwas Kaffee und vor allem ihren geliebten Zwieback. Dafür leistete sie sich einen billigen Rotwein, von dem sie zu allen Mahlzeiten ein kleines Glas trank. Das Haus hielt sie sehr rein, und nicht nur die Schlafstube und 20 die Küche, die sie benutzte. Jedoch nahm sie darauf ohne Wissen ihrer Kinder eine Hypothek[26] auf. Es kam niemals heraus, was sie mit dem Geld machte. Sie scheint es dem Flickschuster gegeben zu haben. Er zog nach ihrem Tod in eine andere Stadt und soll dort ein größeres Geschäft für Maßschuhe[27] eröffnet haben.

25 Genau betrachtet[28] lebte sie hintereinander zwei Leben. Das eine, erste, als Tochter, als Frau und als Mutter, und das zweite einfach als Frau B., eine alleinstehende Person ohne Verpflichtungen und mit bescheidenen, aber ausreichenden Mitteln. Das erste Leben

[23] *einen Narren an ihr gefressen zu haben* — to have become crazy about her.
[24] *zugeraunt* — whispered.
[25] *Eierspeise* — dish made of eggs.
[26] *Hypothek* — mortgage.
[27] *Maßschuhe* — custom-made shoes.
[28] *genau betrachtet* — taking everything into consideration.

dauerte etwa sechs Jahrzehnte, das zweite nicht mehr als zwei Jahre.

Mein Vater brachte in Erfahrung, daß sie im letzten halben Jahr sich gewisse Freiheiten gestattete, die normale Leute gar nicht kennen. So konnte sie im Sommer früh um drei Uhr aufstehen 5 und durch die leeren Straßen des Städtchens spazieren, das sie so für sich ganz allein hatte. Und den Pfarrer, der sie besuchen kam, um der alten Frau in ihrer Vereinsamung Gesellschaft zu leisten, lud sie, wie allgemein behauptet wurde, ins Kino ein!

Sie war keineswegs vereinsamt. Bei dem Flickschuster verkehrten 10 anscheinend lauter lustige Leute, und es wurde viel erzählt. Sie hatte dort immer eine Flasche ihres eigenen Rotweins stehen, und daraus trank sie ihr Gläschen, während die anderen erzählten und über die würdigen Autoritäten der Stadt loszogen.[29] Dieser Rotwein blieb für sie reserviert, jedoch brachte sie mitunter der Gesell- 15 schaft stärkere Getränke mit.

Sie starb ganz unvermittelt an einem Herbstnachmittag in ihrem Schlafzimmer, aber nicht im Bett, sondern auf dem Holzstuhl am Fenster. Sie hatte den „Krüppel" für den Abend ins Kino eingeladen, und so war das Mädchen bei ihr, als sie starb. Sie war vier- 20 undsiebzig Jahre alt.

Ich habe eine Photographie von ihr gesehen, die sie auf dem Totenbett zeigt, und die für die Kinder angefertigt worden war.

Man sieht ein winziges Gesichtchen mit vielen Falten und einen schmallippigen, aber breiten Mund. Viel Kleines, aber nichts 25 Kleinliches. Sie hatte die langen Jahre der Knechtschaft und die kurzen Jahre der Freiheit ausgekostet und das Brot des Lebens aufgezehrt bis auf den letzten Brosamen.

---

[29] *über . . . loszogen* — inveighed against.

FRAGEN

1. Was pflegte die Greisin in jüngeren Jahren zu tun?
2. Wo sind die Kinder der Greisin?
3. Was hätte der Buchdrucker nicht tun sollen?
4. Was war das einzige, was die Greisin von ihren Kindern annehmen wollte?
5. Was unternahm der Buchdrucker?
6. Was machte den Buchdrucker unglücklich?
7. Wohin ging die alte Frau gern?
8. Wen besuchte sie häufig?
9. Was für ein Mann war der Schuster?
10. Was bot die Großmutter ihrem Sohn an?
11. Wie wußte der Vater, daß seine Mutter ein neues Leben angefangen hatte?
12. Was erwartete der Vater, als er seine Mutter besuchte?
13. Warum fuhr die Greisin nach K?
14. Mit wem fuhr sie?
15. Was tat die Greisin für den „Krüppel"?
16. Was waren die zwei Leben, die die Alte geführt hatte?
17. Was tat sie meistens beim Flickschuster?
18. Wo ist sie gestorben?

ELISABETH LANGGÄSSER

In "Jetzt geht die Welt unter" we are confronted with the death rattle of an era, an era for which Elisabeth Langgässer (1899–1950), who was a devout Catholic, had no affinity whatsoever. She saw the Third Reich as propagating a shattered image of man bereft of dignity and devoutness, a complete repudiation of all Christian values. In the poem "Ballade vom Menschen dieser Zeit," which prefaces *Der Torso*, the collection of short stories from which the following selection was taken, Christ tells Mary, who attempts to intercede: "Laß dein Bitten. Jetzt richte ich sie." Even Christ has ceased to have compassion for this world which Langgässer presents.

"Jetzt geht die Welt unter" affords an insight into the life of a family during the severe fighting in and around Berlin during the final days of World War II. With the end irresistibly approaching, there is room for little else but brutality and quarreling in the lives of these people. Compassion and love are nowhere apparent. The miserable dog which has wandered into the house is mercilessly beaten. Even the proximity of impending doom, symbolized by the disappearance of the dog, does nothing to change the situation. Not only do these people have no fear of death in their existence divided between the bunker and their home, but they have no faith. With complete indifference they descend into the underground shelter which could at any moment become their grave.

JETZT GEHT DIE WELT UNTER

———

ELISABETH LANGGÄSSER

Als die Leute aus ihrem Bunker kamen, lag der fremde Hund mit dem fahlgrauen Fell immer noch in der Schlafzimmerecke und war nicht fortzukriegen.

„Wie lange liegt er denn jetzt schon da?" fragte der Großvater ärgerlich und trat mit dem Fuß nach ihm. 5

„Seit ewig. Seit dem Beginn der Beschießung.[1] Vor über zweieinhalb Tagen ist er uns zugelaufen,"[2] sagte die junge Frau, „und nun werden wir ihn nicht mehr los. Aus der Siedlung[3] ist er bestimmt nicht gekommen," fügte sie noch hinzu.

„Nicht los werden? Na, dann laß mich mal machen," sagte der 10 alte Mann. Er bückte sich zu dem Hund herunter und redete ihm zu. „Wie heißt er denn?"

„Woher soll ich das wissen?" sagte die Frau gereizt. „Ich versteh' nicht die Hundesprache."

„Tell heißt er," rief der älteste Junge. „Tell oder Tyras." 15

„Wieso denn: oder?[4] Heißt er nun Tell oder Tyras? Wie kommst du bloß darauf?" fragte der Großvater ihn.

„Nur so."

„Oder Struppi! Gelt,[5] er heißt Struppi?" krähte das jüngste

[1] *Beschießung* — barrage.
[2] *ist er uns zugelaufen* — he attached himself to us.
[3] *Siedlung* — settlement.
[4] *Wieso denn: oder?* — What do you mean by "or"?
[5] *Gelt* — isn't that so?

Mädchen und nahm vor Begeisterung, auch was zu wissen, den Finger aus der Nase.

„Struppi! Du bist wohl —," fauchte der Bruder.[6]

„Man muß es eben mit allem probieren," meinte die junge Frau.

5 Inzwischen hatte der alte Mann sein Zureden fortgesetzt. Der Hund, wie vollkommen taub und gefühllos, schien gar nicht hinzuhören, obwohl seine scharfen, gespitzten Ohren steil aufgerichtet waren. Er zitterte. Unaufhörlich zitternd, lag er in seiner Ecke; wäre das Zittern nicht gewesen, so hätte man glauben können,

10 der Hund sei ausgestopft.[7] Mit ihm zusammen zitterten, bebten und klirrten die Fensterscheiben.

„Hört ihr — jetzt kommt es schon wieder näher," sagte die Tante der jungen Frau. „Das ist schwere Artillerie. Jetzt liegt der Beschuß[8] wahrscheinlich schon auf der Innenstadt."

15 „Laß ihn. Das kommt und geht hin und her. Den Bahnhof Köpenick* hat der Volkssturm[9] dem Iwan[10] bereits wieder abgenommen," sagte eine Kusine.

„Wem abgenommen? Dem Iwan?" fragte der alte Mann. In diesem Augenblick stieß der Hund ein kurzes Gewinsel aus. „Habt

20 ihr's gehört? Jetzt weiß ich, woher die Töle[11] kommt. Das ist ein Truppenhund."

„Was heißt das — ein Truppenhund?" fragte die Tante.

„Ein Hund, der der Truppe gehört hat und durchgegangen ist," sagte der alte Mann.

25 „Vielleicht ein Hund der Entsatzarmee?"[12] fragte rasch die Kusine dazwischen und blickte im Kreis herum: bin ich nicht rasch von Begriff?[13]

---

[6] „*...Du bist wohl —," fauchte der Bruder.* — "You must be [supply *crazy*]—," snarled the brother.

[7] *ausgestopft* — stuffed.

[8] *Beschuß* — barrage.

[9] *Volkssturm* — home guard.

[10] *Iwan* — the Russians.

[11] *Töle* — cur.

[12] *Entsatzarmee* — shock troops.

[13] *bin ich nicht rasch von Begriff?* — am I not smart?

„Entsatzarmee — nee.[14] Das ist doch bloß Bluff," sagte der alte Mann.

„Was ist das, Großvater?"

„Das ist Bluff. Das ist weiter gar nichts als Bluff."

„So? Bluff?" schrie die Kusine empört. „Dann ist der Hund also auch bloß Bluff? Er ist vielleicht überhaupt nicht da? Er sieht bloß aus wie ein Hund?"

„Sei still, Adele," sagte die Tante. „Rege dich doch nicht auf. Hauptsache,[15] er kommt fort."

„Wer?" fragte der Junge.

„Wer? Wer? Wer?" schalt seine Mutter. „Du hörst es doch — der Hund!"

„Der geht nicht," piepste das kleine Mädchen.

„Na wart' mal,[16] ich krieg ihn schon fort," knurrte der alte Mann. Nun bückte er sich aufs neue herunter und packte den Hund am Halsband, um ihn emporzuziehen. Der Hund ließ sich fallen. „Verdammtes Vieh!"[17] Der Alte zog ihn rücksichtslos weiter. Das miserable Geräusch der schleifenden Hundebeine hörte sich widerlich an. Indessen rauschte es durch die Luft, ein paar Bomben schlugen irgendwo ein.

„Laß ihn liegen," sagte die junge Frau mit ängstlichem Gesicht. „Wir sind wieder einmal zu früh aus unserem Bunker gegangen."

Sie faßte die Kinder fest an der Hand, die Tante und die Kusine stiegen gleichfalls über den Hund hinweg, der Großvater sagte, es sei schon besser, überhaupt erst nicht mehr nach oben zu gehen, sondern im Bunker zu bleiben: „Wofür ist der Bunker denn da?" Natürlich gingen die Leute hinterher doch noch ins Haus. „Der Hund ist fort," rief die junge Frau.

„Nein, sieh doch her, er liegt immer noch da. Er ist in die Ecke zurückgekrochen. Den werden wir nicht so rasch los," sagte der

[14] *nee — nein.*
[15] *Hauptsache* — The main thing is.
[16] *Na wart' mal* — just wait a moment.
[17] *Verdammtes Vieh!* — Damn cur!

alte Mann. Plötzlich schlug er mit seinem Stock auf die winselnde Töle ein. Er drosch und drosch, das erschrockene Tier duckte den Kopf auf die Pfoten und rutschte von Zeit zu Zeit hin und her, aber es war ganz deutlich: so war es nicht fortzukriegen. „Ich
5 schlage ihm noch die Beine entzwei und werfe ihn dann auf den Mist,"[18] sagte der Alte keuchend und stützte sich auf den Stock. Seine Augen waren blutunterlaufen, die Hände bebten vor Wut.

„Warum denn?" schrie die Tante erbost. „Warum legt ihr ihm denn kein Futter hin und lockt ihn aus dem Haus?"
10 „Recht hat sie," sagte die junge Frau. „Ich geh' ein Stück Salzfleisch holen." Auch das war vergebens. Er schnupperte nur und drehte den Kopf wieder ab.

„Ob er krank ist?" fragte die Tante besorgt. „Vielleicht hat er Tollwut?"[19]
15 „Nee, er hat Angst. Ganz hundsgemeine Angst,"[20] sagte der alte Mann. „Wahrscheinlich kann er das Schießen nicht leiden."

„Als Truppenhund kann er das Schießen nicht leiden?"

„Gerade deswegen."

„Wieso: deswegen?"
20 „Laß den Großvater doch in Ruhe," sagte die junge Frau zu der Tante. „Siehst du nicht, wie er sich ärgert über dein dummes Geschwätz?"

„So — dummes Geschwätz?" rief die Tante erbittert. „Ich mache dummes Geschwätz?"
25 „Du hast schon dein Leben lang weiter gar nichts als dummes Geschwätz gemacht," sagte der Großvater bös. „Du und deine Tochter Adele —."

„Hörst du es, Adi? Diese Gemeinheit!"

„Das rührt mich nicht," sagte Adele kalt. „Das ist nichts weiter
30 als Wut, weil die Entsatzarmee kommt." Gleich darauf keifte die

[18] *auf den Mist* — on the manure pile.
[19] *Tollwut* — rabies.
[20] *Ganz hundsgemeine Angst* — Downright afraid.

ganze Familie besinnungslos durcheinander;[21] das Tier in der Ecke schien von dem Lärm behaglich berührt zu werden, es zog sich in sich zusammen und wedelte mit dem Schwanz. „Na, bitte," sagte Adele plötzlich. „Das Schießen hat aufgehört."

„Nachmittags hört es immer auf," sagte eines der Kinder. „Am Abend fängt es dann wieder an."

„Vielleicht auch nicht. Vielleicht niemals mehr," meinte Adele schlau.

Am Abend war es bei weitem stärker, als es vorher gewesen war. Die Kinder spielten „Einschlag" und „Abschuß".[22] (Das war ein Abschuß — ein Einschlag. Abschuß. Nein, Einschlag. Wo soll denn ein Abschuß herkommen, sag? Na, von der Entsatzarmee.)

Am nächsten Morgen war das Getöse zu einem Inferno angewachsen. Neben dem Bunker hatte sich jetzt ein deutsches Geschütz postiert und schoß wie verrückt nach dem Feind. „Die sind bald alle mit ihrem Pulver,"[23] sagte der Großvater aufgekratzt.[24] „Dann gehen wir in das Haus."

„Ach, laß doch," gab ihm die junge Frau achselzuckend zurück. „Der Hund wird verhungert sein oder vor Angst vollkommen übergeschnappt.[25] Das Zimmer ist nun doch versaut —"[26]

„Ich will ihn verrecken[27] sehen," sagte der alte Mann.

Als endlich das Geschütz wieder abzog, gingen sie alle ins Haus.

„Wo ist der Hund denn?" fragte Adele. „Wo ist der Hund denn geblieben?"

Er war nicht mehr da. In der Ecke nicht und auch nicht unter dem Bett.

„Ich hatte die Tür doch abgeschlossen, bevor wir hinuntergingen," sagte die junge Frau.

[21] *keifte . . . durcheinander* — wrangled.
[22] *„Einschlag" und „Abschuß"* — "explosion" [of a shell] and "firing" [of a cannon].
[23] *alle mit ihrem Pulver* — out of ammunition.
[24] *aufgekratzt* — animatedly.
[25] *übergeschnappt* — gone crazy.
[26] *versaut* — messed up.
[27] *verrecken* — die.

„Und wenn schon![28] Wunderst du dich darüber?" fragte der Großvater hart. „So was geht durch das Schlüsselloch..." Die Leute blickten einander an, ohne ein Wort zu sprechen; das Klirren der Scheiben knallte allen wie Peitschenschlag um die Ohren, die
5 Luft war von Flugzeuggebrumm erfüllt, ab und zu hörte man näher und ferner das Schießen der fahrbaren Flak auf der Avus[29] — dann schlugen die Bomben ein. Als der Staub sich durch die zerbrochenen Scheiben wieder verzogen hatte, sagte der Alte: „Nun ist aber Schluß. Nun bleiben wir in dem Bunker, bis —"
10   Er ging voran, die anderen folgten. Zuletzt kam Adele, doch auf der Schwelle sah sie einmal um. „Was hast du denn, komm doch!" sagte die Tante. „Jetzt wird es gefährlich. Jetzt wird es schlimm." „Ja," gab Adele mechanisch zurück und stolperte aus dem Haus. „Jetzt geht die Welt unter," sagte sie... eigentlich mehr zu sich
15 selbst.

FRAGEN

1. Was fanden die Leute im Schlafzimmer, als sie aus dem Bunker kamen?
2. Was wollte der alte Mann wissen?
3. Was tat der Hund, während der Alte über ihm stand?
4. Warum klirrten die Fensterscheiben?
5. Wo kam der Hund nach Meinung des Alten her?
6. Warum gingen die Leute wieder in den Bunker?
7. Was tat der Alte, um den Hund loszuwerden?
8. Welches Mittel den Hund loszuwerden schlug die Tante vor?
9. Was passierte jeden Nachmittag?
10. Warum war das Schießen am nächsten Morgen so laut?
11. Was konnten die Leute nicht verstehen, als sie das Haus wieder betraten?
12. Warum mußten die Leute am Ende der Geschichte in den Bunker gehen?

[28] *Und wenn schon!* — And even if you did!
[29] *Avus* — auto racetrack near Berlin.

HERMANN HESSE

Winner of the Nobel prize for literature in 1946, Hesse (1877–)
is, for Americans, perhaps one of the least known of the more
important German literary figures. He is an extraordinarily sensi-
tive author. Writing in relatively simple German he can, in one
or two pages, capture a mood or express an idea which is all the
more impressive because of its very simplicity. And yet, beneath
the clarity of his prose and the apparent ease of expression there
lies frequently a deeper, more perceptive, and often pessimistic view
of man and his works. In the two short sketches which follow,
Hesse makes quite clear that man is not by any means the glorious
creature which he is often fond of imagining himself to be.

In "Der Wolf," although Hesse may seem to attempt to enlist
our sympathy for the unfortunate beast, he is far more concerned
with the lack of feeling in mankind for all that is beautiful in nature.
It would be absurd to claim that Hesse wishes us to approve of
wolves and their marauding tactics, but on the other hand he
would seem to imply that man, with all his vaunted superiority,
has degraded himself to the point of behaving no better than an
animal. Hesse points an accusing finger at the dull, unseeing, unthinking brutality of human nature.

"Ein Abend bei Doktor Faust" is a less grim, but equally telling
commentary on modern life. In it, Hesse satirizes jazz, the idea
that material gains are paramount in life, surrealist poetry, and
radio commercials. While we can take his criticism of these aspects
of our culture with a wry smile, the horrible howls which Dr.

Faust and his visitor hear by means of Mephistopheles' sound machine at the beginning and the end of the demonstration are not to be dismissed lightly. Nor can the explanation which Mephistopheles gives at the end of the episode be regarded merely as a cynical joke, living as we do in a world where evil is an all too common phenomenon.

Hermann Hesse was born in Calw, Württemberg, in 1877. Acceding to the wishes of his parents, he entered a theological seminary in his youth, but withdrew after only one year. He held a variety of positions until he finally went into voluntary exile in Switzerland and devoted his time to literature. In 1923 he became a Swiss citizen, and now lives in Montagnola in the Tessin.

DER WOLF

HERMANN HESSE

Noch nie war in den französischen Bergen ein so unheimlich
kalter und langer Winter gewesen. Seit Wochen stand die Luft
klar, spröde[1] und kalt. Bei Tage lagen die großen, schiefen Schnee-
felder mattweiß und endlos unter dem grellblauen Himmel, nachts
ging klar und klein der Mond über sie hinweg, ein grimmiger 5
Frostmond von gelbem Glanz, dessen starkes Licht auf dem Schnee
blau und dumpf wurde und wie der leibhaftige[2] Frost aussah. Die
Menschen mieden alle Wege und namentlich die Höhen, sie
saßen träge und schimpfend in den Dorfhütten, deren rote Fenster
nachts neben dem blauen Mondlicht rauchig trüb erschienen und 10
bald erloschen.

Das war eine schwere Zeit für die Tiere der Gegend. Die
kleineren erfroren in Menge, auch Vögel erlagen dem Frost, und
die hageren Leichname fielen den Habichten[3] und Wölfen zur
Beute. Aber auch diese litten furchtbar an Frost und Hunger. Es 15
lebten nur wenige Wolfsfamilien dort, und die Not trieb sie zu
festerem Verband. Tagsüber gingen sie einzeln aus. Da und dort
strich[4] einer über den Schnee, mager, hungrig und wachsam,
lautlos und scheu wie ein Gespenst. Sein schmaler Schatten glitt
neben ihm über die Schneefläche. Spürend reckte er die spitze 20
Schnauze in den Wind und ließ zuweilen ein trockenes, gequältes

[1] *spröde* — sharp.
[2] *leibhaftig* — personified.
[3] *Habichten* — hawks.
[4] *strich* — wandered.

51

Geheul vernehmen. Abends aber zogen sie vollzählig aus und drängten sich mit heiserem Heulen um die Dörfer. Dort war Vieh und Geflügel wohlverwahrt, und hinter festen Fensterladen lagen Flinten angelegt.[5] Nur selten fiel eine kleine Beute, etwa ein Hund,
5 ihnen zu, und zwei aus der Schar waren schon erschossen worden.

Der Frost hielt immer noch an. Oft lagen die Wölfe still und brütend beisammen, einer am andern sich wärmend, und lauschten beklommen[6] in die tote Öde hinaus, bis einer, von den grausamen Qualen des Hungers gefoltert,[7] plötzlich mit schauerlichem Ge-
10 brüll aufsprang. Dann wandten alle anderen ihm die Schnauze zu, zitterten und brachen miteinander in ein furchtbares, drohendes und klagendes Heulen aus.

Endlich entschloß sich der kleinere Teil der Schar, zu wandern. Früh am Tage verließen sie ihre Löcher, sammelten sich und schno-
15 berten[8] erregt und angstvoll in die frostklare Luft. Dann trabten sie rasch und gleichmäßig davon. Die Zurückgebliebenen sahen ihnen mit weiten, glasigen Augen nach, trabten ein paar Dutzend Schritte hinterher, blieben unschlüssig und ratlos stehen und kehrten langsam in ihre leeren Höhlen zurück.

20 Die Auswanderer trennten sich am Mittag voneinander. Drei von ihnen wandten sich östlich dem Schweizer Jura* zu, die anderen zogen südlich weiter. Die drei waren schöne, starke Tiere, aber entsetzlich abgemagert.[9] Der eingezogene helle Bauch war schmal wie ein Riemen, auf der Brust standen die Rippen jäm-
25 merlich heraus, die Mäuler waren trocken und die Augen weit und verzweifelt. Zu dreien kamen sie weit in den Jura hinein, erbeuteten am zweiten Tag einen Hammel, am dritten einen Hund und ein Füllen und wurden von allen Seiten her wütend vom Landvolk verfolgt. In der Gegend, welche reich an Dörfern und

---

[5] *angelegt* — in firing position.
[6] *beklommen* — uneasily.
[7] *gefoltert* — tortured.
[8] *schnoberten* — sniffed.
[9] *abgemagert* — emaciated.

Städtchen ist, verbreitete sich Schrecken und Scheu vor den ungewohnten Eindringlingen. Die Postschlitten[10] wurden bewaffnet, ohne Schießgewehr ging niemand von einem Dorfe zum anderen. In der fremden Gegend, nach so guter Beute, fühlten sich die drei Tiere zugleich scheu und wohl; sie wurden tollkühner als je zu Hause und brachen am hellen Tage in den Stall eines Meierhofes.[11] Gebrüll von Kühen, Geknatter[12] splitternder Holzschranken, Hufegetrampel und heißer, lechzender[13] Atem erfüllten den engen, warmen Raum. Aber diesmal kamen Menschen dazwischen. Es war ein Preis auf die Wölfe gesetzt, das verdoppelte den Mut der Bauern. Und sie erlegten zwei von ihnen, dem einen ging ein Flintenschuß durch den Hals, der andere wurde mit einem Beil erschlagen. Der dritte entkam und rannte so lange, bis er halbtot auf den Schnee fiel. Er war der jüngste und schönste von den Wölfen, ein stolzes Tier von mächtiger Kraft und gelenken Formen.[14] Lange blieb er keuchend liegen. Blutig rote Kreise wirbelten vor seinen Augen, und zuweilen stieß er ein pfeifendes, schmerzliches Stöhnen aus. Ein Beilwurf[15] hatte ihm den Rücken getroffen. Doch erholte er sich und konnte sich wieder erheben. Erst jetzt sah er, wie weit er gelaufen war. Nirgends waren Menschen oder Häuser zu sehen. Dicht vor ihm lag ein verschneiter, mächtiger Berg. Es war der Chasseral.* Er beschloß, ihn zu umgehen. Da ihn Durst quälte, fraß er kleine Bissen von der gefrorenen, harten Kruste der Schneefläche.

Jenseits des Berges traf er sogleich auf ein Dorf. Es ging gegen Abend. Er wartete in einem dichten Tannenforst. Dann schlich er vorsichtig um die Gartenzäune, dem Geruch warmer Ställe folgend. Niemand war auf der Straße. Scheu und lüstern blinzelte er

---

[10] *Postschlitten* — post sleighs.
[11] *Meierhof* — dairy farm.
[12] *Geknatter* — cracking.
[13] *lechzend* — panting.
[14] *gelenken Formen* — supple form.
[15] *ein Beilwurf* — an axe which was thrown.

zwischen den Häusern hindurch. Da fiel ein Schuß. Er warf den
Kopf in die Höhe und griff zum Laufen aus,[16] als schon ein zweiter
Schuß knallte. Er war getroffen. Sein weißlicher Unterleib war
an der Seite mit Blut befleckt, das in dicken Tropfen zäh herab-
5 rieselte. Dennoch gelang es ihm, mit großen Sätzen zu entkommen
und den jenseitigen Bergwald zu erreichen. Dort wartete er horch-
end einen Augenblick und hörte von zwei Seiten Stimmen und
Schritte. Angstvoll blickte er am Berg empor. Er war steil, bewaldet
und mühselig zu ersteigen. Doch blieb ihm keine Wahl. Mit
10 keuchendem Atem klomm er die steile Bergwand hinan, während
unten ein Gewirre[17] von Flüchen, Befehlen und Laternenlichtern
sich den Berg entlang zog. Zitternd kletterte der verwundete
Wolf durch den halbdunkeln Tannenwald, während aus seiner
Seite langsam das braune Blut hinabrann.
15   Die Kälte hatte nachgelassen. Der westliche Himmel war dunstig
und schien Schneefall zu versprechen.
   Endlich hatte der Erschöpfte die Höhe erreicht. Er stand nun
auf einem leicht geneigten, großen Schneefelde, nahe bei Mont
Crosin,* hoch über dem Dorfe, dem er entronnen. Hunger fühlte
20 er nicht, aber einen trüben, klammernden Schmerz von der Wunde.
Ein leises, krankes Gebell kam aus seinem hängenden Maul, sein
Herz schlug schwer und schmerzhaft und fühlte die Hand des
Todes wie eine unsäglich schwere Last auf sich drücken. Eine einzeln stehende breitästige Tanne lockte ihn; dort setzte er sich und
25 starrte trübe in die graue Schneenacht. Eine halbe Stunde verging.
Nun fiel ein mattrotes Licht auf den Schnee, sonderbar und weich.
Der Wolf erhob sich stöhnend und wandte den schönen Kopf
dem Licht entgegen. Es war der Mond, der im Südost riesig und
blutrot sich erhob und langsam am trüben Himmel höher stieg.
30 Seit vielen Wochen war er nie so rot und groß gewesen. Traurig
hing das Auge des sterbenden Tieres an der matten Mondscheibe,

---

[16] *griff zum Laufen aus* — started to run.
[17] *Gewirre* — confusion.

und wieder röchelte ein schwaches Heulen schmerzlich und tonlos in die Nacht.[18]

Da kamen Lichter und Schritte nach. Bauern in dicken Mänteln, Jäger und junge Burschen in Pelzmützen und mit plumpen Gamaschen[19] stapften durch den Schnee. Gejauchze erscholl.[20] Man hatte den verendenden[21] Wolf entdeckt, zwei Schüsse wurden auf ihn abgedrückt und beide fehlten. Dann sahen sie, daß er schon im Sterben lag, und fielen mit Stöcken und Knütteln über ihn her. Er fühlte es nicht mehr.

Mit zerbrochenen Gliedern schleppten sie ihn nach St. Immer* hinab. Sie lachten, sie prahlten, sie freuten sich auf Schnaps und Kaffee, sie sangen, sie fluchten. Keiner sah die Schönheit des verschneiten Forstes, noch den Glanz der Hochebene, noch den roten Mond, der über dem Chasseral hing und dessen schwaches Licht in ihren Flintenläufen, in den Schneekristallen und in den gebrochenen Augen des erschlagenen Wolfes sich brach.

FRAGEN

1. Inwiefern war dieser Winter ungewöhnlich?
2. Welche Wirkung hatte die Kälte auf den Menschen?
3. Inwiefern war der nächtliche Auszug der Wölfe anders als bei Tag?
4. Warum mußte ein Teil der Wölfe aus dem Rudel ausscheiden?
5. Warum konnten die Wölfe so wenig Beute finden?
6. Warum beschreibt Hesse die Augen der zurückgebliebenen Wölfe als „glasig"?
7. Warum nahmen die Leute Gewehre mit, wenn sie ausgingen?

[18] *röchelte ein schwaches Heulen schmerzlich und tonlos in die Nacht* — a weak howl, like a death rattle, painful and toneless, sounded in the night.
[19] *plumpen Gamaschen* — heavy, awkward boots.
[20] *Gejauchze erscholl* — cheers resounded.
[21] *verendenden* — dying.

8. Was machte die drei Wölfe so kühn?
9. Was verdoppelte den Mut der Bauern?
10. Welcher von den drei Wölfen blieb am längsten am Leben?
11. Wie stillte der letzte Wolf seinen Durst?
12. Was geschah, als dieser sich den Häusern näherte?
13. Wie versuchte das Tier, den Bauern zu entrinnen?
14. Was wußte der Wolf, als er das Schneefeld erreichte?
15. Was taten die Bauern mit dem toten Wolf?
16. Was übersahen die Bauern völlig?

EIN ABEND BEI DOKTOR FAUST

HERMANN HESSE

Zusammen mit seinem Freunde Doktor Eisenbart (dem Urgroßvater übrigens des nachmals so berühmten Mediziners) saß Doktor
Johann Faustus in seinem Speisezimmer. Das üppige Abendessen
war abgetragen, in den schweren, vergoldeten Pokalen duftete
alter Rheinwein, eben waren die beiden Musikanten verschwun- 5
den, die zum Essen aufgespielt hatten, ein Flötenbläser und ein
Lautenschläger.[1]

„Also jetzt will ich dir die versprochene Probe geben," sagte
Doktor Faust und goß einen Schluck von dem alten Wein in
seine etwas fett gewordene Kehle. Er war kein junger Mann mehr, 10
es war zwei oder drei Jahre vor seinem schrecklichen Ende.

„Ich sagte dir ja schon, daß mein Famulus[2] zuweilen so drollige
Apparate herstellt, mit denen man dies und jenes sehen und hören
kann, was weit von uns entfernt oder längst vergangen oder noch
Zukunft ist. Wir wollen es heute mit der Zukunft versuchen. Der 15
Bursche hat da etwas sehr Amüsantes und Kurioses erfunden,
weißt du. So, wie er uns öfters in magischen Spiegeln die Helden
und Schönen der Vergangenheit gezeigt hat, so hat er jetzt etwas
für die Ohren erfunden, einen Schalltrichter,[3] der gibt uns die
Geräusche zu hören, welche in ferner Zukunft an ebendem Ort 20
einmal erklingen werden, an dem der Schallapparat[4] aufgestellt ist."

[1] *Lautenschläger* — lute player.
[2] *Famulus* — assistant.
[3] *Schalltrichter* — amplifier.
[4] *Schallapparat* — receiving set.

„Sollte dein dienender Geist, lieber Freund, dich da nicht vielleicht etwas beschwindeln?"

„Ich glaube es nicht," sagte Faust. „Für die schwarze Magie ist ja die Zukunft keineswegs unerreichbar. Du weißt, wir sind immer
5 von der Voraussetzung ausgegangen, daß die Geschehnisse auf Erden ohne Ausnahme dem Gesetz von Ursache und Wirkung[5] unterliegen. Es kann also an der Zukunft ebensowenig etwas geändert werden wie an der Vergangenheit: auch die Zukunft ist durch das Kausalgesetz[6] festgelegt, sie ist also schon da, nur sehen
10 und schmecken wir sie noch nicht. Ebenso wie der Mathematiker und Astronom genau den Eintritt einer Sonnenfinsternis[7] weit vorausberechnen kann, ebenso könnte, wenn wir eine Methode dafür erfunden hätten, jeder beliebige[8] andere Teil der Zukunft uns sichtbar und hörbar gemacht werden. Mephistopheles hat nun
15 eine Art Wünschelrute[9] für das Ohr erfunden, er hat eine Falle gebaut, in welcher die Töne eingefangen werden, welche in einigen hundert Jahren hier in diesem Raum ertönen werden. Wir haben es wiederholt probiert. Manchmal freilich ertönt gar nichts, dann sind wir eben in der Zukunft auf eine Leere gestoßen, auf einen
20 Zeitpunkt, in dem nichts Hörbares sich in unserem Raume abspielt. Andere Male haben wir allerlei gehört, zum Beispiel hörten wir einmal einige Menschen, die in ferner Zukunft leben werden, von einem Gedicht sprechen, in dem die Taten des Doktor Faust, also die meinen, besungen werden. Aber genug, wir wollen es
25 probieren."

Auf seinen Ruf erschien in der gewohnten grauen Mönchskutte[10] der Hausgeist,[11] er setzte eine kleine Maschine mit einem Schall-

---

5 *Gesetz von Ursache und Wirkung* — law of cause and effect.
6 *Kausalgesetz* — law of causality.
7 *Sonnenfinsternis* — eclipse of the sun.
8 *beliebige* — at all.
9 *Wünschelrute* — divining rod.
10 *Mönchskutte* — monk's habit.
11 *der Hausgeist* — the familiar spirit.

trichter auf die Tafel, schärfte den Herren dringlichst ein,[12] daß sie ja während des ganzen Vorganges sich jeder Bemerkung enthalten sollten, dann drehte er an der Maschine, die mit einem leisen, zarten Sausen[13] zu arbeiten begann.

Längere Zeit hörte man nichts als dieses spannende Sausen, dem die beiden Doktoren erwartungsvoll lauschten. Dann schrillte plötzlich ein nie gehörter Ton auf: ein böses, wildes, teuflisches Geheule, von dem nicht zu sagen war, ob es von einem Lindwurm[14] oder etwa von einem wütenden Dämon stamme; ungeduldig, warnend, zornig, befehlend schrie der böse Ton, in kurzen, heftigen Stößen sich wiederholend, als pfeife ein verfolgter Drache durch den Raum. Doktor Eisenbart wurde blaß und atmete auf, als der scheußliche Schrei sich, in immer größerer Entfernung noch oftmals wiederholt, in der Ferne verlor.

Es folgte Stille, dann aber erklang ein neuer Laut: eine Männerstimme, wie aus großer Ferne kommend, in eindringlich predigendem Ton. Die Hörer konnten Bruchstücke der Rede verstehen und sich auf die bereitgelegten Schreibtafeln notieren, zum Beispiel die Sätze:

„— und so schreitet nach dem leuchtenden Vorbild Amerikas das Ideal wirtschaftlichen Betriebs[15] unaufhaltsam seiner siegreichen Vollendung und Verwirklichung entgegen. — — Während einerseits der Komfort im Leben des Arbeiters eine nie erlebte Höhe erreicht hat, — — und können wir ohne Überheblichkeit[16] sagen, daß die kindlichen Träume früherer Zeitalter von einem Paradiese durch die heutige Produktionstechnik mehr als — —"

Wieder Stille. Dann kam eine neue Stimme, eine tiefe, ernste Stimme, die sprach: „Meine Herrschaften, ich bitte um Gehör für

---

[12] *schärfte den Herren dringlichst ein* — impressed upon the two gentlemen most emphatically.
[13] *Sausen* — humming.
[14] *Lindwurm* — dragon.
[15] *wirtschaftlichen Betriebs* — of economic pursuits.
[16] *Überheblichkeit* — presumption.

ein Gedicht, eine Schöpfung des großen Nikolaus Unterschwang, von dem man ja wohl sagen darf, daß er wie kein anderer das Innerste unserer Zeit hinausgestülpt,[17] den Sinn und Un-Sinn unseres Daseins am weisesten erschaut hat.

5   Den Schornstein hält er in der Hand,
An beiden Backen trägt er Flossen,[18]
Und nach dem Barometerstand
Steigt er auf Leitern ohne Sprossen.[19]

So steigt er lange Leitern lang
10   Mit Wolken in dem Mantelfutter,[20]
Nach einem Leben wird ihm bang,
Ihn überkommt die Wankelmutter."[21]

Doktor Faust konnte den größeren Teil dieses Gedichtes niederschreiben. Auch Eisenbart notierte fleißig.

15 Eine schläfrige Stimme, ohne Zweifel die Stimme einer älteren Frau oder Jungfer, wurde hörbar, sie sagte: „Langweiliges Programm! Als ob man nur dazu das Radio erfunden hätte! Na, jetzt kommt wenigstens Musik."

In der Tat brach jetzt eine Musik los, eine wilde, geile, sehr 20 taktfeste Musik, schmetternd bald, bald schmachtend, eine ganz und gar unbekannte, fremdartige, unanständige, bösartige Musik, von heulenden, quäkenden und gaksenden[22] Blasinstrumenten, durchschüttert von Gongschlägen, überklettert[23] zuweilen von

17 *das Innerste unserer Zeit hinausgestülpt* — laid bare the most secret places in the heart of our times.
18 *Flossen* — fins.
19 *Sprossen* — rungs.
20 *Mantelfutter* — coat lining.
21 *Wankelmutter* — vacillation [pun on *Wankelmut*]; the whole poem is, of course, absolute nonsense.
22 *gaksenden* — cackling.
23 *überklettert* — superseded.

einer singenden, heulenden Sängerstimme, welche Worte oder
Verse in unbekannter Sprache von sich gab.

Zwischenein ertönte in regelmäßigen Abständen[24] der geheim-
nisvolle Vers:

Bewunderung dein Haar erregt,   5
wird stets mit Gögö[25] es gepflegt!

Auch jener erste, bösartige, wütende, warnende Ton, jenes
Drachengeheul voll Qual und Zorn, wurde zwischenein immer
je und je wieder laut.[26]

Als der Hausgeist lächelnd seine Maschine zum Stillstand brachte, 10
blickten die beiden Gelehrten einander merkwürdig an, in einem
peinlichen Gefühl von Verlegenheit und Scham, als seien sie
ungewollt Zeugen eines unanständigen, verbotenen Vorganges
geworden. Beide überlasen ihre Notizen und zeigten sie einander.

„Was hältst du davon?" fragte Faust endlich.   15

Doktor Eisenbart trank einen langen Schluck aus seinem Becher,
er blickte zu Boden und blieb lange nachdenklich und schweigsam.
Endlich sagte er, mehr zu sich selbst als zu seinem Freunde: „Es
ist schauderhaft! Es kann gar kein Zweifel darüber herrschen, daß
die Menschheit, von deren Leben wir da ein Probestück gehört 20
haben, irrsinnig ist. Es sind unsere Nachkommen, die Söhne
unserer Söhne, die Urenkel[27] unserer Urenkel, die wir da so
bedenkliche, traurige, verwirrte Dinge sprechen hören, die so Entsetzen erregende Schreie ausstoßen, so unverständliche Idiotenverse
singen. Unsere Nachkommen, Freund Faust, werden im Wahn- 25
sinn enden."

„Das möchte ich nicht so bestimmt behaupten," meinte Faust.
„Deine Ansicht hat ja nichts Unwahrscheinliches, aber sie ist doch
pessimistischer als nötig. Wenn hier, an einem einzigen beschränk-

---

[24] *Abständen* — intervals.
[25] *Gögö* — word coined to convey the idea of "goo."
[26] *wurde zwischenein immer je und je wieder laut* — was heard at intervals again and
again.
[27] *Urenkel* — great-grandchildren.

ten Ort der Erde, solche wilde, verzweifelte, unanständige und zweifellos verrückte Töne erklingen, so braucht das noch nicht zu bedeuten, daß die ganze Menschheit geisteskrank geworden sei. Es kann ja sein, daß an dem Ort, an dem wir uns befinden, in
5 einigen hundert Jahren ein Irrenhaus stehen wird und daß wir Bruchstücke davon zu hören bekommen haben. Es kann auch sein, daß eine Gesellschaft von schwer Betrunkenen da ihre Einfälle zum besten gegeben hat.[28] Denke an das Gebrüll einer vergnügten Volksmenge, etwa an einem Karnevalsfest! Das klingt
10 ganz ähnlich. Aber was mich stutzig macht,[29] das sind jene anderen Töne, jene Schreie, die weder von Menschenstimmen noch von Musikinstrumenten erzeugt sein können. Sie klingen, so scheint mir, absolut teuflisch. Es können nur Dämonen sein, die solche Töne ausstoßen.“

15 Er wandte sich an Mephistopheles: „Weißt du vielleicht etwas darüber? Kannst du uns sagen, was für Töne wir da gehört haben?“

„Wir haben,“ sagte der Hausgeist und lächelte, „in der Tat dämonische Töne gehört. Die Erde, meine Herren, welche ja schon heute zur guten Hälfte[30] Eigentum des Teufels ist, wird bis
20 in einer gewissen Zeit[31] ihm ganz gehören und wird einen Teil, eine Provinz der Hölle bilden. Sie haben sich über die Ton- und Wortsprache[32] dieser Erdhölle etwas hart und ablehnend[33] geäußert, meine Herren. Es scheint mir aber immerhin bemerkenswert und hübsch, daß es auch in der Hölle Musik und Dichtung
25 geben wird. Es ist Belial,[34] dem diese Abteilung untersteht. Ich finde, er macht seine Sache[35] recht hübsch.“

---

[28] *ihre Einfälle zum besten gegeben hat* — has given way to their fancies.
[29] *mich stutzig macht* — puzzles me.
[30] *zur guten Hälfte* — at least half.
[31] *bis in einer gewissen Zeit* — eventually.
[32] *Ton- und Wortsprache* — musical and verbal sounds.
[33] *ablehnend* — negatively.
[34] *Belial* — one of Satan's subordinates.
[35] *macht seine Sache* — handles his affairs.

Ein Abend bei Doktor Faust 63

FRAGEN

1. Welche Unterhaltung genossen Dr. Eisenbart und Dr. Faust zuerst nach dem Abendessen?
2. Was hatte der Famulus erfunden?
3. Was konnte Mephistopheles mit der Wünschelrute tun?
4. Was hatte Dr. Faust unter anderem in dem Schallapparat gehört?
5. Was durften die zwei Doktoren nicht tun, nachdem die Maschine angedreht war?
6. Was für einen Zukunftston hörten sie?
7. Wer war Nikolaus Unterschwang?
8. Was taten die zwei Gelehrten, während sie dem Programm zuhörten?
9. Wovon war in den geheimnisvollen Versen eigentlich die Rede?
10. Was hielt der Doktor Eisenbart von der Menschheit der Zukunft?
11. Womit verglich Doktor Faust das, was sie eben gehört hatten?
12. Worin besteht nach Mephistopheles' Meinung die Zukunft der Menschheit?

HANS FRANCK

Franck's (1879–) "Seinselbst vergessen" is the tale of a dedicated specialist who, in his excitement at witnessing primitive rites unknown to the world, forgets the fact that his own life is in danger. Gustav Nachtigal, the hero of this story, was actually one of the important figures in Germany's quest for colonies in Africa during the last half of the nineteenth century. It was he who claimed Togo and the Cameroons for the German Empire. He also traveled extensively in Africa on diplomatic missions and journeys of exploration in little-known sections of that continent.

Franck's interest is not in the diplomat but rather in Nachtigal the enthusiastic student of strange and unknown African customs. In the opening section of the story his official accomplishments are mentioned, but then the center of interest shifts to the naïve amateur anthropologist. The resultant caricature which verges on the grotesque is in no way derisive. The intention of the author is not to ridicule but to present an amusing sketch of an individual who on the one hand could be a realistic man of action in colonial politics and on the other hand be the very antithesis—naïve and unrealistic.

SEINSELBST VERGESSEN[1]

HANS FRANCK

Gustav Nachtigal, der große Afrikareisende, geriet bei seiner
Durchquerung des Sudan in eine Lebenslage oder richtiger gesagt:
in eine Todeslage,[2] über die von Millionen Europäern nicht Einer
aus eigener Erfahrung sprechen kann: Er sollte gegessen werden.
Gehört schon diese Gefahr zu den seltensten aller Menschenerleb- 5
nisse, so ist die Tat, durch welche er sie bestand, schlechthin einzig.

Er allerdings hat, in vorbildlicher Bescheidenheit, kein Aufhebens von ihr[3] gemacht, sondern sie offenbar für selbstverständlich gehalten. Aber einer seiner Schüler, der sie miterlebte, hat sie
überliefert, und — nicht nach Gebühr bekannt[4] — verdient sie, als 10
Beispiel deutscher Hingenommenheit durch einen großen Daseinszweck,[5] erzählt zu werden.

Gustav Nachtigal — ein Kölner* Arzt, der in den sechziger
Jahren des vorigen Jahrhunderts Leibdoktor des Beis von Tunis[6]
geworden war — hatte mit unsäglicher Mühe, aber ohne ernsthafte 15
Gefährdungen, die Sahara durchquert, um dem Sultan von Bornu*
Geschenke des Königs von Preußen zu überbringen, da man in
Deutschland endlich doch zu begreifen begann, wieweit die Auf-
teilung der Erde bereits vorgeschritten war, und schüchterne, fast

---

[1] *Seinselbst vergessen* — No thought of one's self.
[2] *eine Todeslage* — a situation involving death.
[3] *kein Aufhebens von ihr* — no fuss about it.
[4] *nicht nach Gebühr bekannt* — not as well known as it should be.
[5] *deutscher Hingenommenheit durch einen großen Daseinszweck* — of German devotion
to a great idea.
[6] *Bei von Tunis* — Bey of Tunis [the Arab ruler].

immer ungeschickte erste Versuche machte, wenigstens noch einige
angenagte Kolonieknöchelchen zu erwischen.[7] Im Jahre 1870 war
er in Kuka, der Hauptstadt Bornus — einem Hinterlande des
sehr viel später von Gustav Nachtigal unter deutschen Schutz
5 gestellten Kamerun* — feierlich eingezogen. Den Rückweg nach
Tunis* nahm der ärztliche Forscher nicht wieder durch die Sahara.
Er bereiste vielmehr den damals noch völlig unerschlossenen Sudan
in seiner ganzen Breite. Über Bagirmi,* Wadai,* Dâr-Fûr,* Kordofan* gings an den Nil.* Dann nilabwärts[8] über Chartum,* El
10 Orde,* Korosko,* Kairo zurück nach Tunis, wo dem wagemutigen Pionier des Deutschtums[9] zur Belohnung für seine außer-
gewöhnliche Leistung der Titel Preußischer Generalkonsul verabfolgt[10] wurde.

Bei dieser Durchquerung des Sudan traf Gustav Nachtigal
15 zwischen Bagirmi und Wadai auf einen bislang gänzlich unbekannten Negerstamm und zwar — wie er am eigenen Leibe
erfahren sollte — auf Kannibalen. Er hatte sich im Übereifer[11] von
den Mitgliedern seiner Expedition getrennt. Die Krieger des nicht
einmal dem Namen nach[12] bekannten Sudanvölkchens[13] überfielen
20 ihn. Sie schlugen den Wehrlosen aber nicht nieder, schleppten ihn
vielmehr zu dem Hüttenhaufen, in welchem ihr König residierte.
Dort wurde er an einen Baum gebunden und sollte — kein Zweifel!
— gegessen werden.

Gustav Nachtigal schloß sein Lebensbuch ab. Es standen ansehn-
25 liche Posten auf der Aktiva-Seite.[14] Unbestreitbar: Er hatte man-

---

[7] *einige angenagte Kolonieknöchelchen zu erwischen* — to get a few scraps of colonies
[Germany was one of the last European powers to acquire colonies and consequently
had to take the scraps which were left.].
[8] *nilabwärts* — down the Nile.
[9] *wagemutigen Pionier des Deutschtums* — daring pioneer of the German idea.
[10] *verabfolgt* — conferred on.
[11] *Übereifer* — excess of zeal.
[12] *dem Namen nach* — by name.
[13] *Sudanvölkchen* — Sudanese tribe.
[14] *ansehnliche Posten auf der Aktiva-Seite* — considerable entries on the credit side.

cherlei Nichtalltägliches[15] daheim und in der Fremde geleistet. Aber gegenüber Dem, was zu leisten war, was er noch hätte leisten können, wenn er nicht in die Hände der Kannibalen geraten wäre, gegenüber den verwirrend großen Posten auf der Passiva-Seite,[16] fielen seine sämtlichen bisherigen Leistungen nicht ins Gewicht.[17] Was alles konnte er zum Exempel — obwohl an Händen und Füßen gebunden — in diesem Augenblick Wichtiges beobachten! Vorgänge, Handlungen, Gebräuche, die noch kein Forscher festgehalten, noch Keiner, wenn er sie doch für sich festhielt, der Heimat wissenschaftlich einwandfrei[18] beschrieben hatte.

Immer sorgsamer, immer leidenschaftlicher verfolgte Gustav Nachtigal das Tun und Treiben der Neger.

Freilich, keine alltägliche Mahlzeit sollte vor sich gehen. Sondern ein Festschmaus.[19] Das ganze Dorf, das vollzählige Völkchen war auf den Beinen. Vom glitzernden König bis zum armseligsten Untertan, vom zahnlosen Greis bis zum kaum standfesten Kind. Nirgendwo Willkür, Zufall. Alles ging nach altem, bis ins Einzelne festgelegtem Ritus vor sich. Das Aufschichten des Holzes — eine heilige Handlung. Das Herbeiholen der Kessel — ein gottesdienstlicher Akt. Die Bereitstellung der Trinkgefäße[20] — eine sakrale Leistung. Das Wetzen der Messer — ein wollustdurchschauertes Mysterium.[21] Selbstverständlich durfte bei einer solchen Feier die Musik nicht fehlen! In feierlichem Zuge wurden die Instrumente herbeigeschafft. Warum waren die Einen von ihnen unfaßbar lang, während die Andern durch Kürze auffielen? Das konnte kein Zufall sein. War bestimmt nicht unsinnig. Wurden Jene nur zu Hause benutzt, von berufsmäßigen Sängern, sozusagen von den

[15] *mancherlei Nichtalltägliches* — many unusual things.
[16] *Passiva-Seite* — debit side.
[17] *fielen seine sämtlichen bisherigen Leistungen nicht in Gewicht* — all of his accomplishments up to this time were unimportant.
[18] *einwandfrei* — correctly.
[19] *Festschmaus* — banquet.
[20] *die Bereitstellung der Trinkgefäße* — the arranging of the drinking vessels.
[21] *ein wollustdurchschauertes Mysterium* — a rite filled with joyful anticipation.

Neger-Barden? Mußten Diese, im Gegensatz zu ihnen, handlicher sein, weil sie auf die Streifzüge[22] — zur Jagd, in den Krieg — mitgenommen wurden? Wieviel Saiten hatten sie? Gleich viele? Nicht doch![23] Auf der Kriegergitarre war mindestens die doppelte Zahl wie auf der Bardengitarre. Warum nicht umgekehrt? Und wie waren die Saiten befestigt? Wie wurden sie gestimmt? Seltsam: Die Wirbel[24] staken nicht — nach europäischer Weise — im Kopf der Instrumente. Sie befanden sich auf dem Klangkörper,[25] geradezu — ja, es ließ sich nicht anders sagen — oben auf dem Instrumentenbauch. Woraus bestand der Fingerhut,[26] mit dem die Saiten gerissen werden sollten? War auch seine Spitze aus Horn? Sicher nicht. Genauer hinsehen! Festhalten die überaus wichtigen Beobachtungen! Im Inneren[27] festhalten!

Sämtliche Vorbereitungen zum Volksschmaus[28] waren beendet. Die Einen griffen nach den Instrumenten. Setzten mit Spielen ein. Die Anderen begannen zu tanzen. Rund um den Gefangenen. Die Dritten huben an zu singen.

Gustav Nachtigal geriet außer sich. Welcher Forscher hatte Das gesehen? Wer hatte es aufgezeichnet? Wo waren die Bücher, die es beschrieben? Wissenschaftlich exakt beschrieben? Nicht gegründet auf Erzählungen aus drittem zehntem Munde[29] und also hundertfach verfälscht. Sondern gegründet auf eigene, unverfälschte, hinreichende Beobachtungen. Alles war bis ins Einzelste festgelegt. Das Gebaren, die Melodien. Die Texte, die Folge der Tänze. Genauer hinhören! Schärfer hinsehen! Aber Wer konnte dieses hundertfältige Auf und Ab[30] in seinem Gedächtnis auf-

---

22 *Streifzüge* — expeditions.
23 *Nicht doch!* — No, not at all!
24 *Wirbel* — pegs [of a stringed instrument].
25 *auf dem Klangkörper* — on the body of the instrument.
26 *Fingerhut* — pick.
27 *Im Inneren* — in mind.
28 *Volksschmaus* — tribal feast.
29 *aus drittem zehntem Munde* — heard third or tenth hand.
30 *dieses hundertfältige Auf und Ab* — this ceaseless coming and going.

speichern?[31] Also durch Buchstaben, durch Noten, durch Zeichen festhalten. Papier! Bleistift!!

Gustav Nachtigal gewahrte zu seinem Kummer, daß er gefesselt war.

Gefesselt? Er mußte die Hände freihaben. Punktum.[32] Gab es nicht Artisten, die zur Belustigung der Menschen, um Geld durch ihre Spielerei zu verdienen, sich aus den kunstvollsten Fesselungen befreiten? Und er, der frei sein mußte, um der Forschung unschätzbare Dienste zu leisten, er sollte es nicht fertig bringen, die Arme, die Hände aus kunstlos geschlungenen Negerstricken[33] herauszuziehen? Die Hände endlich frei! So — mit Gewalt — gings nicht. Auch so nicht. Und so nicht. Aber so! Nun doch die Arme frei! War leichter. Viel leichter.

Gustav Nachtigal griff in seine Rocktasche, holte Bleistift und Notizbuch hervor, begann zu schreiben: Worte, Noten, Zeichen.

Die Neger spielten, tanzten, sangen inmitten wilden, sinnebenebelnden Rausches.[34]

Gustav Nachtigal stand inmitten gläserner Klarheit und schrieb.

Einer der Tanzenden gewahrte es. Glaubte, der Weiße Mann werde im nächsten Augenblick die Rechte mit dem blinkenden Dingelchen[35] heben und schießen. Wollte beiseite laufen. Wollte nach einem Speer greifen.

„Tanzen!" schrie Gustav Nachtigal ihn an.

Und der Neger tanzte.

Durch den Anruf schienen mehreren der Neger die Augen aufzugehen. Sie begannen, um sich zu sehen. Das Marterpfahllied[36] drohte ins Stocken zu geraten.

„Singen!" befahl Gustav Nachtigal.

[31] *aufspeichern* — store.
[32] *Punktum* — That was that.
[33] *kunstlos geschlungenen Negerstricken* — ropes which the natives had so artlessly tied.
[34] *sinnebenebelnden Rausches* — intoxicating delirium.
[35] *mit dem blinkenden Dingelchen* — with the glittering little thing [the pencil].
[36] *Marterpfahllied* — song sung around the torture stake.

Und die Neger sangen.

Von Minute zu Minute steigerte sich das Singen und Tanzen. Nicht mehr die Gier des freiumherspringenden Kannibalenstammes trieb den Tumult gipfelan.[87] Beherrscht wurde er von dem Willen
5 des gefesselten deutschen Mannes: der Menschheit durch Kündung bislang unbekannter Menschlichkeiten[38] zu dienen.

Plötzlich aus dem Dickicht eine Salve. Drei Neger tot am Boden. Die Übrigen fliehen in alle Winde: König und Untertanen; Greise, Männer, Frauen, Kinder.

10   Die Gefährten des Forschers kommen jubelnd herbeigelaufen.

„Wie könnt Ihr mich bei der wichtigsten Arbeit meines Lebens stören?" schreit Gustav Nachtigal sie an.

Arbeit — —? Stören — —?

Niemand begreift.

15   „Die bedeutendste aller Entdeckungen unserer Expedition! Und Ihr vertreibt mir, ehe sie abgeschlossen ist, die Neger durch Eure dumme Schießerei!"

Dumme Schießerei — —? Dumme — — —?

„Seht her: Gesänge der Neger beim Menschenschlachtfest!
20 Wortwörtlich aufgezeichnet. Notengerecht festgehalten."[39]

Jawohl: Beim Menschen-Schlachtfest. Und der geschlachtet werden sollte bei diesem Fest, der geschlachtet und aufgefressen wäre, wenn sie nicht dummerweise geschossen hätten: Er!

„Ich??"

25   Wer sonst?

„Hm —"

Ob er Das ganz vergessen hätte? Wie in aller Welt nur möglich, seiner Errettung vom Tode nicht behilflich zu sein?

„Vielleicht bin ich gerettet worden, weil ich den Tod vergaß —?"

---

[87] *gipfelan* — to its peak.
[88] *Kündung bislang unbekannter Menschlichkeiten* — revelation of aspects of human nature as yet unknown.
[89] *Notengerecht festgehalten* — accurately copied musical notes.

Hinundherblicken. Begreifen.[40] Keiner wagt zu antworten.

Dann ließ Gustav Nachtigal sich losbinden und begann — als ob nichts Außergewöhnliches sich ereignet hätte, weder mit ihm noch durch ihn — den Gefährten die Opferfestlieder des unbekannten sudanesischen Kannibalenstammes vorzulesen, vorzusingen und, 5 hingerissen von ihrer Rauschgewalt, vorzutanzen.

FRAGEN

1. Was hätte Gustav Nachtigal in Afrika passieren können?
2. Wieso war Gustav Nachtigal bescheiden?
3. Wie erfuhr die Welt von Nachtigals Erlebnissen?
4. Was war Nachtigals Beruf?
5. Was war seine Heimatstadt?
6. Warum durchquerte Gustav Nachtigal die Sahara?
7. Warum konnten die Kannibalen Gustav Nachtigal ohne große Schwierigkeiten gefangen nehmen?
8. Was taten die Kannibalen mit ihm, nachdem sie ihn gefangen genommen hatten?
9. Wofür interessierte sich Gustav Nachtigal im Kannibalendorf?
10. Welche von den Kannibalen nahmen an der Feier teil?
11. Wie bezeichnete der Forscher die zwei Arten von musikalischen Instrumenten, die er sah?
12. Warum wollte er seine verschiedenen Betrachtungen unbedingt festhalten?
13. Warum mußte er seine Hände frei haben?
14. Was tat der Forscher gleich nachdem er seine Hände frei bekommen hatte?
15. Warum wollte einer der Tanzenden nach einem Speer greifen?

---

[40] *Hinundherblicken. Begreifen* — Exchange of glances. Comprehension.

16. Wodurch wurde der Tanz unterbrochen?
17. Warum wurde Gustav Nachtigal wütend?
18. Was hatte Nachtigal ganz und gar vergessen, während er sich Notizen machte?
19. Was tat der Forscher am Ende der Geschichte?

ERNST WIECHERT

Wiechert's "Die Magd" appears in his collection *Das heilige Jahr*, a series of five stories with themes taken from four days in the Christian Holy Year: Christmas, Shrove Tuesday, Easter, and Pentecost. The fifth story, "Die Magd," brings the circle to a close with the recurrence of the Christmas theme. In his brief introduction to *Das heilige Jahr* Wiechert (1887–1950) emphasizes the twofold nature of the relationship between man and God: not only does man seek God, but God also seeks man. Wiechert believes that, when a distressed individual who is worthy of assistance raises his arms to God and prays for a miracle, the hand of God moves invisibly and a holy circle from man to God to man is closed. Such a miracle brings an inner calm and peace to the suppliant. The compassion which man often refuses to show for his fellow-men can and does in some cases come directly from God.

The pregnant servant-girl in "Die Magd," banished from society before Christmas, prays to God for aid. When she turns to the only person who could be the instrument on earth for such a miracle, the pastor, this man who propounds the doctrines of Christian faith shows no compassion for the girl, but castigates her for her error. With no other course open to her, the servant-girl appeals directly to God, and because in Wiechert's eyes she is worthy of God's help, her prayer is not in vain. God's grace is not dependent on man's actions or on the rules by which men live on earth.

DIE MAGD

—

ERNST WIECHERT

Am Vormittag hatte die Magd ihre Kündigung erhalten,[1] in der großen Stube des Bauern, und die Bäuerin hatte auf der Ofenbank gesessen und nur ein einziges Mal ihre harten Augen gegen sie aufgehoben. Nach dem Gesetz dürfe sie bis zum Altjahrsabend[2] bleiben, hatte der Bauer gemeint, aber es stehe ihr auch frei, am [5] gleichen Abend noch zu gehen. Und in ihren Umständen[3] sei wohl nicht viel Hilfe von ihrer Hände Arbeit zu erwarten.

Die Magd hatte noch eine Weile dagestanden, die Augen durch das Fenster auf die Felder gerichtet, über die der harte Schnee trieb. Es kam ihr wohl vieles in den Sinn, was sie hätte sagen können. [10] Von vielen Ernten, die sie miteingebracht, von vielen Eimern Milch, die sie getragen, von vielen Kälbern, die sie aufgezogen hatte. Und daß auf einem großen Hof zwei Hände mehr seien als eben nur Hände, wenn sie selbstlos für das Ganze geschafft hätten. Und daß eine Menschenhand nicht immer mit Geld allein abzu- [15] gelten sei.[4] Und vielleicht auch hätte sie sagen können, daß der jüngste Sohn des Hofes eigentlich neben ihr stehen müßte, vor dem schweren Eichentisch, hinter dem soeben ein hartes Gericht gehalten wurde.

Aber dann hatte sie doch geschwiegen. Nur eine finstere Falte [20] hatte sich langsam und tief zwischen ihre Augen gegraben, und

[1] *ihre Kündigung erhalten* — received her notice (to leave).
[2] *Altjahrsabend* — New Year's Eve.
[3] *in ihren Umständen* — in her condition.
[4] *abzugelten sei* — can be rewarded.

der von den Feldern rückkehrende Blick war einmal über den
Bauern und die Bäuerin gegangen. Ein Blick, dem ausgewichen[5]
und der nicht erwidert wurde. Und dann, schon an der Tür, hatte
sie achtlos[6] gesagt, daß sie am gleichen Abend noch gehen würde.

5   Nun, in der Dämmerung, als sie die letzte Kuh gemolken hatte,
wäre es Zeit gewesen zu gehen. Aber sie blieb noch sitzen, die
Stirn an die warme Flanke des Tieres gelehnt, eingehüllt in die
Geborgenheit[7] des Stalles, hinter dessen Wänden das Dunkel war
und die Verstoßung. Vom Futterboden[8] wurde Heu herunter-
10 geworfen, und sie wartete noch, bis die Fußtritte die Leiter her-
untergekommen waren. Es könnte wohl ein Wunder geschehen
am ersten Advent.[9] Ein Licht könnte sich aufheben in der Finsternis, eine Kammer könnte ihr zubereitet werden auf dem großen
Hof, wo selbst der Hund eine Hütte hatte, vor die man eine
15 Schüssel mit Nahrung stellte. „Lieber Gott," betete sie an dem
Leib des Tieres, „laß auch für mich ein Wunder kommen, deine
arme und sündige Magd...."

Aber die Schritte gingen zur Stalltür, und eine verlegene Stimme
sagte: „Du mußt es nun einsehen, daß ich nicht anders kann..."
20 Sie antwortete nicht, und dann waren die Schritte schon auf
dem Hofplatz und eine ferne Tür schlug zu. Es war ein harter
Klang, unbeabsichtigt vielleicht, denn der Wind ging schwer über
die dunkelnden Felder, und so kam es, daß auch sein Echo hart war
im Herzen der Magd, und daß auch dort eine Tür zufiel. Zwar
25 blieb sie noch eine Weile sitzen, weil das Tier an ihrer Stirn voll
Ruhe und Geduld war, und weil es ihr nicht leicht war, von den
Tieren zu scheiden, von denen viele unter ihren Händen groß
geworden waren. Aber dann stand sie doch einmal auf, trug den
Eimer zur Seite und ging geradeswegs in ihre Kammer hinauf,

---

[5] *dem ausgewichen ... wurde* — which was avoided.
[6] *achtlos* — listlessly.
[7] *Geborgenheit* — security.
[8] *Futterboden* — hay loft.
[9] *am ersten Advent* — on the first Sunday of Advent.

wo sie sich umkleidete. Das Bündel mit ihrem geringen Besitz ließ sie zu Füßen des Lagers stehen. Sie würde es nun wohl nicht mehr brauchen.

Der Weg zum Pfarrer war wohl eine Meile weit, und vieles ließ sich auf ihm bedenken.[10] Er führte über hüglige Felder, mit 5 verkrüppelten Bäumen auf den kahlen Höhen, und dann am Fluß entlang, der hinter den Schilfwänden murrte,[11] und dann durch den Fichtenwald,[12] in dem es still war wie in der Kirche. Ein guter Weg, oft gegangen zur Sommerzeit, wenn der Kuckuck über die Felder rief und die Roggenhalme[13] sich über denen schlossen, die 10 allein sein wollten unter den Sternen mit der Heimlichkeit ihrer verbotenen Liebe. Aber nun ein harter Weg unter dem treibenden Schnee, weitab von dem Licht der Höfe zur Rechten und zur Linken.

Sie kannte den Pfarrer nicht, und sie ging zu ihm, weil sie ihn 15 nicht kannte. Sie wußte nur, daß er noch jung war und mit einer adligen Dame verheiratet. Und daß viel festliches Leben in seinem Hause war, Musik und geistliche Spiele, und daß die Landschaft leisen Anstoß nahm[14] an seiner fröhlichen Weltlichkeit. So hatte sie wohl gedacht, daß ein milder Richter hinter dieser Freude 20 wohnen müsse statt eines strengen Mahners[15] mit weißen Haaren.

Sie sah die vielen Fenster erhellt in dem breiten Haus, sah Schatten hinter den Vorhängen und hörte dann viele Instrumente feierlich zusammenklingen zu einer sanften Anbetung, die langsam stieg und sank. Sie saß auf der kalten Steintreppe, den Kopf an das 25 Holz der Tür gelehnt, und hörte zu. Es war, als erbebe das Holz unter den Klängen, die das Haus erfüllten, gleich dem Leib einer Geige, und als lehne sie mit ihrem Ohr an der Tür eines himm-

---

[10] *vieles ließ sich auf ihm bedenken* — much could be thought over on the way (to the pastor's house).
[11] *der hinter den Schilfwänden murrte* — which murmured behind the rushes.
[12] *Fichtenwald* — pine forest.
[13] *Roggenhalme* — rye stalks.
[14] *die Landschaft leisen Anstoß nahm* — the region slightly disapproved.
[15] *Mahner* — admonisher.

lischen Saales, in dem der Trost zubereitet werde für das dunkle
Erdenland mit seiner vielfachen Not.

So war ihre Hand ganz ruhig, als sie den Klopfer der Tür bewegte,
der ein altes Wappen[16] trug, und auch ihre Stimme zitterte nicht,
5 als sie das Mädchen bat, den Pfarrer zu rufen.

Nun waren die Gäste gerade dabei, sich in dem Saal zu ordnen,
der eine kleine Bühne hatte, auf der die drei Kinder des Pfarrers
mit einigen jungen Helfern ein Krippenspiel zur Aufführung
bringen[17] wollten, und es war natürlich, daß der Pfarrer ungehalten
10 war über die unvermutete Störung und sich zuerst verleugnen
lassen wollte.[18] Aber dann schämte er sich ein wenig, weil die Tür
eines Pfarrhauses doch nicht verschlossen sein durfte, ordnete an,
daß man ohne ihn beginnen sollte, da das Spiel ihm ja ohnehin[19]
bekannt sei, und versprach, nach kurzer Zeit wieder da zu sein.
15 Doch öffnete und schloß er die Tür seines Amtszimmers härter als
nötig gewesen wäre, und als er beim ersten Blick den Zustand der
Magd erkannte, schoß der Zorn in seine Augen, und er ließ sie
mit harten Worten an, ob sie vielleicht nach ihrem verspielten
Myrtenkranz[20] zu ihm komme.

20 Die Magd war aufgestanden und sah ihm ohne Angst in die
Augen, wie ein Mensch, der das Notwendige zu erwarten bereit
ist, aber dann konnte sie nicht hindern, daß ihre Augen einmal
nach dem Kruzifix gingen, das über dem Schreibtisch hing, und
dann schweigend zu dem Gesicht des Pfarrers wiederkehrten. Sie
25 habe den Herrn Pfarrer nur bitten wollen, sagte sie dann mit ihrer
dunklen und bescheidenen Stimme, daß er das Ungeborene in
ihrem Leib taufe, weil es wahrscheinlich an Zeit und Gelegenheit
mangeln werde, das zwischen Geburt und Tod zu tun.

---

[16] *ein altes Wappen* — an old coat of arms.
[17] *ein Krippenspiel zur Aufführung bringen* — to present a nativity play.
[18] *sich . . . verleugnen lassen wollte* — wanted to have her told that he was not at home.
[19] *ohnehin* — anyway.
[20] *ihrem verspielten Myrtenkranz* — her lost myrtle wreath (the symbol of the virgin
bride).

Sie hielt dem Blick des Pfarrers stand, der sie nun ohne Begreifen umfaßte, und fügte nur hinzu, daß eine Nottaufe[21] doch statthaft sei, da ein ungetauftes Leben doch der ewigen Seligkeit verlustig gehe.

Weshalb sie denn nicht warten wolle, fragte der Pfarrer endlich, bis das Kind geboren sei?

Das Kind werde niemals geboren werden, erwiderte die Magd ganz still.

Nun begriff der Pfarrer endlich, was hier geschehen sollte, und da er noch jung war und ohne Anfechtungen[22] frühzeitig in ein geachtetes und gesichertes Leben gekommen war, so war es natürlich, daß er von neuem zornig wurde über die Selbstverständlichkeit, mit der hier eine Todsünde vor ihn hingelegt wurde. „Du sündiger Mensch," sagte er, „weißt du denn, was du sprichst und verlangst?"

Aber die Magd, als stehe sie in einer andern Welt, wo die menschliche Sprache nicht gelte, wiederholte nur mit den gleichen Worten ihre Bitte. Und als der Pfarrer „Nein!" sagte, „Nein und nochmals Nein!" wandte sie sich still zur Tür, öffnete sie und trat mit gebeugten Schultern auf den Gang hinaus.

Nun öffnete sich im gleichen Augenblick lautlos die gegenüberliegende Tür, und die Frau des Pfarrers trat heimlich aus dem verdunkelten Saal, um nach ihrem Mann zu sehen. In dem Ausschnitt der Tür[23] erschien nun das dämmernde Dunkel des großen Raumes, die Umrisse vieler Menschen, die mit dem Rücken zur Tür saßen, und auf dem erhöhten und sanft beleuchteten Hintergrunde die kindlich aufgebaute Hütte unter den Kulissen[24] eines beschneiten Waldes. Auf der Schwelle saß ein alter Mann mit einem Küchenbeil[25] auf den Knien, klein und dürftig, da man

---

[21] *Nottaufe* — emergency baptism.
[22] *Anfechtungen* — difficulties, conflicts.
[23] *in dem Ausschnitt der Tür* — in the door opening.
[24] *unter den Kulissen* — in the setting.
[25] *Küchenbeil* — kitchen cleaver.

ein Kind dazu verkleidet hatte. Im Inneren aber, neben dem erhöhten Herd, hielt die Jungfrau das Kind in den Armen und wiegte es leise hin und her, indes ein roter Stern über dem Dach der Hütte stand und drei kleine Wanderer von der Seite her alles
5 betrachteten, jeder mit einem Licht in der Hand, Watte[26] statt Schnee auf den Kindermänteln. Und als nun die kleine Saalorgel[27] mit hohen und zitternden Flöten in das Schweigen fiel, hoben die Wanderer ihr Licht über sich, und ihre zarten und schüchternen Stimmen vereinigten sich zu dem Gang einer stillen Melodie,
10 unter der doch der ganze Saal zu erbeben schien:

> Wir gehn durchs dunkle Erdenland,
> Wir tragen ein Licht in unsrer Hand.
> Wir suchen die Hütte im verschneiten Wald,
> Wir suchen das Kind, heißt Friedebald[28] ...

15 Die Magd, zuerst nur angehalten von dem unvermuteten Bild in der geöffneten Tür, stand nun in völliger Erstarrung, dem beglänzten Schauspiel hingegeben. Aber als die Stimmen schwiegen und die Orgel ein kleines Zwischenspiel vor der zweiten Strophe anhob, begann sie wie in einem Zauber einen Fuß vor den andern
20 zu setzen, zuerst über die Schwelle, nicht achtend der abwehrenden Hand der Pfarrerfrau, und dann an der Seitenwand des Saales entlang, immer näher zu dem Wunder der Hütte und der Menschwerdung,[29] die dort in kindlicher Weise geschah. Ihr Kopftuch war auf die Schultern geglitten, unter dem schneenassen Haar
25 leuchtete ihr schmerzlich erschöpftes Gesicht. Die Gäste, zuerst im Zweifel, ob hier ein Geschehen des Spiels oder des Lebens

---

26 *Watte* — cotton batting.
27 *Saalorgel* — organ.
28 *heißt Friedebald* — [who] is called the Bringer of Peace [Christ].
29 *Menschwerdung* — incarnation.

vorliege,[30] erkannten an dem plötzlich sich verwirrenden und dann abbrechenden Gesang der Kinder die Wahrheit, erhoben sich halb von ihren Sitzen und sahen nun, wie die Magd an den Stufen der Bühne anhielt, niederkniete, die gefalteten Hände gegen die Tür der Hütte hob und dann ihre Stirn auf die Bretter legte, wo 5 sie lange und regungslos verharrte.[31]

Es war sehr still in dem großen Raum, so still, daß das Knistern[32] der Kerzen zu vernehmen war, unter denen die drei Wanderer in Verwirrung auf die Kniende starrten. Und erst als der Pfarrer, da doch nun nach seiner Meinung etwas geschehen mußte, von der 10 Schwelle her leise auf die Bühne zuzugehen begann, stand die Magd langsam auf, wandte ihr verwandeltes Antlitz ihm entgegen, sah dabei nicht seine etwas hilflos ausgestreckte Hand und sagte laut, und für alle vernehmlich, daß sie Trost und Demut empfangen habe von den Kindern, die immer wüßten, wo ein Licht am Abend 15 leuchte.

Und damit ging sie still und von niemand gehalten aus dem Saal, und es war vielen zumute, als habe etwas Großes sich hier vollzogen, obwohl niemand außer dem Pfarrer wußte, worum sie gebeten und was sie empfangen hatte. 20

FRAGEN

1. Wie lange hätte die Magd nach dem Gesetz bei dem Bauern bleiben können?
2. Wer hätte eigentlich neben der Magd stehen sollen?
3. Was hat die Magd dem Bauern gesagt, ehe sie das Zimmer verließ?

---

[30] *ein Geschehen des Spiels oder des Lebens vorliege* — they were confronted with a part of the play or with actual life.
[31] *verharrte* — remained.
[32] *Knistern* — sputtering.

4. Worum hat sie gebetet, als sie bei der letzten Kuh saß?
5. Wer ging zur Stalltür hinaus, während sie bei der Kuh saß?
6. Warum war es schwer für sie, die Tiere zu verlassen?
7. Was machte sie mit ihrem Bündel?
8. Warum war ihr der Weg zum Pfarrhaus bekannt?
9. Wie stellte sie sich den Pfarrer vor?
10. Was hörte sie, als sie sich dem Hause näherte?
11. Warum waren die Gäste gerade dabei, sich im Saal zu ordnen?
12. Warum sagte der Pfarrer, daß das Spiel ohne ihn anfangen dürfe?
13. Was sah sie im Zimmer flüchtig an, ehe sie zum Pastor sprach?
14. Was wollte sie eigentlich vom Pfarrer?
15. Warum wurde der Pfarrer zornig?
16. Was tat die Magd, als der Pfarrer wiederholt „nein" gesagt hatte?
17. Warum war die Tür zum verdunkelten Saale offen?
18. Warum waren die Lichter im Saale aus?
19. Was taten die Kinder auf der Bühne, als die Orgel zu spielen begann?
20. Was tat die Magd, als die erste Strophe des Liedes zu Ende war?
21. Warum erhoben sich die Gäste?
22. Wo kniete die Magd nieder?
23. Was tat die kniende Magd, als der Pfarrer auf die Bühne zuzugehen begann?

WERNER BERGENGRUEN

Bergengruen's "Die Schatulle" starts as what appears to be an intriguing episode of the French Revolution, but by the time one has finished it, it takes a macabre twist which is entirely unexpected and extremely puzzling.

If Bergengruen (1892-   ), who is able to be idealistic without moralizing about it, is pointing out a particular human failing here, it is probably that of avarice. And yet, rather than preach a sermon on the topic, he has succeeded in disguising his point in an adventure with an almost tragic ending.

Not that Leclef, the jeweler, is an entirely innocent man who suffers unjustly. He is quite prepared to be an accessory to law-breaking, if he can get away with it. But he is hoist with his own petard. And it is at this point that Bergengruen skillfully puzzles us. The reader will have to follow very carefully the tale of the mysterious woman at the beginning of the story and the conversation which follows at the home of Dr. Pillon if he wishes to solve the puzzle for himself. Likewise, the sudden revelations at the end are confusingly simple. It is remarkable what Bergengruen has done here with a few seemingly innocent and well-placed words.

Werner Bergengruen was born in Riga in 1892. After studying at several German universities, he fought in World War I. For a few years thereafter he made his living as a journalist and translator, but since 1924 has devoted himself to literature. He now lives in Zürich.

DIE SCHATULLE

WERNER BERGENGRUEN

Im zweiten Jahre der Konventsherrschaft[1] verließ die Frau des Goldschmiedes und Juweliers Leclef eines Morgens das in der Rue St. Hilaire gelegene Haus ihres Mannes, um sich für einige Tage zu ihrer Schwester nach Versailles zu begeben. Im Hause blieben nur ihr Mann und der Geselle zurück, denn die Dienstmagd hatte 5 man abschaffen[2] müssen.

Am Nachmittag erschien im Laden eine verschleierte Dame, die den Meister in einer vertraulichen Angelegenheit zu sprechen wünschte.

Er führte sie in die Stube. Sie nahm den Schleier ab; ihr Gesicht 10 war jung und hübsch. Nachdem er ihr versichert hatte, daß sie keinen Lauscher zu fürchten brauche, schickte sie sich an, ihm ihr Anliegen auseinanderzusetzen.[3] Sie begann mit einigen nichtssagenden Höflichkeiten und nannte ihn dabei „Monsieur" und nicht „Citoyen,"[4] und das hörte der Juwelier immer gern, voraus- 15 gesetzt, daß niemand dabei war. Er war ein Geschäftsmann, hatte unter dem alten Regime gut verdient und fluchte im stillen auf Jakobiner[5] und Philosophen.

„Nein, Monsieur," sagte die Dame endlich, „ich weiß, ich kann

[1] *Konventsherrschaft* — the government by the National Assembly [the parliamentary power in France during the first years of the Revolution].
[2] *abschaffen* — give up.
[3] *ihm ihr Anliegen auseinanderzusetzen* — to explain her proposition.
[4] „*Citoyen*" — "Citizen" [form of address established by the revolutionaries to replace "Monsieur"].
[5] *Jakobiner* — Jacobins [members of the powerful group of agitators who conducted the Reign of Terror].

87

zu Ihnen Vertrauen haben. Ich will daher alle Umschweife[6] fortlassen. Einige hochgestellte Personen im Auslande, deren Namen
ich nicht zu nennen brauche, die es aber verstanden haben, große
Teile ihres Vermögens zu retten, schicken mich zu Ihnen. Es sind
5 Personen, die in verwandtschaftlichen Beziehungen[7] zu den Häusern Rohan und Montmorency stehen und den Wunsch haben,
Wertgegenstände[8] aus dem Besitz dieser und anderer ihnen ver-
bundener Familien zurückzuerwerben, soweit sich an diese Gegen-
stände ihnen teure Erinnerungen knüpfen."

10 „Die Personen leben im Auslande, Madame?" fragte Leclef
bedenklich. „Der Konvent hat die Ausfuhr von Edelsteinen und
Goldsachen über die Grenzen der Republik verboten."

„Niemand erwartet von Ihnen einen Verstoß[9] gegen die Gesetze.
Ich weiß, daß Glieder der Familien Rohan und Montmorency
15 Teile des Familienschmuckes an Sie veräußert[10] haben, um sich
die Mittel zur Flucht zu verschaffen. Sie sollen diese Stücke und
vielleicht noch andere ähnlicher Herkunft in Paris verkaufen. Was
weiter mit den Pretiosen[11] geschieht, das braucht Sie nicht zu
kümmern."

20 „Warum erzählen Sie mir denn, Madame, was mit den Pretiosen
weiter geschehen soll?"

„Weil ich Sie um genaueste Verschwiegenheit bitten muß. Diese
Bitte werden Sie jetzt begreifen und erfüllen."

Der Juwelier nickte. „Meine Sache ist das Verkaufen, und ein
25 Geschäftsmann soll überhaupt keine unnützen Worte machen."

Nachdem sie die Zusicherung seiner Verschwiegenheit erhalten
hatte, wurde die Dame offenherziger. Sie erzählte ihm, es habe sich
eine Art geheimen Komitees gebildet, das den Ankauf und die

---

[6] *Umschweife* — digressions.
[7] *in verwandtschaftlichen Beziehungen . . . stehen* — are related.
[8] *Wertgegenstände* — articles of value.
[9] *Verstoß* — offense.
[10] *veräußert* — disposed of.
[11] *Pretiosen* — jewels.

Wegschaffung der Kostbarkeiten in die Hände genommen habe. Er werde begreifen, daß sie ihm die Namen der Mitglieder nicht nennen wolle außer dem einen, den zu wissen ihm nötig sei. Und zwar handele es sich um einen Arzt, den Doktor Pillon an der Butte St. Roch.[12] Dieser führe die Kasse[13] und werde den Kauf- 5 preis erlegen, während sie selber Vollmacht habe, das Geschäft abzuschließen.

Als Leclef den Namen des Doktors hörte, verließ ihn sein Miß-trauen, das bis zu diesem Augenblicke noch recht groß gewesen war. Den Doktor Pillon kannte jedes Kind. Er war ein wohl- 10 habender, in allen Stücken[14] zuverlässiger Mann, dessen geschickte Kuren höchlich gerühmt wurden. Wiewohl unter seinen Patienten die Angehörigen des hohen Adels in der Mehrzahl gewesen waren, hatten die neuen Machthaber ihn unangetastet[15] gelassen; wie denn gemeinhin[16] die Ärzte gleich den Schauspielern von keinem Um- 15 sturz etwas zu fürchten haben.

„Ich kenne die Gesetze, Madame," sagte Leclef vorsichtig. „Ich weiß, daß es verboten ist, andere Zahlungsmittel zu fordern als Assignaten.[17] Allein Sie werden begreifen — —"

„Der Preis wird in Gold entrichtet,"[18] fiel die Dame ihm bestimmt 20 ins Wort. „Kein redlicher Mensch bezahlt Goldwaren und Edel-steine mit wertlosem Papier."

Nun ließ die Dame sich vorlegen, was der Juwelier an Schmuck-stücken aus dem Besitz der genannten Familien an sich gebracht hatte. Einiges war bereits umgearbeitet. Aber sie erklärte sich 25 bereit, auch diese Stücke zu übernehmen. Die Wahrheit zu sagen, schob Leclef auch manches mit unter, das zu den Geschlechtern

---

12 *Butte St. Roch* — a hill in Paris.
13 *führe die Kasse* — had charge of the money.
14 *in allen Stücken* — in every way.
15 *unangetastet* — unmolested.
16 *gemeinhin* — usually.
17 *Assignaten* — scrip [currency issued by the Revolutionary Government].
18 *entrichtet* — paid.

der Montmorency, Rohan oder überhaupt des französischen Adels
in gar keiner Beziehung stand.

Die Dame wählte und stellte zusammen. Dann fragte sie nach
dem Preise. Leclef rechnete eine Weile und nannte dann seine
5 Forderungen. Die Dame zuckte zusammen und erklärte, das sei
zu viel. Wenn das sein letztes Wort sei, so müsse sie ihren Ankauf
auf einige wenige Stücke beschränken.

Nun setzte Leclef seine Forderungen hinunter und schwur, er
verliere dabei. Nach einer Weile wurden sie handelseinig.[19] Die
10 Dame suchte eine dauerhaft gearbeitete[20] Schatulle aus, und dann
wurden die Pretiosen eingepackt. Die Schatulle wurde in Wachstuch geschlagen, Leclef nahm sie unter den Arm, warf seinen
Mantel um und sagte dem Gesellen, er gehe aus.

Die beiden machten sich auf den Weg zur Butte St. Roch. Ein
15 Aufwärter führte sie in das Wartezimmer des Arztes. Nach einiger
Zeit erschien er wieder und bat die Dame, ihm zu folgen. Leclef
saß da und überschlug den Gewinn, den er gemacht hatte. Die
Schatulle stand neben ihm auf dem Tisch.

Bald darauf kehrte die Dame in Begleitung des Arztes zurück,
20 den Leclef vom Sehen kannte. Auch hatte er ihn einmal selbst
bedient, als der Doktor bei ihm eine Tabatiere[21] gekauft hatte.

Pillon streckte ihm mit gutmütiger Herzlichkeit die Hand hin.
„Da sind Sie ja, mein lieber Citoyen Leclef," sagte er „Ich habe
schon den ganzen Nachmittag auf Sie gewartet. Nun, wie gehen
25 die Geschäfte?"

Der Juwelier begann zu klagen, wie es die Geschäftsleute aus
Grundsatz[22] tun, vornehmlich in bewegten Zeiten.

„Aber heute haben Sie wirklich keine Ursache zum Schelten,"
meinte die Dame, die sich neben ihn gesetzt hatte.

---

19 *wurden sie handelseinig* — they came to an agreement.
20 *dauerhaft gearbeitete* — solidly constructed.
21 *Tabatiere* — snuff box.
22 *aus Grundsatz* — on general principle.

„Meiner Treu,²³ ich verdiene kaum etwas daran," versicherte Leclef. „Vergessen Sie nicht, daß die Sachen mehrere Jahre als totes Kapital bei mir in den Kassetten²⁴ gesteckt haben."

„Nun ja, nun ja," sagte Pillon und trommelte mit den Fingern auf der Tischplatte. „Haben Sie übrigens schon gehört, daß man den Brückenzoll²⁵ wieder einführen will? Was sagen Sie dazu?"

Leclef erwiderte, er fände das unrecht, und wollte auf die Rechnung zu sprechen kommen. Indessen schalt Pillon auf die hohen Milchpreise, die der Wöchnerinnen halber²⁶ ganz besonders zu verdammen seien.

Der Juwelier wartete höflich, bis Pillon mit seinem Satz zu Ende gekommen war; dann zog er die Rechnung aus seiner Brieftasche, die er schon eine ganze Weile in den Händen hin und her gedreht hatte. Jetzt schob er das Blatt dem Arzt hin und sagte hastig:

„Ich bitte Sie, Bürger Doktor, Sie werden Einsicht nehmen²⁷ wollen."

„Nun, es wird ja stimmen, lassen Sie gut sein,"²⁸ antwortete Pillon.

„Nein, Ordnung muß sein, ich bin ein Geschäftsmann," beharrte Leclef. „Sie erlauben, Bürger Doktor."

Damit setzte er sich neben den Arzt und begann ihm die einzelnen Posten²⁹ zu erklären, über das Blatt gebeugt und ab und zu mit dem gelblichen, gekrümmten Nagel des Zeigefingers eine Zeile unterstreichend. Der Dame mochte es zu lange dauern, und sie ging stillschweigend hinaus.

„Nicht wahr, es stimmt?" fragte Leclef, als er fertig war.

„Gewiß, gewiß," sagte der Arzt.

---

²³ *meiner Treu* — upon my faith.
²⁴ *Kassetten* — strongboxes.
²⁵ *Brückenzoll* — bridge toll.
²⁶ *der Wöchnerinnen halber* — because of the women in childbed.
²⁷ *Einsicht nehmen* — examine.
²⁸ *lassen Sie gut sein* — never mind.
²⁹ *Posten* — entries.

„Also dann darf ich wohl höflichst um geneigte Zahlung bitten,[30] mein Bürger Doktor?"

Pillon präsentierte ihm die Tabatiere, die Leclef auf den ersten Blick wiedererkannte, und sagte, „Langen Sie zu, mein Lieber. Meinen Sie nicht auch, daß wir heuer[31] einen strengen Winter haben werden?"

Des Juweliers Haut bekam plötzlich eine bleigraue Farbe. Einen Blick warf er in das väterlich-lächelnde Gesicht des Arztes, ein zweiter überflog das Zimmer. Die Dame war fort. Die Schatulle war fort.

„Tausend Teufel!" schrie Leclef, sprang auf, stürzte zur Tür, rannte durch den Korridor.

Am Ende des Korridors standen plötzlich drei Männer und vertraten ihm den Weg.

„Fort! Laßt mich!" schrie er, und seine Stimme überschlug sich.[32] Er wollte die Männer beiseitestoßen und sich durchzwängen. Allein sie packten ihn, ruhig und unerschüttert, als hörten sie sein Schreien und Flehen gar nicht, banden ihm Hände und Füße und trugen ihn davon. Dann wurde er entkleidet und in eine hölzerne Wanne mit kaltem Wasser gelegt. Endlich fand er sich in einem Zimmer, welches ein Bett enthielt, sonst nichts.

Einige Tage später stürzte Madame Leclef in das Empfangszimmer des Doktor Pillon. „Wo ist mein Mann?" schrie sie. „Wo ist mein Mann?"

„Aber so beruhigen Sie sich doch, Bürgerin," sagte der Arzt freundlich. „Er ist gut aufgehoben. Wenn es möglich ist, führe ich Sie nachher zu ihm. Haben Sie die Wäsche mitgebracht?"

Er drückte sie in einen Sessel. Es sah aus, als sei die große Frau plötzlich klein geworden, in sich zusammengesackt.[33] Sie weinte.

---

[30] *höflichst um geneigte Zahlung bitten* — please ask for payment.
[31] *heuer* — this year.
[32] *seine Stimme überschlug sich* — his voice broke.
[33] *in sich zusammengesackt* — collapsed.

„Ja, was ist denn nur? Was ist denn nur? Was haben Sie denn mit ihm gemacht? Ich komme aus Versailles. Da sagt der Geselle, mein Mann sei seit vorgestern bei Ihnen, Ihr Aufwärter sei gestern dagewesen: wir sollten Wäsche für ihn schicken. Was soll denn das heißen?"   5

„Aber Bürgerin, Ihr Mann soll doch geheilt werden. Es ist kein Wunder, er hat Verluste gehabt durch den Umsturz, wir alle. Nun will er von jedem seine Juwelen bezahlt haben. Aber ich bringe ihn wieder in Ordnung, seien Sie unbesorgt."

„Mein Mann ist gestört? Großer Gott, wie ist er denn zu Ihnen 10 gekommen?"

„Ihre Tochter war vorgestern früh bei mir und hat mir alles auseinandergesetzt. Am Nachmittag hat sie ihn dann hergeführt. Er kam gutwillig mit, weil sie ihm gesagt hatte, ich würde seine Juwelen bezahlen. Ja, hat Ihre Tochter Ihnen denn nichts davon 15 erzählt? Sie hat doch in Ihrem Auftrag die Pflegekosten für einen Monat vorausbezahlt!"

„Meine Tochter? Meine Tochter ist seit acht Jahren tot. Ich will meinen Mann wiederhaben! Ich will meinen Mann wieder-haben!"   20

Doktor Pillon erschrak. Er strich der Frau über das dünne Haar, sprach ihr verwirrt Mut zu und führte sie dann in das Zimmer des Juweliers.

„Leclef!" schrie sie und wollte auf ihn zustürzen.

Allein Leclef erkannte sie nicht. Er hockte auf dem Bettrande, 25 nickte mit einem glücklichen Lachen eifrig vor sich hin und zählte an den ausgespreizten Fingern:

„... eine Tabatiere mit Zahlperlen[34] besetzt ... achtzehn Perlen ... dreitausendachthundertfünfundsiebzig Livres[35] ... das Bracelet mit den Saphiren ... neuntausendsechshundertachtzig Livres ... 30

---

[34] *Tabatiere mit Zahlperlen* — snuff box decorated with small pearls.
[35] *Livres* — French coins worth about 19 cents at the time.

der Paragon[36] der Frau Herzogin ... *à jour* gefaßt,[37] achtundsiebzig
Karat ... einundsechzigtausenddreihundertundfünfzig Livres ..."

FRAGEN

1. Warum verließ Frau Leclef das Haus?
2. Was hielt Leclef von der Revolution?
3. Wer schickte die Dame zu Leclef?
4. Was war damals in Frankreich verboten?
5. Was konnte die Dame Leclef nicht mitteilen?
6. Wer hatte nichts von der Regierung zu fürchten?
7. Worüber machte sich Leclef zuerst Sorgen?
8. Wozu wurde die Schatulle gebraucht?
9. Woher kannte Leclef den Arzt?
10. Was wollte der Doktor zur Zeit nicht besprechen?
11. Was geschah, während Leclef die Rechnung erklärte?
12. Warum stürzte Leclef aus dem Zimmer?
13. Warum konnte Leclef nicht fort?
14. Wie erklärte der Arzt Leclefs Krankheit?
15. Warum war es unmöglich für Leclefs Tochter, den Arzt zu besuchen?
16. Warum saß Leclef auf dem Bett und zählte?

---

[36] *Paragon* — a general term applied to large gems, especially pearls and diamonds.
[37] *à jour gefaßt* — set according to the fashion of the day.

GUSTAV MEYRINK

Violet death, Tibet, a deaf man named Pompejus, and an Afghan: with this incongruous combination of elements Gustav Meyrink (1868–1932) sets the stage for the story which bears the curious title "Der violette Tod." In this grotesque and incredible tale the author has given free rein to his bizarre imagination. As the story opens an expedition is about to set out for a remote section of that little-known country of Tibet for the purpose of investigating rumors that the inhabitants of that area are in possession of supernatural powers. Against this mysterious background, the violet death emerges. Death, particularly in its fantastic and violent forms, was almost an obsession with Meyrink. His ability as a storyteller extends beyond the limits of the mere fantastic tale. His predilection for the weird is augmented in "Der violette Tod" by a rather morbid sense of humor which not only adds necessary relief to the story but also helps the reader bridge the gap between the thoroughly credible expedition into Tibet and the incredible results which follow in its wake. With marked pleasure Meyrink lets the strange death encountered in Tibet spread through the world, leaving chaos in its wake.

DER VIOLETTE TOD

——

GUSTAV MEYRINK

Der Tibetaner schwieg.

Die magere Gestalt stand noch eine Zeitlang aufrecht und unbeweglich, dann verschwand sie im Dschungel. —

Sir Roger Thornton starrte ins Feuer: Wenn er kein Sannyasin
— kein Büßer[1] — gewesen wäre, der Tibetaner, der überdies nach 5
Benares* wallfahrtete,[2] so hätte er ihm natürlich kein Wort
geglaubt — aber ein Sannyasin lügt weder, noch kann er belogen
werden.

Und dann dieses tückische, grausame Zucken im Gesichte des
Asiaten!? 10

Oder hatte ihn der Feuerschein getäuscht, der sich so seltsam in
den Mongolenaugen gespiegelt?

Die Tibetaner hassen den Europäer und hüten eifersüchtig ihre
magischen Geheimnisse, mit denen sie die hochmütigen Fremden
einst zu vernichten hoffen, wenn der große Tag heranbricht. 15

Einerlei, er, Sir Hannibal Roger Thornton, muß mit eigenen
Augen sehen, ob okkulte Kräfte tatsächlich in den Händen dieses
merkwürdigen Volkes ruhen. Aber er braucht Gefährten, mutige
Männer, deren Wille nicht bricht, auch wenn die Schrecken einer
anderen Welt hinter ihnen stehen. 20

Der Engländer musterte seine Gefährten: — Dort der Afghane

---

[1] *kein Sannyasin . . . kein Büßer* — not a Sannyasin . . . not a penitent.
[2] *wallfahrtete* — was making a pilgrimage.

97

wäre der einzige, der in Betracht käme[3] von den Asiaten — furchtlos wie ein Raubtier, doch abergläubisch!

Es bleibt also nur sein europäischer Diener.

Sir Roger berührt ihn mit seinem Stock. — Pompejus Jaburek
ist seit seinem zehnten Jahre völlig taub, aber er versteht es, jedes
Wort, und sei es noch so fremdartig, von den Lippen zu lesen.

Sir Roger Thornton erzählt ihm mit deutlichen Gesten, was er
von dem Tibetaner erfahren: Etwa zwanzig Tagereisen von hier,
in einem genau bezeichneten Seitentale des Himavat,* befinde sich
ein ganz seltsames Stück Erde. — Auf drei Seiten senkrechte
Felswände; — der einzige Zugang abgesperrt durch giftige Gase,
die ununterbrochen aus der Erde dringen[4] und jedes Lebewesen,
das passieren will, augenblicklich töten. — In der Schlucht[5] selbst,
die etwa fünfzig englische Quadratmeilen umfaßt, solle ein kleiner
Volksstamm leben — mitten unter üppigster[6] Vegetation —, der
der tibetanischen Rasse angehöre, rote spitze Mützen trage und
ein bösartiges satanisches Wesen in Gestalt eines Pfaues[7] anbete. —
Dieses teuflische Wesen habe die Bewohner im Laufe der Jahr-
hunderte die schwarze Magie gelehrt und ihnen Geheimnisse
geoffenbart, die einst den ganzen Erdball umgestalten sollen; so
habe es ihnen auch eine Art Melodie beigebracht, die den stärksten
Mann augenblicklich vernichten könne.

Pompejus lächelte spöttisch.

Sir Roger erklärt ihm, daß er gedenke, mit Hilfe von Taucherhelmen und Tauchertornistern, die komprimierte Luft enthalten
sollen,[8] die giftigen Stellen zu passieren, um ins Innere der geheimnisvollen Schlucht zu dringen.

---

[3] *der in Betracht käme* — who could be considered.
[4] *aus der Erde dringen* — come out of the earth.
[5] *Schlucht* — ravine.
[6] *üppigster* — rankest.
[7] *Pfau* — peacock.
[8] *Taucherhelmen und Tauchertornistern, die komprimierte Luft enthalten sollen* — diving
helmets and pack tanks which were to contain compressed air.

Pompejus Jaburek nickte zustimmend und rieb sich vergnügt
die schmutzigen Hände.

— — — —

Der Tibetaner hatte nicht gelogen: dort unten lag im herrlich-
sten Grün die seltsame Schlucht; ein gelbbrauner, wüstenähnlicher
Gürtel aus lockerem, verwittertem[9] Erdreich — von der Breite 5
einer halben Wegstunde[10] — schloß das ganze Gebiet gegen die
Außenwelt ab.

Das Gas, das aus dem Boden drang, war reine Kohlensäure.[11]

Sir Roger Thornton, der von einem Hügel aus die Breite dieses
Gürtels abgeschätzt hatte, entschloß sich, bereits am kommenden 10
Morgen die Expedition anzutreten. — Die Taucherhelme, die er
sich aus Bombay* hatte schicken lassen, funktionierten tadellos.

Pompejus trug beide Repetiergewehre[12] und diverse Instrumente,
die sein Herr für unentbehrlich hielt.

Der Afghane hatte sich hartnäckig[13] geweigert mitzugehen und 15
erklärt, daß er stets bereit sei, in eine Tigerhöhle zu klettern, sich
es aber sehr überlegen werde,[14] etwas zu wagen, was seiner unsterb-
lichen Seele Schaden bringen könne. — So waren die beiden
Europäer die einzigen Wagemutigen geblieben.

— — — —

Die kupfernen Taucherhelme funkelten in der Sonne und warfen 20
wunderliche Schatten auf den schwammartigen[15] Erdboden, aus
dem die giftigen Gase in zahllosen, winzigen Bläschen aufstiegen.
— Sir Roger hatte einen sehr schnellen Schritt eingeschlagen, damit
die komprimierte Luft ausreiche, um die gasige Zone zu passieren.

[9] *verwittertem* — weather-beaten.
[10] *Wegstunde* — hour's walk.
[11] *Kohlensäure* — carbon dioxide.
[12] *Repetiergewehre* — repeating rifles.
[13] *hartnäckig* — stubbornly.
[14] *sich es aber sehr überlegen werde* — but would have to think it over very carefully.
[15] *schwammartig* — spongy.

— Er sah alles vor sich in schwankenden Formen wie durch eine dünne Wasserschicht.[16] — Das Sonnenlicht schien ihm gespenstisch grün und färbte die fernen Gletscher — das „Dach der Welt" mit seinen gigantischen Profilen — wie eine wundersame Totenland-
5 schaft.

Er befand sich mit Pompejus bereits auf frischem Rasen und zündete ein Streichholz an, um sich vom Vorhandensein atmosphärischer Luft in allen Schichten zu überzeugen. — Dann nahmen beide die Taucherhelme und Tornister ab.
10 Hinter ihnen lag die Gasmauer wie eine bebende Wassermasse. — In der Luft ein betäubender Duft wie von Amberiablüten.[17] Schillernde handgroße Falter,[18] seltsam gezeichnet, saßen mit offenen Flügeln wie aufgeschlagene Zauberbücher auf stillen Blumen.

Die beiden schritten in beträchtlichem Zwischenraume vonein-
15 ander der Waldinsel zu, die ihnen den freien Ausblick hinderte.

Sir Roger gab seinem tauben Diener ein Zeichen — er schien ein Geräusch vernommen zu haben. — Pompejus zog den Hahn seines Gewehres auf.[19]

Sie umschritten die Waldspitze, und vor ihnen lag eine Wiese.
20 — Kaum eine viertel englische Meile vor ihnen hatten etwa hundert Mann, offenbar Tibetaner, mit roten spitzen Mützen einen Halbkreis gebildet: — man erwartete die Eindringlinge bereits. — Furchtlos ging Sir Roger — einige Schritte seitlich vor ihm Pompejus — auf die Menge zu.
25 Die Tibetaner waren in die gebräuchlichen Schaffelle gekleidet, sahen aber trotzdem kaum wie menschliche Wesen aus, so abschreckend häßlich und unförmlich waren ihre Gesichter, in denen ein Ausdruck furchterregender und übermenschlicher Bosheit lag.

— Sie ließen die beiden nahe herankommen, dann hoben sie
30 blitzschnell, wie ein Mann, auf das Kommando ihres Führers die

[16] *Wasserschicht* — layer of water.
[17] *Amberiablüten* — Amberia blossoms.
[18] *Falter* — butterflies.
[19] *zog den Hahn seines Gewehres auf* — cocked his rifle.

Hände empor und drückten sie gewaltsam gegen ihre Ohren. —
Gleichzeitig schrien sie etwas aus vollen Lungen.

Pompejus Jaburek sah fragend nach seinem Herrn und brachte
die Flinte in Anschlag,[20] denn die seltsame Bewegung der Menge
schien ihm das Zeichen zu irgendeinem Angriff zu sein. — Was [5]
er nun wahrnahm, trieb ihm alles Blut zum Herzen:

Um seinen Herrn hatte sich eine zitternde wirbelnde Gasschicht
gebildet, ähnlich der, die beide vor kurzem durchschritten hatten.
— Die Gestalt Sir Rogers verlor die Konturen, als ob sie von dem
Wirbel abgeschliffen[21] würden, — der Kopf wurde spitzig — die [10]
ganze Masse sank wie zerschmelzend in sich zusammen, und an
der Stelle, wo sich noch vor einem Augenblick der sehnige Engländer befunden hatte, stand jetzt ein hellvioletter Kegel von der
Größe und Gestalt eines Zuckerhutes.[22]

Der taube Pompejus wurde von wilder Wut geschüttelt. — Die [15]
Tibetaner schrien noch immer, und er sah ihnen gespannt auf die
Lippen, um zu lesen, was sie denn eigentlich sagen wollten.

Es war immer ein und dasselbe Wort. — Plötzlich sprang der
Führer vor, und alle schwiegen und senkten die Arme von den
Ohren. — Gleich Panthern stürzten sie auf Pompejus zu. — Dieser [20]
feuerte wie rasend aus seinem Repetiergewehr in die Menge hinein,
die einen Augenblick stutzte.

Instinktiv rief er ihnen das Wort zu, das er vorher von ihren
Lippen gelesen hatte: „Ämälän[23] —. Äm—mä—län," brüllte er,
daß die Schlucht erdröhnte[24] wie unter Naturgewalten. [25]

Ein Schwindel ergriff ihn, er sah alles wie durch starke Brillen,
und der Boden drehte sich unter ihm. — Es war nur ein Moment
gewesen, jetzt sah er wieder klar.

---

[20] *brachte die Flinte in Anschlag* — raised his rifle.
[21] *abgeschliffen* — worn away.
[22] *Zuckerhut* — sugarloaf.
[23] *Ämälän* — a word coined by the author with no specific meaning but functioning
as a magic term.
[24] *erdröhnte* — vibrated.

Die Tibetaner waren verschwunden — wie vorhin sein Herr —; nur zahllose violette Zuckerhüte standen vor ihm.

Der Anführer lebte noch. Die Beine waren bereits in bläulichen Brei[25] verwandelt, und auch der Oberkörper fing schon an zu
5 schrumpfen — es war, als ob der ganze Mensch von einem völlig durchsichtigen Wesen verdaut würde. — Er trug keine rote Mütze, sondern ein mitraähnliches Gebäude,[26] in dem sich gelbe lebende Augen bewegten.

Jaburek schmetterte ihm den Flintenkolben[27] an den Schädel,
10 hatte aber nicht verhindern können, daß ihn der Sterbende mit einer im letzten Moment geschleuderten Sichel am Fuße verletzte.

Dann sah er um sich. — Kein lebendes Wesen weit und breit. —

Der Duft der Amberiablüten hatte sich verstärkt und war fast stechend[28] geworden. — Er schien von den violetten Kegeln aus-
15 zugehen, die Pompejus jetzt besichtigte. — Sie waren einander gleich und bestanden alle aus demselben hellvioletten gallertartigen Schleim.[29] Die Überreste Sir Roger Thorntons aus diesen violetten Pyramiden herauszufinden, war unmöglich.

Pompejus trat zähneknirschend[30] dem toten Tibetanerführer ins
20 Gesicht und lief dann den Weg zurück, den er gekommen war. — Schon von weitem sah er im Gras die kupfernen Helme in der Sonne blitzen. — Er pumpte seinen Tauchertornister voll Luft und betrat die Gaszone. — Der Weg wollte kein Ende nehmen.[31] Dem Armen liefen die Tränen über das Gesicht, — Ach Gott, ach Gott,
25 sein Herr war tot. — Gestorben, hier, im fernen Indien! — Die Eisriesen des Himalaya[32] gähnten gen Himmel, — was kümmerte sie das Leid eines winzigen pochenden Menschenherzens. — — —

25 *Brei* — mush.
26 *mitraähnliches Gebäude* — a thing shaped like a bishop's miter.
27 *Flintenkolben* — rifle butt.
28 *stechend* — stinging, biting.
29 *gallertartigen Schleim* — gelatinous mucus.
30 *zähneknirschend* — gnashing his teeth.
31 *wollte kein Ende nehmen* — seemed endless.
32 *Eisriesen des Himalaya* — ice-capped mountains of the Himalayas.

Pompejus Jaburek hatte alles, was geschehen war, getreulich zu Papier gebracht, Wort für Wort, so wie er es erlebt und gesehen hatte — denn verstehen konnte er es noch immer nicht — und es an den Sekretär seines Herrn nach Bombay, Adheritollahstraße 17, adressiert. — Der Afghane hatte die Besorgung übernommen. — 5 Dann war Pompejus gestorben, denn die Sichel des Tibetaners war vergiftet gewesen. —

„Allah ist das Eins und Mohammed ist sein Prophet,"[33] betete der Afghane und berührte mit der Stirne den Boden. Die Hindu-jäger hatten die Leiche mit Blumen bestreut und unter frommen 10 Gesängen auf einem Holzstoße verbrannt.[34] — — —

Ali Murrad Bey, der Sekretär, war bleich geworden, als er die Schreckensbotschaft vernahm, und hatte das Schriftstück sofort in die Redaktion[35] der „Indian Gazette" geschickt. —

Die neue Sintflut[36] brach herein. — 15

Die „Indian Gazette," die die Veröffentlichung des „Falles Sir Roger Thornton" brachte, erschien am nächsten Tage um volle drei Stunden später als sonst. — Ein seltsamer und schrecken-erregender Zwischenfall trug die Schuld an der Verzögerung:

Mr. Birendranath Naorodjee, der Redakteur[37] des Blattes, und 20 zwei Unterbeamte, die mit ihm die Zeitung vor der Herausgabe noch mitternachts durchzuprüfen pflegten, waren aus dem ver-schlossenen Arbeitszimmer spurlos verschwunden. Drei bläuliche gallertartige Zylinder standen statt dessen auf dem Boden, und mitten zwischen ihnen lag das frischgedruckte Zeitungsblatt. — 25 Die Polizei hatte kaum mit bekannter Wichtigtuerei[38] die ersten Protokolle angefertigt, als zahllose ähnliche Fälle gemeldet wurden.

Zu Dutzenden verschwanden die zeitunglesenden und gesti-

---

[33] *Allah ist das Eins und Mohammed ist sein Prophet* — a quotation from the Koran — "There is no God but God and Mohammed is his prophet."

[34] *auf einem Holzstoße verbrannt* — cremated.

[35] *Redaktion* — editorial office.

[36] *Sintflut* — deluge.

[37] *Redakteur* — editor.

[38] *Wichtigtuerei* — pompousness.

kulierenden Menschen vor den Augen der entsetzten Menge, die
aufgeregt die Straßen durchzog. — Zahllose violette kleine Pyramiden standen umher, auf den Treppen, auf den Märkten und
Gassen — wohin das Auge blickte. —

5 Ehe der Abend kam, war Bombay halb entvölkert. Eine amt-
liche sanitäre Maßregel hatte die sofortige Sperrung des Hafens,
wie überhaupt jeglichen Verkehrs nach außen[39] verfügt, um eine
Verbreitung der neuartigen Epidemie, denn wohl nur um eine
solche konnte es sich hier handeln, möglichst einzudämmen. —

10 Telegraph und Kabel spielten Tag und Nacht und schickten den
schrecklichen Bericht, sowie den ganzen Fall „Sir Thornton" Silbe
für Silbe über den Ozean in die weite Welt. —

Schon am nächsten Tag wurde die Quarantäne, als bereits verspätet, wieder aufgehoben.

15 Aus allen Ländern verkündeten Schreckensbotschaften, daß der
„violette Tod" überall fast gleichzeitig ausgebrochen sei und die
Erde zu entvölkern drohe. Alles hatte den Kopf verloren, und die
zivilisierte Welt glich einem riesigen Ameisenhaufen,[40] in den ein
Bauernjunge seine Tabakspfeife gesteckt hat. —

20 In Deutschland brach die Epidemie zuerst in Hamburg* aus;
Österreich,* in dem ja nur Lokalnachrichten gelesen werden, blieb
wochenlang verschont.

Der erste Fall in Hamburg war ganz besonders erschütternd.
Pastor Stühlken, ein Mann, den das ehrwürdige Alter fast taub
25 gemacht hatte, saß früh am Morgen am Kaffeetisch im Kreise
seiner Lieben: Theobald, sein Ältester, mit der langen Studentenpfeife, Jette, die treue Gattin, Minchen, Tinchen, kurz alle, alle.
Der greise Vater hatte eben die eingelangte[41] englische Zeitung
aufgeschlagen und las den Seinen den Bericht über den „Fall Sir
30 Roger Thornton" vor. Er war kaum über das Wort Ämälän hinausgekommen und wollte sich eben mit einem Schluck Kaffee

---

[39] *jeglichen Verkehrs nach außen* — all traffic with the outside world.
[40] *Ameisenhaufen* — anthill.
[41] *eingelangt* — arrived.

stärken, als er mit Entsetzen wahrnahm, daß nur noch violette Schleimkegel[42] um ihn herumsaßen. In dem einen stak noch die lange Studentenpfeife. —

Alle vierzehn Seelen hatte der Herr zu sich genommen. —

Der fromme Greis fiel bewußtlos um. —   5

Eine Woche später war bereits mehr als die Hälfte der Menschheit tot.

Einem deutschen Gelehrten war es vorbehalten, wenigstens etwas Licht in diese Vorkommnisse zu bringen. — Der Umstand, daß Taube und Taubstumme[43] von der Epidemie verschont blieben, 10 hatte ihn auf die ganz richtige Idee gebracht, daß es sich hier um ein rein akustisches Phänomen handle. —

Er hatte in seiner einsamen Studierstube einen langen wissenschaftlichen Vortrag zu Papier gebracht und dessen öffentliche Verlesung mit einigen Schlagworten angekündigt.   15

Seine Auseinandersetzung[44] bestand ungefähr darin, daß er sich auf einige fast unbekannte indische Religionsschriften berief, — die das Hervorbringen von astralen und fluidischen Wirbelstürmen[45] durch das Aussprechen gewisser geheimer Worte und Formeln behandelten — und diese Schilderungen durch die modernsten 20 Erfahrungen auf dem Gebiete der Vibrations- und Strahlungstheorie stützte. —

Er hielt seinen Vortrag in Berlin und mußte, während er die langen Sätze von seinem Manuskripte ablas, sich eines Sprachrohres[46] bedienen, so enorm war der Zulauf des Publikums. — 25

Die denkwürdige Rede schloß mit den lapidaren[47] Worten: „Gehet zum Ohrenarzt, er soll euch taub machen, und hütet euch vor dem Aussprechen des Wortes ‚Ämälän‘.“ —

Eine Sekunde später waren wohl der Gelehrte und seine Zuhörer

[42] *Schleimkegel* — blobs of mucus.
[43] *Taubstumme* — deaf mutes.
[44] *Auseinandersetzung* — explanation.
[45] *von astralen und fluidischen Wirbelstürmen* — of astral and fluid tornadoes.
[46] *Sprachrohr* — megaphone.
[47] *lapidaren* — concise.

nur mehr leblose Schleimkegel, aber das Manuskript blieb zurück, wurde im Laufe der Zeit bekannt und befolgt und bewahrte so die Menschheit vor dem gänzlichen Aussterben.

Einige Dezennien[48] später, man schreibt 1950, bewohnt eine
5 neue taubstumme Generation den Erdball. —

Gebräuche und Sitten anders, Rang und Besitz verschoben. — Ein Ohrenarzt regiert die Welt. — Notenschriften zu den alchimistischen Rezepten des Mittelalters geworfen,[49] — Mozart, Beethoven, Wagner der Lächerlichkeit verfallen, wie weiland Albertus
10 Magnus und Bombastus Paracelsus.[50] —

In den Folterkammern der Museen fletscht hie und da ein verstaubtes Klavier die alten Zähne.[51]

Nachschrift des Autors: Der verehrte Leser wird gewarnt, das Wort „Ämälän" laut auszusprechen.

FRAGEN

1. Im welchem Land fängt die Geschichte an?
2. Was will Sir Roger mit eigenen Augen sehen?
3. Warum muß Pompejus die Worte seines Herrn von den Lippen lesen?
4. Wie lange müssen sie reisen, um das Tal zu erreichen?
5. Wie war das Tal von der Außenwelt abgeschlossen?
6. Warum rieb sich Pompejus vergnügt die Hände?

[48] *Dezennien* — decades.
[49] *Notenschriften zu den alchimistischen Rezepten des Mittelalters geworfen* — musical scores relegated to the same position as alchemistic formulae of the Middle Ages.
[50] *wie weiland Albertus Magnus und Bombastus Paracelsus* — as formerly Albertus Magnus [scholastic philosopher, 1206-1280] and Bombastus Paracelsus [noted physician, 1493-1541].
[51] *In den Folterkammern der Museen fletscht hie und da ein verstaubtes Klavier die alten Zähne.* — In the torture chambers of the museums a dusty piano bares its old teeth here and there.

7. Warum wollte der Afghane nicht durch die Gaswand gehen?
8. Warum zündete Sir Roger ein Streichholz an?
9. Was sahen die beiden plötzlich auf der Wiese, nachdem sie um die Waldspitze herumgegangen waren?
10. Was taten die Tibetaner, als die Europäer auf sie zukamen?
11. Was erblickte Pompejus an der Stelle, wo Sir Roger gestanden hatte?
12. Was tat Pompejus, als die Tibetaner ihn angreifen wollten?
13. Was tat der Führer der Tibetaner, ehe er starb?
14. Was schrieb Pompejus an Sir Rogers Sekretär?
15. Woran ist Pompejus gestorben?
16. Was tat Sir Rogers Sekretär mit dem Bericht von Pompejus?
17. Was sah man überall auf den Straßen in der Stadt Bombay?
18. In welcher Stadt Deutschlands brach der violette Tod zuerst aus?
19. Warum wurde Pastor Stühlken nicht in einen Schleimkegel verwandelt?
20. Was sollten die Leute nach der Meinung der Gelehrten tun, um nicht zu sterben?
21. Was für eine Rolle spielte die Musik in der neuen Welt?
22. Wovor wird der Leser dieser Geschichte gewarnt?

ERNST SCHNABEL

One could call "Der Agent" a story with a psychological twist. It gives us a vivid picture of the working of the mind of a man who falls prey partly to an over-active imagination and partly to a guilty conscience. Schnabel uses a sort of "flash-back" technique at one point, by having the narrator, who is desperately trying to think up *some* reason for his predicament, bring to light episodes in his past life which he now thinks he has reason to regret.

The fact that all these episodes are so common, so universal, indicates that the individual whom Schnabel (1913–) is describing here is in no way an extraordinary person, but a very ordinary one —almost a "Jedermann." Has not almost everyone, child and adult, been convinced at one time or another that he was being followed? Affected by the gloomy atmosphere of the Scottish Highlands, our narrator lets his imagination run away with him. All the lurid novels that he has ever read start working on his mind. A bulge in a breast-pocket means a concealed revolver, unobtrusive dress means disguise. The narrator suffers the tortures of the damned until—thinking himself so clever—he works out a ruse to evade his persecutor.

Schnabel is laughing at his "hero" in this story, but at the same time sympathizing with a quirk of human personality which can occasionally give all of us a rather bad time. In order to show as clearly as possible just how the narrator builds up within himself an almost frightening tension, Schnabel resorts to a modified "stream of consciousness" technique, so that we find ourselves, as it were, in the mind of an unfortunate young man.

Ernst Schnabel was born in 1913 and for many years was a merchant sailor until he eventually settled down to writing. He has written for radio and has done translations of English and American novels, including Melville's *Moby Dick*. He has also written a biography of Thomas Wolfe.

DER AGENT[1]

─

ERNST SCHNABEL

Ich habe ihn durchschaut, das war mein Glück. So bin ich entkommen. Aber es war knapp. Sie hatten es schlau angestellt, mich
zu fangen, verflixt schlau.[2] Aber eben nicht schlau genug!
 Sehen Sie, ich stand so, mir nichts, dir nichts,[3] auf dem Bahnsteig. Es regnete, ich fror, es war dunkel, der Zug hatte Verspätung. 5
Shandon* hieß die Station, da stand ich und wollte nach Hause
und war allein. Und mit einem Male stand da unter der Laterne
auf dem Bahnsteig noch ein anderer, der wartete auch. — Wenn
es bei uns daheim gewesen wäre, ich wäre hingegangen und hätte
Guten Abend gesagt und etwas über den Zug und den Regen, 10
und so wären wir ins Gespräch gekommen. Aber hier tat ich das
lieber nicht. Gleich habe ich nicht gewußt, was es für einer war,
der da wartete, das gebe ich zu, und ich hatte auch zuerst große
Lust, zu ihm hinzugehen. Aber ich war ja hier in Shandon Ausländer sozusagen, sprach auch nicht sehr gut Englisch und wußte 15
nicht, wie man es hier so macht. So blieb ich erst stehen und über-
legte, dann fing ich an zu gehen, so ganz beiläufig auf ihn zu. Und
wie ich so ging, hustete er plötzlich und knöpfte sich beim Husten
den Mantel auf und griff sich an die Brust. Da blieb ich stehen. Er
hatte nämlich ein kariertes[4] Jakett an und dort, wo er drüberstrich,[5] 20

─

[1] *Agent* — plainclothesman.
[2] *verflixt schlau* — darned clever.
[3] *mir nichts, dir nichts* — minding my own business.
[4] *kariertes* — checked.
[5] *drüberstrich* — passed over it with his hand.

auf der linken Seite, da war es geschwollen. Da hatte er was in der Tasche stecken, etwas Dickes. Es sah auch aus, als wäre es schwer, so ein kleines Ding aus Eisen. Da blieb ich stehen. Da wußt' ich Bescheid.[6]

5   Ganz unvorbereitet kam das nicht. Ich hatte schon den ganzen Tag gemerkt, daß was los war,[7] daß sie hinter mir her waren.[8] Nur wer und weshalb wußte ich nicht. Aber ich hatte so ein Gefühl. Ich weiß auch nicht, wie ich es ausdrücken soll, aber Sie wissen sicher, wie es ist, wenn man ein Gefühl hat, so eine Empfin-
10 dung: Da stimmt was nicht . . .

   Ich hatte keinen gesehen, den ganzen Tag nicht. Aber das Gefühl hatte ich gehabt. — Ich war oben in den Bergen gewesen, für meine Firma. Sie bauen da ein neues Kraftwerk in den Bergen, und wir sollen die Isolatoren[9] dafür liefern. Ich war hingeschickt
15 worden, damit man mal einen Begriff von der ganzen Sache bekäme. Und das war gleich von vornherein[10] so merkwürdig. Von der letzten Autobusstation waren es zwei Stunden zu Fuß, immer steil hinauf in die Berge, und dabei hatte es geregnet. Und an einer Stelle sind ein paar Eisenträger in den Fels betoniert,[11]
20 da soll einmal das Kraftwerk hinkommen, sonst nichts als Berge und Abhänge und Felswände in den Himmel hinauf. Und wir haben dagestanden, naß bis auf die Haut, und dem Ingenieur, der mir alles zeigte, troff das Wasser nur so von seinem roten Gesicht. Er hatte unter seinem Hutrand hervorgeblinzelt und mit dem
25 Daumen in die Berge gezeigt, erst nach links, dann nach rechts, dann quer durch die Luft hindurch. So wäre der Staudamm[12]

---

6 *Da wußt' ich Bescheid* — then I knew what was going on.
7 *was los war* — something was the matter.
8 *daß sie hinter mir her waren* — that they were after me.
9 *Isolatoren* — insulators.
10 *von vornherein* — from the beginning.
11 *ein Paar Eisenträger in den Fels betoniert* — a couple of iron stanchions set in concrete in the rock.
12 *Staudamm* — power dam.

gedacht, quer durchs Tal, und dafür würden dann unsere Porzellanisolatoren gebraucht.

Ich habe es dem Ingenieur auch gesagt. Ich komme wohl ein bißchen früh? hab ich gefragt. Er hat nur gelacht und gesagt, das käme hier schon noch in Ordnung,[13] ich sollte einmal sehen. Von zu früh könne gar keine Rede sein. Hier käme keiner zu früh her.

Und da hatte ich zum ersten Male das Gefühl, das ich vorhin erwähnte. Sehen Sie, Sie kennen das Gebirge in Schottland nicht. Aber Sie müssen sich vorstellen, da ist alles wild und leer. Und jetzt im Februar ist das Gras abgestorben, das die Berghänge hinauf wächst, und es ist knallrot[14] unter dem grauen Himmel. Und der Himmel ist so schwer, daß Sie denken, jetzt ... jetzt ... jeden Augenblick kann er herunterplatzen. Die Berggipfel auf beiden Seiten des Tales können Sie nicht erkennen, die stecken im Himmel drin, und was darunter zu sehen ist, ist weiß und schwarz gestreift, weißer Schnee und schwarzer, nasser, glitteriger[15] Fels. Und es heult im Tal, der Wind, die Regenböen,[16] die Bergwände und die Wasserfälle aus der Höhe herab, und es ist keiner da, der zuhört. Und wenn keiner es hört, ist das Heulen anders als sonst. Dann schert sich keiner drum,[17] und es ist ganz umsonst und kann sich ausheulen, und das tut es. Da merkt man erst, daß es der Himmel ist, der ächzt und heult. Und die Berge heulen mit. Nicht so sehr laut, nein, das ist es nicht, aber es heult überall, unten, oben, links, rechts, und wir, der Ingenieur und ich, standen mitten drin. Darauf war das Geheul nicht gefaßt.[18] Und mir wurde ganz schwach zumute, und ich wollte wieder runter, doch das ging nicht so schnell. Ich hab den Ingenieur einfach stehen lassen, der ging mir

[13] *das käme hier schon noch in Ordnung* — things would straighten out here yet.
[14] *knallrot* — bright red.
[15] *glitteriger* — slippery.
[16] *Regenböen* — sudden squalls.
[17] *schert sich keiner drum* — nobody pays any attention to it.
[18] *Darauf war das Geheul nicht gefaßt* — the howling hadn't counted on that.

zu langsam, und bin gelaufen. Aber trotzdem, es ist alles so groß da, und ich kam so langsam voran, und es dauerte so lange, ehe ich es hinter mir hatte: Die schwarzweißen Berge in den Wolken und das brennende Gras und das Geheul und die lila Regenböen und
5 das ganze Wasser vom Himmel und von den Bergwänden, und kein Mensch war weit und breit außer dem Ingenieur. Und der war stumpf und merkte nichts. Da wurde mir schwach und ich lief, und im Laufen hatte ich plötzlich dieses Gefühl. Einer sieht dich, dachte ich plötzlich und lief schneller. Und blieb dann stehen,
10 wie ich nicht mehr konnte und sah mich um. Niemand. Der Ingenieur war weit zurück, der war es nicht. Niemand war es, und es war doch jemand. Einer hat geguckt. Das kann mir keiner ausreden. Und daß ich's nicht vergesse: Einmal, zwischen den Bergen hindurch, sah ich das Meer. Ganz weit weg den Atlantischen
15 Ozean. Der ist groß, so groß, so aus der Höhe gesehen. Groß, grau, auch leer, und von dort kam es heran, kam es über die Berge heraufgequollen, Himmel, Regenschauer, Geheul, das kam vom Meer her, das ist gewiß. Aber der da guckte,[19] muß woanders gewesen sein. Wenn ich jetzt so denke, dann denk' ich, er hat
20 hinter einem Stein gesteckt.[20] Es waren ja genug Steine da. Dahinter muß er gesteckt haben und hat über den Rand geguckt und jedesmal den Kopf eingezogen, wenn ich hingesehen habe. So denk' ich es mir.

Nach so einem Tag sind Sie müde, das können Sie mir glauben,
25 und sind froh, wenn Sie einen treffen, mit dem Sie ein Wort reden können, damit die Zeit vergeht, bis der Zug kommt. Und so dacht' ich auch. Aber wie der auf dem Bahnsteig den Mantel aufknöpfte, wußt' ich Bescheid und dachte, lieber nicht. Paß auf, dachte ich, jetzt, das ist er, dacht' ich.

30 Geschickt hat er sich nicht angestellt.[21] Er muß ein Anfänger

---

[19] *Aber der da guckte* — but the person who was watching.
[20] *hat ... gesteckt* — was.
[21] *Geschickt hat er sich nicht angestellt* — he didn't manage it very cleverly.

gewesen sein. Im Abteil hat er sich zum Beispiel mir gegenüber-
gesetzt und eine Zeitung herausgezogen und getan, als läse er
darin. Aber wenn man's auch nicht sieht, diese Agenten haben ein
Loch in der Zeitung und durch das Loch schielen sie, wenn man's
auch nicht sehen kann. Und auch, daß er so ganz unauffällig an- 5
gezogen aussah und ein bißchen nach einem Pastor, in Zivil versteht sich,[22] oder nach einem kleinen Geschäftsmann mit seinem
steifen Kragen und eingehaktem Schlips,[23] war nicht geschickt.
Das weiß doch nun jeder: Wenn einer so ganz unauffällig angezogen ist, dann ist es ein Agent. Und jeder nimmt sich in Acht. 10
Und in Glasgow, beim Umsteigen, da hätte er doch verschwinden
müssen und dann im nächsten Zug wiederkommen, als Schaffner
verkleidet oder doch wenigstens mit einem anderen Mantel oder
mit einem aufgeklebten Schnurrbart.[24] Das kann man machen,
daß es keiner sieht. Aber da ist er hinter mir hergetrottet, von 15
einem Bahnhof zum andern, quer durch Glasgow hindurch. Er
hatte solche Agenten-Gummigaloschen[25] an, und die konnte ich
hinter mir hören. Pitsch, patsch, pitsch, patsch, durch die Pfützen,
über das nasse Trottoir, immer hinter mir her. Und manchmal hat
er es auch gemacht, daß ich keinen Ton hören konnte, und ist wie 20
eine Katze geschlichen, und ich wollte mich schon umdrehen, aber
da war es wieder, pitsch, patsch, pitsch, patsch. Und mir immer
auf den Fersen.[26] Das war kein schönes Gefühl, so vornweg[27] zu
gehen und hinter sich einen Agenten zu hören, denn Glasgow
abends um zehn ist eine dunkle Stadt, und ich hab mich gefragt: 25
Was tust du, wenn es plötzlich hinter dir Päng[28] macht? Kein
Mensch schert sich hier drum. Das macht Päng, und du fällst auf

[22] *in Zivil versteht sich* — in street clothes, of course.
[23] *eingehaktem Schlips* — his tie fastened with a clip.
[24] *aufgeklebten Schnurrbart* — false mustache.
[25] *solche Agenten-Gummigaloschen* — those typical rubbersoled shoes worn by plain-
clothesmen.
[26] *Und mir immer auf den Fersen* — and keeping right on my heels.
[27] *vornweg* — up ahead.
[28] *Päng* — Bang!

die Nase, und der Kerl ist mit zwei Schritten in einem Hauseingang, und keiner kriegt ihn, und du liegst da.

Und er ist auch in denselben Zug eingestiegen, zehn Uhr fünf-
unddreißig von Glasgow nach London. Das ist ein Schlafwagenzug
5 mit einem einzigen Wagen zum Sitzen, und der Wagen war leer,
nur ich war drinnen — und der Agent. Er stieg direkt hinter mir
ein. Da hab ich zuerst so getan, als käme ich mit meinem Koffer
nicht zurecht,[29] und bin im Gang geblieben, bis er in einem Coupé
verschwunden war, und hab gewartet, bis der Zug losfuhr. Dann
10 bin ich in ein anderes Coupé gegangen, obwohl das falsch war,
wie mir später einfiel, denn nun konnte ich ja nicht mehr sehen,
was er tat, und hab die Tür zugeschoben, aber es war kein Riegel
dran, und hab die Vorhänge nach dem Gang hin zugezogen und
gleich wieder aufgemacht, ich mußte doch sehen können, wer
15 draußen vorbeiging, und nur das Licht habe ich ausgemacht, daß
keiner mich vom Gang aus beobachten konnte. Und da hab ich
gesessen und den Gang nicht aus dem Auge gelassen. Und der
Zug ist durch Glasgow gefahren und hinaus aufs freie Land und
in die Dunkelheit hinein, und zehn Stunden waren es bis London.
20 Ich hab mir gesagt, jetzt mußt du auf der Wacht sein, und wenn's
zehn Stunden dauert. Sonst kriegt er dich, denn der Wagen ist
leer, und da ist keiner drin, der dir hilft.

So sind wir gefahren, eine Stunde durch die große Dunkelheit.
Der Zug hat nicht gehalten. Er ist durch die Nacht gerast, und das
25 war kein Schienenstoßen und kein Dampfgezisch mehr,[30] das war
ein dumpfes, hohles Gedröhn und Singen, wie er durch die Nacht
sauste! Und durchs Fenster habe ich den Halbmond aufgehen
sehen, der stand ganz allein zwischen lauter Wolken,[31] und sonst
war kein Stern zu sehen, aber komisch war, daß der Mond fast

---

[29] *als käme ich mit meinem Koffer nicht zurecht* — as if I couldn't manage my suitcase.
[30] *das war kein Schienenstoßen und kein Dampfgezisch mehr* — that was no longer a clicking of rails and hissing of steam.
[31] *zwischen lauter Wolken* — between nothing but clouds.

immer sichtbar blieb. Es war geradezu, als sollte ich ihn sehen.
Er war nicht hell genug, um zu leuchten. Er stand nur da, daß man
sah, wo der Himmel ist, sonst war alles schwarz. Nur verstreute
Lichter auf der Erde, eine dünne Saat,[32] die im ganzen Land auf-
gegangen war. Hin und wieder ein Dachgiebel gegen eines der 5
Lichter oder ein Stück schmutziges Straßenpflaster unter einer
Laterne oder ein schwarzes Fensterkreuz[33] und das Licht drinnen
im Zimmer. Das war nicht wie Stadt, sondern wie Stadtrand und
Vorstadt, es hatte etwas Düsteres, Verkommenes an sich und sah
nach Armut aus, nach verwilderten Katzen und Hunden, die den 10
Mond anbellen, und einer Nacht im Straßengraben und Pfützen
und Verlorenheit und war nichts Halbes und nichts Ganzes.[34] Und
davon und weil ich den Tag in den Bergen herumgestiegen war,
wurde ich müde, und die Augen fielen mir zu. Wiewohl ich
genau wußte, wenn du jetzt einschläfst, ist's vorbei, stieg es in mir 15
herauf, Angst und Müdigkeit. Dagegen können Sie nichts tun.
Zuletzt wird aus der Angst und der Müdigkeit eins,[35] und dann
sehen und hören Sie nichts mehr.

Ein Ohr bleibt wach. Damit hören Sie halb, wenn der Zug
langsamer fährt, weil er eine Baustelle oder eine Brücke passiert, 20
oder wenn er durch einen Bahnhof fährt, und es von den vorbei-
wischenden Laternen auf dem Bahnsteig hell wird im Abteil. Sie
hören die Helligkeit. Natürlich nur halb. Und Sie erwachen nicht.
Aber als ich erwachte und hochfuhr, da war es, weil jemand ge-
hustet hatte. Der Agent. Ich fuhr hoch und riß die Tür auf und 25
stürzte auf den Gang hinaus und schaute ins Nachbarcoupé.
Da saß er und las die Zeitung und hustete. Ich war unvorsichtig
und brachte mein Gesicht ganz nah an die Glasscheibe. Er las
wirklich. Agenten im Dienst schlafen nicht, aber ihre Augen

---

[32] *eine dünne Saat* — a sparse crop.
[33] *ein schwarzes Fensterkreuz* — the black crosspieces of a window.
[34] *nichts Halbes und nichts Ganzes* — neither one nor the other.
[35] *Zuletzt wird aus der Angst und der Müdigkeit eins* — finally the fear and the weari-
ness become one.

und Ohren haben sie überall. Sie sind auf alles gefaßt und wissen immer das Richtige zu tun; der hier schaute nicht einmal auf.

Ich zog mich leise zurück und schlich wieder in mein Abteil. 5 Meine Uhr war stehengeblieben, das sah ich, als ich draufschaute. Die Zeiger standen auf kurz nach zwölf. Ich hatte sie nicht aufgezogen. Und draußen noch immer der Mond und die Dunkelheit und die verstreuten Lichter. Und da fragte ich mich: Was hast du denn verbrochen? Was will er denn von dir? Wer schickt 10 ihn denn? Ich ging mit mir zu Rate[36] und grübelte und grübelte und fand es nicht. Aber ich war ihm ausgeliefert,[37] da gab es keine Hilfe. Wenn er jetzt aufstand und zur Tür hereinkam, dann gab es keine Rettung, dann konnte er mich umbringen, wie er wollte. Aber warum denn bloß? Ich bin doch kein Dieb und kein Mörder 15 und reise doch nicht in geheimem Auftrage.[38] Wegen der Isolatoren bin ich nach Schottland gefahren, das ist wahr und kann jeder wissen. Was wollte er denn? Und meine Uhr stand, ich wußte nicht mehr, wie spät es war, und wo wir waren, wußte ich auch nicht. Irgendwo in den endlosen öden Vorstädten unter dem 20 Halbmond! — Ich versuchte mich zusammenzunehmen und sah auf der Übersichtskarte[39] von England nach, die in meinem Notizbuch ist, und versuchte auszurechnen, wo wir wären. In der Gegend von Birmingham, riet ich. Aber als wir nach zehn Minuten durch einen Bahnhof fuhren, las ich auf dem Schild Preston,* und da 25 war kein Preston auf meiner Karte zu finden, und wo war ich denn hingeraten?[40] Und drüben hustete der Agent, und ich saß in meinem Abteil und sagte mir plötzlich, er kommt, weil du ein Mörder bist. Oder wenigstens ein Dieb. Aber was hast du denn gestohlen? Ich grübelte und fand nichts in meinem Gehirn, und

---

[36] *Ich ging mit mir zu Rate* — I took counsel with myself.
[37] *war ihm ausgeliefert* — was at his mercy.
[38] *in geheimem Auftrage* — on a secret mission.
[39] *Übersichtskarte* — general map.
[40] *wo war ich denn hingeraten?* — where was I?

das ängstigte mich noch mehr, und ich begann zu beten, daß London kommen und daß es um acht Uhr morgens und daß alles vorbei und daß der Agent weg sein möchte. Aber es wurde nicht später davon,[41] sondern blieb Nacht und ein unbekanntes Land und eine fremde Zeit, und hier war ich. Und war ich denn ein Dieb und ein Mörder und auf Geheimes aus?[42] War ich denn mit einem Male kein anständiger Mensch mehr, den die Polizei nichts anging? Ich habe ein Buch gestohlen, voriges Jahr, das gebe ich zu. Aber muß man deshalb gleich Agenten auf meine Spur setzen? Oder wegen des Feuerwehrhauptmanns aus Blei?[43] Da war ich doch erst acht oder neun, und das ist ein Vierteljahrhundert her. Ich habe ihn in die Tasche gesteckt, obwohl er nicht mein war, das habe ich getan, aber das muß doch vergessen sein!

Und das mit den Schwalben, das war doch auch damals, und da war ich doch auch erst zehn und saß auf dem Geländer unserer Gartenlaube daheim, und die Sonne war im Untergehen, und ich saß da und hatte mein Luftgewehr neben mir stehen und sah mir ein Buch mit Bildern aus der biblischen Geschichte an. Und wie ich zu dem Bild mit Jairi Töchterlein[44] kam, da strich die Schwalbe durch den Birnbaum. Die gehörte zu dem Nest im Gebälk der Gartenlaube[45] und war auf Futtersuche aus für die Jungen, die im Nest saßen. Und ich hatte den ganzen Nachmittag versucht, einen Vogel zu schießen, einen anderen, und keinen getroffen. Nun wurden es gegen Abend immer weniger Vögel im Garten und das Licht war auch schon nicht mehr gut, und da kam die Schwalbe und ich dachte: Versuch's nur, du triffst sie doch nicht, kannst's ruhig tun.[46] Und wie ich zielte, wußte ich, du triffst sie, und ich

---

[41] *es wurde nicht später davon* — all of this didn't make it any later.
[42] *auf Geheimes aus* — on a secret mission.
[43] *Feuerhauptmann aus Blei* — [toy] firechief made out of lead.
[44] *Jairi Töchterlein* — In the Gospel of St. Mark, v: 21, is the story of how Christ restored to life the twelve-year-old daughter of Jairus, a ruler of the synagogue.
[45] *Gebälk der Gartenlaube* — beams of the summerhouse.
[46] *kannst's ruhig tun* — go ahead.

traf sie, und sie fiel aus der blanken Luft herab wie ein Stein, wie
ein in Seidenpapier eingewickelter Stein durch die Äste des Birn-
baums ins Gras. — Am nächsten Tag schrien die Jungen noch, am
übernächsten[47] nicht, aber sie bewegten sich noch im Nest, und
5 erst am dritten nicht mehr . . .

. . . und im Kriege habe ich einem gesagt: Du wirst befördert.
Es war gar nicht wahr, aber ich habe es gesagt, weil ich wußte,
daß er gern befördert werden wollte, und in derselben Nacht
haben sie einen von der Kanone weggeknallt,[48] und da ist er hin-
10 gelaufen und hat sich an die selbe Stelle gestellt, und sie haben ihn
auch weggeknallt. Und er wäre nie hingegangen, wenn ich es ihm
nicht gesagt hätte, denn er war eigentlich ängstlich, und nur, weil
er befördert werden sollte, weil ich ihm das gesagt hatte, lief er
hin. Und wenn es nicht so gekommen wäre, dann hätte ich ihm
15 am nächsten Tage sagen müssen, daß ich gelogen hatte, und er
hätte gelebt; oder wenn ich es gar nicht erst gesagt hätte. . . .

. . . und das alles brannte in mir, und ich hatte es doch vergessen,
und: War es denn meine Schuld? Das kann doch jedermann
passieren! Und wir sind doch nicht alle Diebe und Mörder in
20 geheimem Auftrage. Oder wenn wir es sind, dann ist der es auch,
der dort drüben hustet und mich verfolgt, der auch, und er kann
keinen Unterschied machen zwischen Dienst und Nicht-Dienst.[49]
Wenn er außer Dienst[50] genau so ist wie ich, dann kann er mich
doch nicht jagen und hetzen, und das will ich ihm sagen, jetzt
25 gleich, und was auch daraus wird,[51] jetzt sag ich's ihm. Und ich
ging hinüber und hatte den Griff zu seiner Tür schon in der Hand,
als er aufschaute und mich ansah. Mir direkt in die Augen. Und
sah mich an und hustete wieder und sah mich trotzdem fest an

---

[47] *am übernächsten* — on the day after that.
[48] *haben sie einen von der Kanone weggeknallt* — one of the gun crew was shot at his
post.
[49] *zwischen Dienst und Nicht-Dienst* — between being on duty and off duty.
[50] *außer Dienst* — off duty.
[51] *und was auch daraus wird* — no matter what happens.

und griff beim Husten wieder in seine Brusttasche, und das war
wie der Tod. Das war eine Sekunde lang wie der Tod, bis er sein
Taschentuch aus der Brusttasche zog und es sich vor den Mund
hielt. Dabei fiel seine Brust zusammen, er hatte nichts mehr in der
Tasche. Das brachte mich völlig aus der Fassung.[52] Ich drehte mich 5
um und riß das Fenster auf und schrie Hilfe! Und in diesem Augenblick lief der Zug in einem Bahnhof ein und hielt für einen Augenblick, und auf dem Bahnsteig stand ein Schaffner mit einer Lampe
in der Hand. Und ich wollte gerade noch einmal Hilfe! schreien,
als ich ihn fragte, wie die Station hieße. Der Schaffner draußen 10
sagte: Liverpool. Und die Bahnhofsuhr zeigte vier Uhr zweiund-
zwanzig. Ich holte noch einmal Luft und zog das Fenster dicht[53]
und ging in mein Coupé.

Das hatte mir gut getan, die frische Luft. Ich kam zur Ruhe.
Ich sagte mir: Paß auf, du willst doch leben! Oder nicht? Na also.[54] 15
Dann paß auf. Und ich dachte mir eine List aus. Zuerst stellte ich
meine Uhr richtig und zog sie auf, und dann wartete ich, bis der
Schaffner durch den Wagen kam. Das war erst gegen sechs. Wie
ich ihn hörte, ging ich auf den Gang hinaus und ihm entgegen, bis
ich vor der Tür des Agenten stand, und genau hier vor der Tür 20
fragte ich den Schaffner, ob ich in London Anschluß nach Harwich
haben könnte. Das fragte ich so laut, daß der Agent es auch hören
konnte, und er hörte es und schaute auf und wartete, bis der
Schaffner in seinem Fahrplan die richtige Seite gefunden hatte und
Ja sagte. Von Liverpool-Street-Station aus können Sie fahren. Ein 25
bißchen knapp,[55] aber Sie können's schaffen, wenn Sie sich dazu-
halten.

Und das war meine List. Denn als wir nach London kamen,
ging ich zur Untergrundbahn, und der Agent hinter mir her, und
so fuhren wir im selben Wagen bis King's Cross, wo wir um- 30

---

[52] *Das brachte mich völlig aus der Fassung* — that completely unnerved me.
[53] *zog das Fenster dicht* — closed the window tight.
[54] *Na also* — well, all right.
[55] *Ein bißchen knapp* — it will be a little close.

steigen mußten. Und hier entschied es sich. Ich stürzte zur Tür hinaus, daß er mir kaum folgen konnte, und lief durch die unterirdischen Gänge, und hinter mir her, pitsch, patsch, pitsch, patsch, seine Gummigaloschen, und wie ich an die Rolltreppe kam, die 5 steil in die Tiefe führt, da trat ich blitzschnell hinter eine Säule. Mit rotem Gesicht schoß er vorbei, sah sich kaum um, und da saugte ihn die Rolltreppe schon hinab.[56] Und ich stand oben. Pst — noch konnte er zurück. Ich stand mäuschenstill und sah zu. Das sah komisch aus: Die steile Höhle, glitzernd vor Licht, ganz 10 leer um diese Stunde, und mitten auf der Treppe der Agent, mit hängenden Schultern vorausspähend, ein Köfferchen in der Hand, so saugte es ihn an[57] und er wurde immer kleiner, und ich stand oben, und — Himmel, ich war ihn los! Da kam die Freude in mich, und ich konnte nicht anders, ich stürzte vor und konnte 15 mich nicht halten und rief ihn. Hallo! rief ich, daß die Höhle hallte. Er fuhr herum und starrte erschrocken herauf. Und ich rief noch einmal Hallo! und winkte ihm mit beiden Armen und lachte ihm geradeheraus ins Gesicht hinab. Da fuhr er dahin, klein da unten, und wurde immer kleiner und kleiner, und herauf 20 konnte er nicht mehr, denn gegen so eine Rolltreppe kann man nicht anlaufen, und die Gegentreppe ist man auch nicht so schnell herauf,[58] und ich war in Sicherheit und er fuhr dahin. Er stierte nur herauf, wie ich ihm ins Gesicht schrie. Aber ich muß sagen, er hatte sich in der Hand. Er sagte kein Wort und tat überhaupt nur, 25 als wäre er bloß ein bißchen verdutzt.[59]

Da bin ich hinaus und in die frische Luft und in ein Restaurant gegangen und habe mir Frühstück bestellt. Kipperhering und dreimal Kaffee. Drei Tassen. Die trank ich hintereinander auf nüch-

---

[56] *saugte ... hinab* — sucked down.
[57] *saugte ... an* — sucked onward.
[58] *und die Gegentreppe ist man auch nicht so schnell herauf* — and one can't get up the escalator going in the other direction very quickly either.
[59] *verdutzt* — taken aback.

ternen Magen.[60] Das macht einen frisch, und wirklich, bald darauf hatte ich alles vergessen, und der Schreck ging mir aus den Gliedern, und ich war wieder ganz der Alte.[61]

FRAGEN

1. Warum sprach der Erzähler nicht mit dem Fremden?
2. Was für ein Gefühl hatte er den ganzen Tag gehabt?
3. Wie kam es, daß er in den Bergen gewesen war?
4. Wie kam er zum Kraftwerk?
5. Wie sieht es in den schottischen Gebirgen aus?
6. Warum ließ der Erzähler den Ingenieur stehen?
7. Welche Gedanken hatte er, als er den Berg hinunterlief?
8. Was sah er zwischen den Bergen, als er lief?
9. Warum dachte er, er könne den Mann, der ihn anguckte, nicht sehen?
10. Woran dachte der Erzähler, als der Agent eine Zeitung herauszog?
11. Was weiß man, wenn einer so unauffällig angezogen ist?
12. Warum konnte er den Mann hinter sich hören?
13. Wie versuchte er beim Einsteigen dem Mann zu entkommen?
14. Warum machte er das Licht im Abteil aus?
15. Was hätte geschehen können, wenn er eingeschlafen wäre?
16. Was konnte er, trotz der Wolken, fast immer sehen?
17. Warum lief er plötzlich auf den Gang hinaus?
18. Was war mit seiner Uhr los?
19. Auf welche Frage suchte er vergebens eine Antwort?
20. Was wollte er auf der Karte finden?
21. Was hatte er gestohlen?

---

[60] *auf nüchternen Magen* — on an empty stomach.
[61] *ganz der Alte* — quite my old self.

22. Was für ein Buch hatte er in der Gartenlaube angesehen?
23. Warum schrien die jungen Schwalben am dritten Tag nicht mehr?
24. Wie hatte er im Kriege gelogen?
25. Was dachte der Erzähler, als der Agent in seine Tasche griff?
26. Was tat er im Bahnhof, anstatt um Hilfe zu schreien?
27. Warum sprach er mit dem Schaffner gerade vor der Tür des Agenten?
28. Was fragte er?
29. Wo versteckte er sich in der Untergrundbahn?
30. Was tat er, um seine Freude zu zeigen?
31. Welche Wirkung hat sein Frühstück gehabt?

STEFAN ZWEIG

Stefan Zweig (1881–1942) was the son of a well-to-do Viennese family. He was an ardent pacifist and the impressions which World War I left upon him were deep and lasting. His compassion was particularly aroused by the refugees of war. The desperate human being whom Zweig has depicted in "Episode am Genfer See" stands as a symbol for countless thousands of refugees in our time. Cut off from his family by a war in which he does not want to fight, the Russian finds himself on foreign soil, unwanted and stripped of all human dignity. His presence does not arouse compassion in his fellow men but strife and curiosity, and he is treated more like a piece of property or an animal than a human being. Without the slightest comprehension for the political machinations which are responsible for the circumstances in which he finds himself, the refugee clings desperately to the hope that he will be allowed to return home. Asking so little of life he cannot understand why that little should be denied him. Life becomes for this man an unbearable burden, for he cannot conceive of even a temporary readjustment to a new life in a strange land.

A quarter of a century later Zweig himself was to be confronted with the same problem which had proved insolvable for his Russian refugee. With the advent of National Socialism in Austria, Zweig found himself a man without a country. He lived in France and England as a stateless person until World War II began, whereupon he was classified as an enemy alien. This was a severe blow, and from that time on his predicament became increasingly difficult. Even though finally permitted to leave Europe for Brazil, he was unable to readjust to the new circumstances and finally committed suicide in 1942. Like the pathetic Russian in the "Episode vom Genfer See," the author was confronted with the choice of attempting to build a new existence in a foreign country or of ending his life in despair, the victim of a war which had destroyed his world.

EPISODE VOM GENFER SEE*

STEFAN ZWEIG

Am Ufer des Genfer Sees, in der Nähe der kleinen Schweizer Stadt Villeneuve,* wurde in einer Sommernacht des Jahres 1918 ein Fischer, der sein Boot auf den See hinausgerudert hatte, eines merkwürdigen Gegenstandes mitten auf dem Wasser gewahr,[1] und näherkommend erkannte er ein Gefährt[2] aus lose zusammenge- 5 fügten Balken, das ein nackter Mann in ungeschickten Bewegungen mit einem als Ruder verwendeten Brett vorwärts zu treiben suchte. Staunend steuerte der Fischer heran, half dem Erschöpften in sein Boot, deckte seine Blöße notdürftig[3] mit Netzen und ver- suchte dann mit dem frostzitternden, scheu in den Winkel des Bootes 10 gedrückten Menschen zu sprechen; der aber antwortete in einer fremdartigen Sprache, von der nicht ein einziges Wort der seinen glich. Bald gab der Hilfreiche jede weitere Mühe auf, raffte seine Netze empor und ruderte mit rascheren Schlägen dem Ufer zu.

In dem Maße, als[4] im frühen Licht die Umrisse des Ufers auf- 15 glänzten, begann sich auch das Antlitz des nackten Menschen zu erhellen; ein kindliches Lachen schälte sich aus dem Bartgewühl seines breiten Mundes,[5] die eine Hand hob sich deutend hinüber,[6] und immer wieder fragend und halb schon gewiß, stammelte er

---

[1] *wurde . . . gewahr* — noticed.
[2] *Gefährt* — raft.
[3] *notdürftig* — as best he could.
[4] *In dem Maße, als* — to the same extent that.
[5] *schälte sich aus dem Bartgewühl seines breiten Mundes* — appeared in the matted beard around his wide mouth.
[6] *die eine Hand hob sich deutend hinüber* — one hand was raised pointing.

ein Wort, das wie *Rossiya* klang und immer glückseliger tönte, je
näher der Kiel sich dem Ufer entgegenstieß. Endlich knirschte das
Boot auf den Strand; des Fischers weibliche Anverwandte, die auf
nasse Beute harrten, stoben kreischend, wie einst die Mägde Nau-
5 sikaas, auseinander,[7] da sie des nackten Mannes im Fischernetz
ansichtig wurden; allmählich erst, von der seltsamen Kunde angelockt, sammelten sich verschiedene Männer des Dorfes, denen
sich alsbald würdebewußt und amtseifrig der wackere Weibel des
Ortes[8] zugesellte. Ihm war es aus mancher Instruktion und der
10 reichen Erfahrung der Kriegszeit sofort gewiß, daß dies ein Deserteur sein müsse, vom französischen Ufer herübergeschwommen,
und schon rüstete er sich zu amtlichem Verhör, aber dieser um-
ständliche Versuch verlor baldigst an Würde und Wert durch die
Tatsache, daß der nackte Mensch (dem inzwischen einige der
15 Bewohner eine Jacke und eine Zwilchhose[9] zugeworfen) auf alle
Fragen nichts als immer ängstlicher und unsicherer seinen fragen-
den Ausruf „*Rossiya? Rossiya?*" wiederholte. Ein wenig ärgerlich
über seinen Mißerfolg, befahl der Weibel dem Fremden durch
nicht mißzuverstehende Gebärden, ihm zu folgen, und umjohlt[10]
20 von der inzwischen erwachten Gemeindejugend, wurde der nasse,
nacktbeinige Mensch in seiner schlotternden Hose und Jacke auf
das Amtshaus gebracht und dort in Verwahr genommen.[11] Er
wehrte sich nicht, sprach kein Wort, nur seine hellen Augen waren
dunkel geworden vor Enttäuschung, und seine hohen Schultern
25 duckten sich wie unter gefürchtetem Schlage.

Die Kunde von dem menschlichen Fischfang hatte sich inzwischen bis zu den nahen Hotels verbreitet, und einer ergötzlichen

---

7 *stoben kreischend, wie einst die Mägde Nausikaas, auseinander* — ran screaming in all
  directions as once the maids of Nausikaa had done [when they found the naked
  Ulysses on the beach].
8 *würdebewußt und amtseifrig der wackere Weibel des Ortes* — the good sheriff of the
  place, officious and conscious of his dignity.
9 *eine Zwilchhose* — a pair of twill trousers.
10 *umjohlt* — to the accompaniment of howls.
11 *in Verwahr genommen* — taken into custody.

Episode in der Eintönigkeit des Tages froh,[12] kamen einige Damen
und Herren herüber, den wilden Menschen zu betrachten. Eine
Dame schenkte ihm Konfekt, das er mißtrauisch wie ein Affe
liegen ließ; ein Herr machte eine photographische Aufnahme, alle
schwatzten und sprachen lustig um ihn herum, bis endlich der 5
Manager eines großen Gasthofes, der lange im Ausland gelebt
hatte und mehrerer Sprachen mächtig war, an den schon ganz
Verängstigten nacheinander auf deutsch, italienisch, englisch und
schließlich russisch das Wort richtete. Kaum hatte er den ersten
Laut seiner heimischen Sprache vernommen, zuckte der Ver- 10
ängstigte auf, ein breites Lachen teilte sein gutmütiges Gesicht von
einem Ohr zum andern, und plötzlich sicher und freimütig erzählte er seine ganze Geschichte. Sie war sehr lang und sehr ver-
worren, in ihren Einzelberichten auch nicht immer dem zufälligen
Dolmetsch[13] verständlich, doch war im wesentlichen das Schicksal 15
dieses Menschen das folgende:

Er hatte in Rußland* gekämpft, war dann eines Tages mit
tausend andern in Waggons verpackt worden und sehr weit gefahren, dann wieder in Schiffe verladen und noch länger mit ihnen
gefahren durch Länder, wo es so heiß war, daß, wie er sich aus- 20
drückte, einem die Knochen im Fleisch weich gebraten wurden.[14]
Schließlich waren sie irgendwo wieder gelandet und in Waggons
verpackt worden und hatten dann mit einem Male einen Hügel
zu stürmen, worüber er nichts Näheres wußte, weil ihn gleich zu
Anfang eine Kugel ins Bein getroffen habe. Den Zuhörern, denen 25
der Dolmetsch Rede und Antwort übersetzte, war sofort klar,
daß dieser Flüchtling ein Angehöriger jener russischen Divisionen
in Frankreich* war, die man über die halbe Erde, über Sibirien

---

[12] *einer ergötzlichen Episode in der Eintönigkeit des Tages froh* — happy to have an
entertaining episode to break the monotony of the day.
[13] *Dolmetsch* — interpreter.
[14] *einem die Knochen im Fleisch weich gebraten wurden* — one's bones almost melted
in the heat.

und Wladiwostok* an die französische Front geschickt hatte, und es regte sich mit einem gewissen Mitleid bei allen gleichzeitig die Neugier, was ihn vermocht habe, diese seltsame Flucht zu versuchen. Mit halb gutmütigem, halb listigem Lächeln erzählte bereitwillig der Russe, kaum genesen, habe er die Pfleger gefragt, wo Rußland sei, und sie hätten ihm die Richtung gedeutet, deren ungefähres Bild er durch die Stellung der Sonne und der Sterne sich bewahrt hatte, und so sei er heimlich entwichen, nachts wandernd, tagsüber vor den Patrouillen in Heuschobern[15] sich versteckend. Gegessen habe er Früchte und gebetteltes Brot, zehn Tage lang, bis er endlich an diesen See gekommen. Nun wurden seine Erklärungen undeutlicher; es schien, daß er, aus der Nähe des Baikalsees* stammend, vermeint hatte, am andern Ufer, dessen bewegte Linien[16] er im Abendlicht erblickte, müsse Rußland liegen. Jedenfalls hatte er sich aus einer Hütte zwei Balken gestohlen und war auf ihnen, bäuchlings liegend,[17] mit Hilfe eines als Ruder benützten Brettes weit in den See hinausgekommen, wo ihn der Fischer auffand. Die ängstliche Frage, mit der er seine unklare Erzählung beschloß, ob er schon morgen daheim sein könne, erweckte, kaum übersetzt, durch ihre Unbelehrtheit erst lautes Gelächter, das aber bald gerührtem Mitleid wich,[18] und jeder steckte dem unsicher und kläglich um sich Blickenden ein paar Geldmünzen oder Banknoten zu.

Inzwischen war auf telephonische Verständigung[19] aus Montreux* ein höherer Polizeioffizier erschienen, der mit nicht geringer Mühe ein Protokoll über den Vorfall aufnahm. Denn nicht nur, daß der zufällige Dolmetsch sich als unzulänglich erwies, bald wurde auch die für Westländer[20] gar nicht faßbare Unbildung[21] dieses

---

[15] *Heuschobern* — haystacks.
[16] *bewegte Linien* — irregular coast line.
[17] *bäuchlings liegend* — lying on his stomach.
[18] *gerührtem Mitleid wich* — gave way to compassion.
[19] *auf telephonische Verständigung* — as a result of a telephone call.
[20] *Westländer* — westerners.
[21] *Unbildung* — ignorance.

Menschen klar, dessen Wissen um sich selbst kaum den eigenen
Vornamen Boris überschritt und der von seinem Heimatsdorf nur
äußerst verworrene Darstellungen zu geben vermochte, etwa,[22]
daß sie Leibeigene[23] des Fürsten Metschersky seien (er sagte Leibeigene, obwohl doch seit einem Menschenalter diese Fron[24] abge- 5
schafft war) und daß er fünfzig Werst vom großen See entfernt[25]
mit seiner Frau und drei Kindern wohne. Nun begann die Beratung
über sein Schicksal, indes er mit stumpfem Blick geduckt inmitten
der Streitenden stand: die einen meinten, man müsse ihn der
russischen Gesandtschaft nach Bern überweisen, andere befürch- 10
teten von solcher Maßnahme eine Rücksendung nach Frankreich;
der Polizeibeamte erläuterte die ganze Schwierigkeit der Frage,
ob er als Deserteur oder als papierloser Ausländer behandelt werden
solle; der Gemeindeschreiber des Ortes[26] wehrte gleich von vornherein die Möglichkeit ab, daß gerade sie den fremden Esser zu 15
ernähren und zu beherbergen[27] hätten. Ein Franzose schrie erregt,
man solle mit dem elenden Durchbrenner[28] nicht so viel Geschichten machen, er solle arbeiten oder zurückspediert werden; zwei
Frauen wandten heftig ein, er sei nicht schuld an seinem Unglück,
es sei ein Verbrechen, Menschen aus ihrer Heimat in ein fremdes 20
Land zu verschicken. Schon drohte sich aus dem zufälligen Anlaß
ein politischer Zwist zu entspinnen, als plötzlich ein alter Herr,
ein Däne, dazwischenfuhr und energisch erklärte, er bezahle den
Unterhalt dieses Menschen für acht Tage, inzwischen sollten die
Behörden[29] mit der Gesandtschaft ein Übereinkommen treffen,[30] 25

[22] *etwa* — for instance.
[23] *Leibeigene* — serfs.
[24] *Fron* — bondage.
[25] *fünfzig Werst vom großen See entfernt* — 50 versts [1 verst = $\frac{2}{3}$ of a mile] from Lake Baikal.
[26] *Gemeindeschreiber des Ortes* — town clerk.
[27] *den fremden Esser zu ernähren und zu beherbergen* — to feed and to furnish shelter for the stranger.
[28] *Durchbrenner* — fugitive.
[29] *Behörden* — authorities.
[30] *ein Übereinkommen treffen* — reach an agreement.

eine unerwartete Lösung, welche sowohl die amtlichen wie die privaten Parteien zufriedenstellte.

Während der immer erregter werdenden Diskussion hatte sich der scheue Blick des Flüchtlings allmählich erhoben und hing 5 unverwandt an den Lippen des Managers, des einzigen innerhalb dieses Getümmels,[31] von dem er wußte, daß er ihm verständlich sein Schicksal sagen könne. Dumpf schien er den Wirbel zu spüren, den seine Gegenwart erregte, und ganz unbewußt hob er, als jetzt der Wortlärm abschwoll, durch die Stille beide Hände flehent-10 lich[32] gegen ihn auf, wie Frauen vor einem heiligen Bild. Das Rührende dieser Gebärde ergriff unwiderstehlich jeden einzelnen. Der Manager trat herzlich auf ihn zu und beruhigte ihn, er möge ohne Angst sein, er könne unbehelligt[33] hier verweilen, im Gasthof würde die nächste Zeit über[34] für ihn gesorgt werden. Der Russe 15 wollte ihm die Hand küssen, die ihm jedoch der andere rück-tretend rasch entzog. Dann wies er ihm noch das Nachbarhaus, eine kleine Dorfwirtschaft, wo er Bett und Nahrung finden würde, sprach nochmals zu ihm einige herzliche Worte der Beruhigung und ging dann, ihm noch einmal freundlich zuwinkend, die Straße 20 zu seinem Hotel empor.

Unbeweglich starrte der Flüchtling ihm nach, und in dem Maße, wie[35] der einzige, der seine Sprache verstand, sich entfernte, verdüsterte sich wieder sein schon erhellteres Gesicht. Mit zehren-den Blicken[36] folgte er dem Entschwindenden bis hinauf zu dem 25 hochgelegenen Hotel, ohne die andern Menschen zu beachten, die sein seltsames Gehaben bestaunten und belachten. Als ihn dann einer mitleidig anrührte und in den Gasthof wies, fielen seine schweren Schultern gleichsam in sich zusammen, und gesenkten

31 *Getümmel* — tumult.
32 *flehentlich* — supplicatingly.
33 *unbehelligt* — unmolested.
34 *die nächste Zeit über* — for the time being.
35 *in dem Maße, wie* — as
36 *zehrenden Blicken* — yearning eyes.

Hauptes[37] trat er in die Tür. Man öffnete ihm das Schankzimmer.[38] Er drückte sich an den Tisch, auf den die Magd zum Gruß ein Glas Branntwein stellte, und blieb dort verhangenen Blicks[39] den ganzen Vormittag unbeweglich sitzen. Unablässig spähten vom Fenster die Dorfkinder herein, lachten und schrien ihm etwas zu — 5 er hob den Kopf nicht. Eintretende betrachteten ihn neugierig, er blieb, den Blick an den Tisch gebannt, mit krummem Rücken sitzen, schamhaft und scheu. Und als mittags zur Essenszeit ein Schwarm Leute den Raum mit Lachen füllte, hunderte Worte um ihn schwirrten, die er nicht verstand, und er, seiner Fremdheit 10 entsetzlich gewahr, taub und stumm inmitten einer allgemeinen Bewegtheit saß, zitterten ihm die Hände so sehr, daß er kaum den Löffel aus der Suppe heben konnte. Plötzlich lief eine dicke Träne die Wange herunter und tropfte schwer auf den Tisch. Scheu sah er sich um. Die andern hatten sie bemerkt und schwiegen mit einem- 15 mal. Und er schämte sich: immer tiefer beugte sich sein schwerer struppiger[40] Kopf gegen das schwarze Holz.

Bis gegen Abend blieb er so sitzen. Menschen gingen und kamen, er fühlte sie nicht und sie nicht mehr ihn: ein Stück Schatten,[41] saß er im Schatten des Ofens, die Hände schwer auf den Tisch gestützt. 20 Alle vergaßen ihn, und keiner merkte darauf, daß er sich in der Dämmerung plötzlich erhob und, dumpf wie ein Tier, den Weg gegen das Hotel hinaufschritt. Eine Stunde und zwei stand er dort vor der Tür, die Mütze devot in der Hand, ohne jemanden mit dem Blick anzurühren: endlich fiel diese seltsame Gestalt, die starr 25 und schwarz wie ein Baumstrunk vor dem lichtfunkelnden Eingang des Hotels im Boden wurzelte, einem der Laufburschen auf, und er holte den Manager. Wieder stieg eine kleine Helligkeit in dem verdüsterten Gesicht auf, als seine Sprache ihn grüßte.

---

[37] *gesenkten Hauptes* — with bowed head.
[38] *Schankzimmer* — taproom.
[39] *verhangenen Blicks* — with downcast eyes.
[40] *struppig* — shaggy.
[41] *ein Stück Schatten* — like a part of the shadow.

„Was willst du, Boris?" fragte der Manager gütig.

„Ihr wollt verzeihen,"[42] stammelte der Flüchtling, „ich wollte nur wissen . . . ob ich nach Hause darf."

„Gewiß, Boris, du darfst nach Hause," lächelte der Gefragte.

5 „Morgen schon?"

Nun ward auch der andere ernst. Das Lächeln verflog auf seinem Gesicht, so flehentlich[43] waren die Worte gesagt.

„Nein, Boris . . . jetzt noch nicht. Bis der Krieg vorbei ist."

„Und wann? Wann ist der Krieg vorbei?"

10 „Das weiß Gott. Wir Menschen wissen es nicht."

„Und früher? Kann ich nicht früher gehen?"

„Nein, Boris."

„Ist es so weit?"

„Ja."

15 „Viele Tage noch?"

„Viele Tage."

„Ich werde doch gehen, Herr! Ich bin stark. Ich werde nicht müde."

„Aber du kannst nicht, Boris. Es ist noch eine Grenze dazwischen."

20 „Eine Grenze?" Er blickte stumpf. Das Wort war ihm fremd.

Dann sagte er wieder mit seiner merkwürdigen Hartnäckigkeit: „Ich werde hinüberschwimmen."

Der Manager lächelte beinahe. Aber es tat ihm doch weh, und er erläuterte sanft: „Nein, Boris, das geht nicht. Eine Grenze, das 25 ist fremdes Land. Die Menschen lassen dich nicht durch."

„Aber ich tue ihnen doch nichts! Ich habe mein Gewehr weggeworfen. Warum sollen sie mich nicht zu meiner Frau lassen, wenn ich sie bitte um Christi willen?"[44]

Dem Manager wurde immer ernster zumute. Bitterkeit stieg 30 in ihm auf. „Nein," sagte er, „sie werden dich nicht hinüberlassen,

---

42 „*Ihr wollt verzeihen*" — "You must excuse me."
43 *flehentlich* — pleadingly.
44 *um Christi willen* — in the name of Christ.

Boris. Die Menschen hören jetzt nicht mehr auf Christi Wort."

„Aber was soll ich tun, Herr? Ich kann doch hier nicht bleiben! Die Menschen verstehen mich hier nicht, und ich verstehe sie nicht."

„Du wirst es schon lernen, Boris."

„Nein, Herr," tief bog der Russe den Kopf, „ich kann nichts lernen. Ich kann nur auf dem Feld arbeiten, sonst kann ich nichts. Was soll ich hier tun? Ich will nach Hause! Zeige mir den Weg!"

„Es gibt jetzt keinen Weg, Boris."

„Aber, Herr, sie können mir doch nicht verbieten, zu meiner Frau heimzukehren und zu meinen Kindern! Ich bin doch nicht mehr Soldat!"

„Sie können es, Boris."

„Und der Zar?" Er fragte es ganz plötzlich, zitternd vor Erwartung und Ehrfurcht.

„Es gibt keinen Zaren mehr, Boris. Die Menschen haben ihn abgesetzt."

„Es gibt keinen Zaren mehr?" Dumpf starrte er den andern an. Ein letztes Licht erlosch in seinen Blicken, dann sagte er ganz müde: „Ich kann also nicht nach Hause?"

„Jetzt noch nicht. Du mußt warten, Boris."

„Lange?"

„Ich weiß nicht."

Immer düsterer wurde das Gesicht im Dunkel. „Ich habe schon so lange gewartet! Ich kann nicht mehr warten. Zeig mir den Weg! Ich will es versuchen!"

„Es gibt keinen Weg, Boris. An der Grenze nehmen sie dich fest. Bleib hier, wir werden dir Arbeit finden!"

„Die Menschen verstehen mich hier nicht, und ich verstehe sie nicht," wiederholte er hartnäckig. „Ich kann hier nicht leben! Hilf mir, Herr!"

„Ich kann nicht, Boris."

„Hilf mir um Christi willen, Herr! Hilf mir, ich ertrag es nicht mehr!"

„Ich kann nicht, Boris. Kein Mensch kann jetzt dem andern helfen."

Sie standen stumm einander gegenüber. Boris drehte die Mütze in den Händen. „Warum haben sie mich dann aus dem Haus geholt? Sie sagten, ich müsse Rußland verteidigen und den Zaren. Aber Rußland ist doch weit von hier, und du sagst, sie haben den Zaren ... wie sagst du?"

„Abgesetzt."

„Abgesetzt." Verständnislos wiederholte er das Wort. „Was soll ich jetzt tun, Herr? Ich muß nach Hause! Meine Kinder schreien nach mir. Ich kann hier nicht leben! Hilf mir, Herr! Hilf mir!"

„Ich kann nicht, Boris."

„Und kann niemand mir helfen?"

„Jetzt niemand."

Der Russe beugte immer tiefer das Haupt, dann sagte er plötzlich dumpf: „Ich danke dir, Herr," und wandte sich um.

Ganz langsam ging er den Weg hinunter. Der Manager sah ihm lange nach und wunderte sich noch, daß er nicht dem Gasthof zuschritt, sondern die Stufen hinab zum See. Er seufzte tief auf und ging wieder an seine Arbeit im Hotel.

Ein Zufall wollte es, daß derselbe Fischer am nächsten Morgen den nackten Leichnam des Ertrunkenen auffand. Er hatte sorgsam die geschenkte Hose, Mütze und Jacke an das Ufer gelegt und war ins Wasser gegangen, wie er aus ihm gekommen. Ein Protokoll wurde über den Vorfall aufgenommen und, da man den Namen des Fremden nicht kannte, ein billiges Holzkreuz auf sein Grab gestellt, eines jener kleinen Kreuze über namenlosem Schicksal,[45] mit denen jetzt unser Europa bedeckt ist von einem bis zum andern Ende.

[45] *über namenlosem Schicksal* — over the nameless ones.

FRAGEN

1. In welchem Lande fängt die Geschichte an?
2. Was erblickte der Fischer mitten auf dem See?
3. Warum konnte der Fischer den Mann nicht verstehen?
4. Was mußte der Fischer tun, ehe er den Fremden ans Ufer rudern konnte?
5. Worauf hatten die Frauen am Ufer gewartet?
6. Warum liefen die Frauen schreiend weg?
7. Wofür hielt der Weibel den Fremden?
8. Woher bekam der Fremde Kleider?
9. Warum wurde der Fremde auf das Amtshaus gebracht?
10. Warum kamen die Damen und Herren aus den Hotels zum Amtshaus?
11. Warum war der fremde Mann auf einmal so glücklich?
12. Wie wurde der Russe verwundet?
13. Wie wußte der Russe in welcher Richtung Rußland lag?
14. Wovon lebte er auf seiner Flucht?
15. Wie lange brauchte er, um den Genfer See zu erreichen?
16. Was wollte er wissen, als er mit seiner Geschichte zu Ende war?
17. Wie drückten die Zuhörer ihr Mitleid aus?
18. Warum kam ein Offizier aus Montreux?
19. Wie groß war die Familie des Russen?
20. Welche Frage konnte der Polizeibeamte nicht beantworten?
21. Was versprach der Däne zu tun?
22. Wie wollte der Russe dem Manager seine Dankbarkeit ausdrücken?
23. Was tat der Russe, als der Manager zurück zu seinem Hotel ging?
24. Wie lange blieb er im Schankzimmer unbeweglich sitzen?
25. Warum waren die Gäste mit einemmale still?
26. Wohin ging er am Abend?
27. Wieso wußte der Manager, daß der Russe vor dem Hotel stand?

28. Was wollte er vom Manager wissen?
29. Warum konnte Boris nicht sofort nach Hause gehen?
30. Warum sagte der Russe, daß er nicht da bleiben könnte?
31. Was für einen Eindruck machte die Nachricht, daß es keinen Zaren mehr gäbe?
32. Was versprach der Manager dem Boris?
33. Warum wunderte sich der Manager, als Boris wegging?
34. Was geschah ganz zufällig am nächsten Morgen?
35. Was hatte der Russe mit seinen geborgten Kleidern getan?

OSKAR JELLINEK

Although the core of the problem of "Der Schauspieler" is not revealed until the middle of the story, Jellinek (1886–1949) mentions in the first sentence the two elements which are to lead to disaster: the role of the actor and the death of his mother.

Gradually and convincingly, he shows us the awakening of Ernst Ludwig to the fact that his concentration on his profession has rendered him incapable of genuine human emotion. Every thought, every word, every gesture is to him theatrical; it is as though Shakespeare's remark that all the world's a stage had come literally true for him.

The sympathy that we feel for him would be far less poignant if it were not for the fact that he *knows* what is the matter. Were he merely a person who is always "acting"—either for effect or because he has never had any feelings, we would despise him, or at best laugh at him. But Ernst is intelligent enough to realize that this is not his real self—that it is something which has superimposed itself on his character, stifling it.

Jellinek adds to the flavor of his story by including three ironical touches in Ernst's fate. The reader can see these for himself if he will pay close attention to the role that Ernst's mother has played in his life and to the tragic climax just at the point of his greatest triumph.

Oskar Jellinek was born in Brünn, the former capital of Moravia, now part of Czechoslovakia, in 1886. Trained as a lawyer, he fought as an officer in World War I, then became a judge. After living for many years in Vienna, where he devoted much of his time to writing and the theater, he was forced to leave and came to the United States, where he died in Los Angeles in 1949.

DER SCHAUSPIELER

OSKAR JELLINEK

Der junge Schauspieler Ernst Ludwig erhielt zugleich mit seiner neuen Rolle die Nachricht von der schweren Erkrankung seiner Mutter. Der die Rollen austragende Diener hatte die an das Theater adressierte Depesche[1] mitgebracht. Ernst Ludwig reiste mit dem nächsten Zug. Immerhin waren bis dahin einige Stunden 5 verflossen, die er zum Teil im Theater zubringen mußte, um dem Direktor seine Urlaubsbitte vorzutragen, eine Kostümangelegenheit zu ordnen und seinem großen Kollegen Lawin ein Deklamatorium zurückzustellen,[2] das dieser dringend benötigte. Da sich das Erscheinen des Direktors verzögerte, wohnte Ludwig durch 10 einige Zeit auch der Probe eines neueinstudierten Stückes bei, in dem er nicht beschäftigt war, und bildete natürlich den Gegenstand teilnehmender Fragen, auf die er keine andere Antwort wußte als den Inhalt des von seinem Schwager unterzeichneten Telegrammes: „Mutter schwer erkrankt, komm sofort." 15

Auf dieses Stichwort hin[3] hatte er mechanisch auch die übrigen Reisevorbereitungen getroffen, ohne daß es ihm gelungen wäre, alle seine Gedanken auf den traurigen Grund der Abreise zu vereinigen. Auch jetzt, im Zuge, der ihn binnen vier Stunden in die kleine mährische[4] Stadt bringen sollte, die seine Heimat war, 20 wurde der Gedanke, seiner Mutter sei etwas Ernstliches zugestoßen,

[1] Depesche — telegram.
[2] ein Deklamatorium zurückzustellen — to return an anthology of pieces to be recited.
[3] Auf dieses Stichwort hin — on the basis of this cue.
[4] mährisch — Moravian.

von allen möglichen Tagesfragen des bunten Betriebes[5] durch-
kreuzt, aus dem ihn die Nachricht jäh herausgerissen hatte. Schuld
daran trug allerdings auch der Umstand, daß er sich seine noch
sehr rüstige Mutter nicht anders als aufrecht und tätig denken konnte.
5   Er liebte sie sehr. Sie allein hatte ihn erzogen, der Vater war
lange tot. In den sieben Jahren seiner bisherigen Bühnenlaufbahn
hatte er es stets schmerzlich empfunden, daß diese für seine Mutter
nur ein Quell der Kränkung und Sorge war. Und es wollte ihm
nicht glücken,[6] dieser Beschwerde ihres Herzens die einzige Be-
10 schwichtigung[7] zu bieten, die es hätte entlasten können: den Ruhm.
Denn, wenn er auch, nach einigen bitteren Provinzjahren,[8] an das
große Wiener Theater engagiert worden war, so mußte er dort zu
bescheidene Rollen spielen, als daß eine Mutter darauf hätte stolz
sein können.[9] Er hatte sich, mündlich und schriftlich, oft bemüht,
15 ihr vorzustellen, daß die von ihr so beklagte Unsicherheit der
Existenz in diesem Berufe schließlich nicht größer sei als in jedem
andern — aber sie hatte dies unter Hinweis auf[10] das Los alter
Schauspieler immer lebhaft bestritten: und wenn er ihr leidenschaftlich beteuerte, daß er auf keinem anderen Wege jemals
20 glücklich werden könnte, so erklärte sie das rund für eine fixe
Idee.[11] Dennoch hatte er niemals die Hoffnung aufgegeben, ihr und
der Welt einst zu beweisen, daß er mehr sei als ein vom Regisseur
gedrillter Dutzendepisodist,[12] und in erwartungsvoller Erregung
griff er nach jeder neuen Rolle, ob sie ihm etwa die ersehnte
25 Gelegenheit bringe. So hatte er wenige Minuten vor der Abreise
einen hastigen Blick auch in seine neueste Rolle geworfen: die des
Grafen Paris in „Romeo und Julia." Er kannte sie, doch schien sie

---

5 *des bunten Betriebes* — of the colorful activity.
6 *es wollte ihm nicht glücken* — he failed.
7 *Beschwichtigung* — alleviation.
8 *Provinzjahren* — years in the provincial theaters.
9 *zu bescheidene Rollen spielen, als daß eine Mutter darauf hätte stolz sein können* — to
play parts which were too modest for a mother to have been proud of them.
10 *unter Hinweis auf* — with reference to.
11 *rund für eine fixe Idee* — nothing but an obsession.
12 *Dutzendepisodist* — character actor.

ihm wenig verheißungsvoll.¹³ Dies alles ging ihm bruchstückweise
durch den Kopf, während er unruhig in den Märzabend hinaussah,
der sich auf die Ebene dämmernd niedersenkte.

Bei seiner Ankunft war es schon dunkel. Der Schwager stand
auf dem Perron.¹⁴ Jetzt erst erschrak der Schauspieler. Denn sein 5
Schwager war nichts weniger als sentimental — dennoch hatte er
depeschiert,¹⁵ dennoch stand er hier, ihn zu empfangen! Sie drück-
ten einander die Hand; dann sagte ihm der Schwager, daß die
Mutter gestorben sei. Dem Schauspieler entfuhr ein Laut des
Schreckens. Der Schwager berichtete unbeholfen¹⁶ weiter: am 10
Vormittag war es geschehen, ganz plötzlich, mitten in der Arbeit
...Die beiden Männer schritten durch die schwach erhellten
Straßen. Der Schauspieler hatte noch seinen Aufschrei im Ohr.
War der nicht zu laut gewesen, wie es unlängst auf der Probe der
Regisseur an ihm bemängelt hatte?¹⁷ Ludwig nahm den Hut ab 15
und strich sich über die Stirne. Es beschämte und befremdete ihn,
daß er sich auf solcher Überlegung ertappte. Daran war nur diese
enge Gasse mit ihrer spärlichen Beleuchtung schuld — sie erinnerte
ihn an das Szenenbild jener Probe. Und dann: er konnte eben den
Tod der Mutter noch gar nicht fassen. 20

Nun standen sie vor dem Hause. Bange betrat es der Schauspieler
— bange, obwohl doch schon alles entschieden war. Jetzt stand er
in der Stube, die er von Kindheit an kannte, Wohnstube und
Arbeitsstätte der Mutter zugleich. Seine Schwester kam ihm
weinend entgegen. Er umarmte sie. Einige Leute, Verwandte, 25
Bekannte, drückten ihm die Hand. Im Alkoven stand das Bett. Er
schob den Vorhang zur Seite — da lag die Mutter vor ihm aus-
gestreckt. Das Licht der Totenlampe fiel auf ihre mageren Hände,
das Antlitz ruhte im Dunkel. Der Schauspieler kniete nieder, ergriff

¹³ *wenig verheißungsvoll* — not very promising.
¹⁴ *Perron* — platform.
¹⁵ *depeschiert* — telegraphed.
¹⁶ *unbeholfen* — awkwardly.
¹⁷ *wie es unlängst auf der Probe der Regisseur an ihm bemängelt hatte* — just as the
director had criticized him recently in rehearsal.

die Hand der Mutter und küßte sie: dann preßte er seine Stirne an
die Kante[18] des Bettes. Aber jede seiner Bewegungen blieb ihm
genau bewußt und er fühlte in seinem Rücken die Blicke der
Zuschauer, wie auf dem Theater. Er trachtete,[19] sich von dieser
5 Empfindung zu befreien und sich ganz dem Schmerze hinzugeben.
Aber die Erinnerung an die zahlreichen Rollen, in denen er so
gekniet hatte an Särgen, an Bettkanten, an Armlehnen, in „stummer
Andacht," in „stillem Schmerz" oder wie sonst es die Regiemerkung[20] vorschrieb, hielt sein Inneres starr umfangen; ja, in einem
10 Stück hatte es sogar ausdrücklich geheißen: „preßt seine Stirn an
die Kante des Bettes." Er hob rasch den Kopf und ergriff wieder
mit beiden Händen die herabhängende Hand der Mutter. Aber er
fühlte sofort, wie gut er auch diese Bewegung kannte. „Es ist
die Mutter," lispelte er kaum hörbar. „Deine Mutter, deine wirk-
15 liche Mutter" ... Doch er hatte schon oft beim Rollenstudium
und auf der Bühne, im Interesse eines möglichst lebenswahren
Spieles,[21] die Wirklichkeit in dieser Weise sich einzureden versucht,
was ihm ebensowenig geglückt war wie jetzt. Da sprang er ent-
setzt auf. War er kein Mensch mehr? Hatte ihn das Theater in eine
20 Puppe verwandelt? Er biß die Lippen aufeinander, er krampfte die
Hände zusammen, er rang danach, sich zu beweisen, daß er Schmerz
empfinde, wahren Schmerz, daß er einfach menschlich leide angesichts des Todes eines innig geliebten Wesens. Eine Locke fiel ihm
in die Stirn, er strich sie hastig zurück. Aber dabei durchzuckte ihn
25 ein Gedanke: Wenn er weinen könnte, wenn er Tränen hätte —
das wäre der Beweis! So kniete er denn nieder und versuchte zu
weinen, doch vergebens. „Tränen," hörte er den Regisseur sagen,
„Tränen sollt ihr erst gar nicht mal versuchen, Kinder, das wirkt
nicht gut. Man kann sie nicht machen, sie sind nur den Größten

---

18 *Kante* — edge.
19 *trachtete* — strove.
20 *Regiemerkung* — stage directions.
21 *im Interesse eines möglichst lebenswahren Spieles* — in the interest of making his
   acting as true to life as possible.

gegeben." Ernst Ludwig erhob sich und wandte sich den Leidtragenden[22] zu. Dabei streifte er den Vorhang des Alkovens,
und ihm war, als trete er vor den Vorhang, um für Beifall zu
danken.

Des Nachts warf er sich in seinem alten Bette schlaflos hin und 5
her. Er war sich fremd und wertlos geworden, er begriff sich nicht.
War er nicht stets ein ehrlicher Mensch gewesen? Hatte er außerhalb der Bühne je geschauspielert?[23] Und doch hatte das Theater
die Gleise seiner Seele so ausgefahren,[24] daß ihm für das größte
Unglück seines Lebens nichts mehr übrig geblieben war als ein 10
Repertoire komödiantischer Gebärden![25] Er hätte glauben können,
daß die Tote ihn strafen wolle, weil sein Weg wider den Willen
der Lebenden verstoßen habe. Aber er glaubte es nicht. Hatte sie
doch, wie die Schwester erzählte, noch gestern abend geäußert,
sie habe sich mit seinem Berufe abgefunden und wünsche nur noch, 15
daß er bald größere Rollen und eine größere Gage[26] erhalte. Der
wirtschaftliche Sinn der Mutter fiel ihm ein, ihr sorgliches Walten
für ihn, dieser und jener Zug aus längst entschwundenen Knaben-
tagen, und immer stärker drückte ihn sein Gebaren an ihrer
Hülle,[27] immer mehr dünkte es ihn Undank und Sünde. In seiner 20
fieberischen Erregung suchte er nach einer Erklärung und meinte
endlich, sie gefunden zu haben: die Leute waren schuld gewesen,
die Zuschauer, nicht zahlreich zwar, aber doch Zuschauer! Jetzt
aber lag die Mutter allein hier nebenan, jetzt könnte keines Dritten
Auge[28] mehr seine Andacht stören und fälschen. Ernst Ludwig 25
verließ sein Lager, warf fröstelnd den Mantel über das Hemd und
betrat wieder das Zimmer der Toten. Doch er erschrak, als er zu

[22] *Leidtragenden* — mourners.
[23] *geschauspielert* — play-acted.
[24] *hatte das Theater die Gleise seiner Seele so ausgefahren* — the theater had taken such complete possession of his soul.
[25] *ein Repertoire komödiantischer Gebärden* — a repertoire of theatrical gestures.
[26] *Gage* — salary (used only in the theater).
[27] *sein Gebaren an ihrer Hülle* — his behavior at the side of her earthly remains.
[28] *keines Dritten Auge* — no third person.

ihren Häupten[29] eine alte Frau sitzen sah. Man hatte sie zur Totenwacht gemietet, und jetzt erhob sie sich breit lächelnd und erinnerte
ihn durch ihre ergebene[30] Haltung und ihre dicke, stark gerötete
Nase an eine der Garderobieren[31] des Theaters. Rasch kehrte er in
5 sein Zimmer zurück. Dort saß er lange am Rande des Bettes und
brütete vor sich hin. Dann legte er sich wieder zur Ruhe und schlief
wirklich ein. Aber er träumte von einer Rolle, die er schlecht
spiele.

Am nächsten Tage ging er durch die Straßen der Heimat. Der
10 Frühling lag in der Luft und keimte[32] zwischen den kleinen Häusern. Aber der Schauspieler wagte nicht aufzublicken, aus Angst,
das vertraute Bild könnte ihm als gemalte Leinwand[33] erscheinen.
Seit ihm das Theater bis an die Bahre der Mutter gefolgt war,
traute er sich selbst nicht mehr. Bloßen Hauptes schritt er dahin,
15 wie immer zu solcher Zeit, und erwiderte flüchtig die Händedrücke alter Bekannter, während er spürte, wie andere Leute ihm
nachschauten, als hätten sie noch niemals einen Schauspieler gesehen. Er hatte ein Ziel. Des Morgens war die Mutter in die
Totenkammer[34] überführt worden, dorthin wollte er, dort würde
20 er allein mit ihr sein, allein wie ein Mensch, der keine Mutter mehr
hat. Dort würde er, dort müßte er zurückfinden zu der Reinheit
und Echtheit des kindlichen Gefühls, das er der nun Verblichenen
stets entgegengebracht hatte[35] — dort würde er Tränen finden.

Ludwig war beim Friedhof angelangt, am Rande der Stadt.
25 Vielleicht wäre es gut gewesen, wenn er einen Blick auf diesen
Garten des Friedens geworfen hätte, der vom ersten Blühen über-

---

[29] *zu ihren Häupten* — at her head (this is an obsolete usage of the plural form of
"Haupt").
[30] *ergebene* — respectful.
[31] *Garderobieren* — wardrobe mistresses.
[32] *keimte* — sprouted.
[33] *Leinwand* — canvas.
[34] *Totenkammer* — funeral chapel.
[35] *der nun Verblichenen stets entgegengebracht hatte* — had always had for the one who
was now dead.

haucht,[36] als ein abgegrenzter, aber durchaus lebendiger Teil des weithin sich breitenden Gemeindeangers[37] dalag. Dort spielten Kinder uralte Spiele, wie auch er sie dort gespielt hatte, und diesseits und jenseits der Mauer waltete über Jenseits und Diesseits in gleicher Eindringlichkeit und Süße die Macht der Natur.[38] Sie hätte ihn vielleicht zu sich bringen, seinen Krampf in natürlichen Schmerz auflösen können, aber er achtete ihrer nicht. Hastend suchte er den Totengräber, der ihm die Totenkammer willig aufschloß. Zwei Särge standen darin, von schwarzen Tüchern bedeckt; im rechten lag, wie der Mann ihm bedeutete, die Mutter. Dann entfernte sich der Totengräber, und Zugluft[39] bewegte die Bahrtücher[40] und die Locken des Schauspielers. Der stand nun allein in dem kahlen, düsteren Raume mit den drei lückenartigen[41] Fenstern. Langsam trat er näher an den Sarg, mit gleichen Schritten. „Wie abgemessen[42] sie sind!" dachte er — und im nächsten Augenblick erkannte er sie als dieselben, die er stets machte, wenn er auf der Bühne feierlich an eine Bahre trat. „Nur Mut, nur Mut!" flüsterte er, konnte aber nicht mehr verhindern, daß er sich als Shakespeare-Jüngling sah, im schwarzen Wamse,[43] den Degen an der Seite, niedersteigend in das Grabgewölbe der Capulets.[44] Und mit unwiderstehlicher Gewalt drängte sich auf seine Lippen der Rollenvers:[45] „Dir streu ich Blumen..." Da floh er, wie vom Satan gepeitscht, in den sonnigen Tag hinaus.

[36] *überhaucht* — tinged.
[37] *Gemeindeangers* — communal pasture.
[38] *und diesseits und jenseits der Mauer waltete über Jenseits und Diesseits in gleicher Eindringlichkeit und Süße die Macht der Natur* — and on this side and that side of the wall the power of nature held sway over the other world and this one with the same penetrating sweetness.
[39] *Zugluft* — draft.
[40] *Bahrtücher* — palls.
[41] *lückenartig* — hole-like.
[42] *abgemessen* — measured.
[43] *Wams* — doublet.
[44] *Grabgewölbe der Capulets* — vault of the Capulets [one of the two feuding families in "Romeo and Juliet"].
[45] *drängte sich auf seine Lippen der Rollenvers* — he felt the strong urge to recite the line.

Zu Hause fiel seine Verstörtheit auf; er sprach und aß nichts. Aber man hielt es für ein begreifliches Übermaß des Schmerzes und äußerte sich anerkennend[46] darüber. Ein Onkel war nahe daran, ihm seine Berufswahl zu verzeihen, und ein entfernter Ver-5 wandter sprach verstehend von der größeren Empfindsamkeit der Künstler. „Wenn nur schon das Begräbnis vorüber wäre!" dachte der Schauspieler. Es war für den kommenden Tag angesetzt und er hatte keine Hoffnung mehr, seine dem Trug verpflichtete Seele am offenen Grabe der Mutter zu schlichter Empfindungswahrheit 10 heimzurufen.[47] Denn es schien ihm nicht mehr zweifelhaft, daß die Feierlichkeit des Todes und der damit verbundenen Bräuche ihm eine Rolle zugeteilt hatte, die er ebenso spielen mußte wie jede andere, wenn der Theaterzettel seinen Namen nannte. So trat er denn im gegebenen Augenblick angesichts der Trauergemeinde[48] 15 an die offene Grube und warf mechanisch die vorgeschriebenen drei Schollenhäufchen[49] auf den Sarg in die Tiefe. Und als er, rechts abgehend, hörte, wie jemand sagte: „Der Sohn," murmelte er voll bitteren Hohnes: „Jawohl: Der Sohn — Herr Ludwig. Eine gute Besetzung[50] . . . !"

20 Am Abend ging sein Zug. Die Schwester packte ihm den Koffer und legte eine Wegzehrung[51] hinein, die wohl noch lange über den Weg hinaus reichen sollte. Als er sie so liebevoll walten sah, wie früher die Mutter, umarmte er sie innig und dankte ihr. „Daß man endlich ein liebes Wort von dir hört!" schluchzte sie. Da durchfuhr 25 es ihn: Wort! Wenn er hineilte an das Grab der Mutter und zu ihr spräche! Er hatte noch zwei Stunden Zeit. Ja, das wollte er tun! Zu ihr sprechen, wie er zur Lebenden gesprochen hatte, ihre

---

46 *anerkennend* — sympathetically.
47 *seine dem Trug verpflichtete Seele am offenen Grabe der Mutter zu schlichter Empfindungswahrheit heimzurufen* — at his mother's open grave of recalling his soul, dedicated to deception, to simple genuine feeling.
48 *angesichts der Trauergemeinde* — in full view of the group of mourners.
49 *Schollenhäufchen* — small clumps of earth.
50 *eine gute Besetzung* — good casting.
51 *eine Wegzehrung* — food for the trip.

Antwort sich in Erinnerung rufen und darauf wieder antworten. Mochte das Theater seine Mienen und Gebärden mit Bann belegt haben[52] — die Worte, die er mit seiner Mutter wirklich getauscht hatte, diese unzähligen zärtlichen oder trotzigen, stürmischen oder beruhigenden, ungehaltenen oder versöhnenden Worte, die standen in keiner Rolle. Diese lebendigsten Blutzeugen des stärksten Bandes der Natur[53] wollte er aufrufen am Grabe der Mutter und so in letzter Stunde noch ins reine kommen.[54]

Der Friedhof lag im letzten Dämmerlicht. Wolkenzüge formten sich, morgigen Regen verkündend, am Horizont. Der Schauspieler trat an das frische Grab, und da er es nicht als bloßes Requisit[55] empfand, wie gestern den Sarg in der Totenkammer, löste sich seine Spannung ein wenig. Hier unten lag also die Mutter, entschwunden und doch so nah! Nein, es konnte ihm nicht schwerfallen, sie anzurufen, durch ein schlichtes Wort sie zurückzuholen und jenen unermeßlichen Schmerz in seiner Seele zu erwecken, nach dem er dürstete. Doch welches Wort sollte das sein, welches den Anfang machen? Ludwig schaute in die Ferne, aber ein gelblicher Schein am Horizont berührte ihn peinlich, und er versenkte seinen Blick rasch in das Hügelerdreich[56] zu seinen Füßen. So stand er und suchte, nicht ohne Bangen, das Wort. Da rauschten an seinem klanggewohnten Ohr längst verklungene Worte[57] vorüber. Kinder-, Knaben-, Jünglings-, Mutterworte. „Mutter!" rief er plötzlich über das Grab hin, „Mutter!" Aber schon hatte sein Ohr den Ton aufgefangen, prüfte sein Spielsinn berufsmäßig Stärke und Wohlklang.[58] Er wollte sich nicht beirren lassen.

[52] *Mochte das Theater seine Mienen und Gebärden mit Bann belegt haben* — No matter whether the theater did have his expressions and gestures under its spell.
[53] *Diese lebendigsten Blutzeugen des stärksten Bandes der Natur* — these most vital witnesses of the strongest ties of nature.
[54] *ins reine kommen* — put things in order.
[55] *bloßes Requisit* — mere theatrical prop.
[56] *Hügelerdreich* — realm of graves.
[57] *längst verklungene Worte* — words which had died away long ago.
[58] *prüfte sein Spielsinn berufsmäßig Stärke und Wohlklang* — his actor's instinct was testing in a professional way strength and resonance.

„Mutter . . .," sagte er noch einmal, leiser und tiefer — inniger auch, wie ihm schien. Aber es war kaum anders als beim Rollenstudium. Da raffte er alle Kraft zusammen. Wahllos sprach er durcheinander, was er je zu seiner Mutter gesprochen, je von ihr
5 vernommen hatte. Er rang danach, den Worten ihren einstigen Klang und Tonfall zu geben, sie mit der vollen Wärme und Natürlichkeit zu erfüllen, die ihnen damals eigen gewesen waren. Aber eben das brachte sein Beginnen um[59] alle selbstverständliche Inbrunst[60] und verstrickte ihn immer tiefer in Schauspielerei. Heiße
10 Empörung stieg in ihm auf gegen den Beruf, der sein Menschentum unterjocht,[61] allen seinen Äußerungen das Brandmal des Scheines aufgedrückt,[62] seine Worte in der Wurzel gefärbt, ihm den Schmerz in der Brust zurückgehalten und ihn des Opferquells[63] der Tränen beraubt hatte. Frenetisch rief er sich alle Ein-
15 wände zurück, die seine Mutter gegen das Theater vorzubringen pflegte, und gab ihnen die schärfsten Akzente. Es war, wie er sich mit fanatischer Ironie gestehen durfte, alles in allem eine schöne Sprechleistung.[64] Ein letztes fahles Licht ließ die Wolken gespenstig hervortreten, während eine nahe Laterne seine blassen Züge
20 beschien. Der Regisseur hätte seine Freude gehabt. Erschöpft, verzweifelt, gebrochen, aber nicht von kindlichem Schmerze, verließ der Schauspieler das Grab seiner Mutter.

Die Rückfahrt empfand er als Heimreise. Von der Heimat fühlte er sich abgeschnitten wie durch einen eisernen Vorhang.
25 Zurück, zurück ins Theater! Um Mitternacht traf er in Wien ein. Zu Hause fand er einen Zettel vor, der ihn für morgen zur Probe rief. Dieser Willkomm war ihm gerade recht. Es lebe das Theater! Er holte die Rolle hervor, um sie vor dem Einschlafen durchzu-

---

[59] *brachte . . . um* — robbed . . . of.
[60] *Inbrunst* — fervor.
[61] *unterjocht* — subdued.
[62] *das Brandmal des Scheines aufgedrückt* — impressed the stamp of make-believe.
[63] *Opferquell* — consecrated spring.
[64] *Sprechleistung* — rhetorical achievement.

fliegen, aber er war zu müde und legte sie bald auf das Nachtkästchen neben das dort stehende Bild der Mutter.

In den folgenden Wochen hielt er sich wenig zu Hause auf.
Während er früher die Gesellschaft seiner Kollegen eher gemieden
und für einen Stubenhocker[65] gegolten hatte, nahm er jetzt mit 5
einem gewissen Fanatismus an ihren Zusammenkünften, ihrem
ganzen Leben und Treiben auch außerhalb der Bühne teil. Trotzig
gab er den Winkel auf, den er einst seinem bürgerlichen Leben
vorzubehalten pflegte.[66] Hatte das Theater ihn selbst in seiner hei-
ligsten Stunde nicht freigegeben, so mochte es ihn ganz haben! 10
Doch er hatte noch einen geheimen Grund dafür, den er sich kaum
einzugestehen wagte: Er traute sich nicht, das Bild der Mutter in
seinem Zimmer anzusehen, und floh daher, wann immer er konnte,
dessen Nähe.

Er gefiel sich jetzt in einem gewissen komödianten Gebaren,[67] 15
das ihm vordem fremd gewesen war. Im Theater war er nicht
stark beschäftigt, auch die Proben für die neue Inszenierung[68] von
„Romeo und Julia" nahmen ihn nicht allzusehr in Anspruch,
zumal er ihnen des öfteren fernblieb, um einer Filmgesellschaft,
der er sich verpflichtet hatte, zur Verfügung zu stehen. Es war 20
daher kein Wunder, daß er auf der Generalprobe steckenblieb und
sich eine Rüge[69] des Regisseurs zuzog. Dies veranlaßte ihn, die
Rolle kurz vor der Vorstellung noch einmal durchzugehen.

Er hatte die Nacht durchtollt[70] und daher einen Nachmittags-
schlaf gehalten, von dem er erquickt erwacht war. Nun stand er, 25
wie er das in letzter Zeit zu tun liebte, vor dem Spiegel und
agierte[71] seine Rolle. Sein Antlitz war bleicher denn je, um so

---

[65] *Stubenhocker* — stay-at-home.
[66] *Trotzig gab er den Winkel auf, den er einst seinem bürgerlichen Leben vorzubehalten
pflegte* — defiantly he gave up the privacy which he had once been accustomed
to reserve for his domestic life.
[67] *komödianten Gebaren* — theatrical gesturing.
[68] *Inszenierung* — production.
[69] *Rüge* — reprimand.
[70] *durchtollt* — been out gallivanting.
[71] *agierte* — acted out.

ähnlicher fand er sich dem Grafen Paris, Julia Capulets unglück-
lichem Bräutigam. Er sprach seine ersten beiden Szenen — da
schlug es sechs. Gerade noch Zeit, die letzte durchzunehmen: die
Totenklage. Rasch rezitierte er die einleitenden Verse und fuhr
5 dann fort:

Dir streu' ich Blumen, Blume du der Frauen.

Da erblickte er im Spiegel das Bild der Mutter. Ernst und
schmerzlich schaute sie ihn an, aus dunklen Augen unter ergrauen-
den Haaren. Durchs Fenster strich der Frühlingswind zärtlich über
10 seine Locken. Eine lösende Bewegung ergriff sein Herz und ließ
es aus seiner Starrheit erwachen, ein leiser Schmerz, der sich steigerte, erfüllte es und ergoß sich in den Rhythmus der Verse. Das
Rollenheft entfiel seiner zitternden Hand, seine Augen füllten sich
mit Tränen, er konnte nicht länger an sich halten,[72] wandte sich,
15 eilte auf das Bild zu und nahm es in seine beiden Hände. Lange sah
er es an, dann preßte er in heißem Weh einen Kuß darauf.

Aber es war höchste Zeit geworden, ins Theater zu gehen. Über-
flutet von der Welle des lange gehemmten Schmerzes, eilte er
dahin und kam gerade zurecht.

20 Schon in den Szenen mit Capulet und mit Julia war sein Vortrag
von einem Hauch ahnungsschwerer Melancholie durchweht[73] und
stand im Banne[74] verhaltener Tränen. Die Drehbühne sorgte für
eine rasche Abwicklung der Bilderfolge.[75] Während er unbeschäftigt war, lehnte er mit geschlossenen Augen hinter der Szene und
25 sah den Blick der Mutter auf sich gerichtet. Die Scheibe drehte
sich[76] und ein Zeichen rief ihn wieder auf die Bühne. Niedersteigend ins Grabgewölbe der Capulets sprach er die Weisung[77] an
den Pagen hastig, als könne er nicht erwarten, die Tote zu beweinen.

[72] *an sich halten* — restrain himself.
[73] *war sein Vortrag von einem Hauch ahnungsschwerer Melancholie durchweht* — his
delivery was colored by an aura of portentous melancholy.
[74] *im Banne* — under the spell.
[75] *eine rasche Abwicklung der Bilderfolge* — a rapid change of scene.
[76] *die Scheibe drehte sich* — the stage revolved.
[77] *Weisung* — instructions.

Dann trat er an die Bahre. Aber ihm war nicht, als stünde er auf Brettern, zwischen bemalter Pappe.[78] Er stand in der Totenkammer, am Sarge der Mutter. Und während er Blumen streuend die Aufgebahrte[79] umkreiste und des Paris Klage um Julia anhub, war sein Herz von unsäglichem Schmerze um die dahingegangene 5 Mutter erfüllt. Immer inniger vermählte sich sein Weh mit dem Trauerklang[80] der Verse, immer heißer stieg's in ihm empor, und bei den Worten: „Ich komme hier dein Grab bestreuen und weinen," warf er sich, von übermächtigem Schluchzen geschüttelt, fassungslos zu Füßen der Bahre hin. Es war ihm im letzten nicht 10 unbewußt, daß Hunderte ihm zuschauten. Aber gerade das trieb den Ausbruch seines Schmerzes auf die höchste Höhe und gab dem zuckend hervorgeschluchzten Verse die letzte Stoßkraft. Und während die Tränen am frischen Grabe der Mutter sich ihm geweigert hatten,[81] strömten sie jetzt — reichlichster Tribut echtester 15 Trauer — über sein geschminktes Gesicht auf die hölzerne Tribüne des Theaters.[82]

Das Haus, zutiefst erschüttert, hielt den Atem an. Am Schlusse der Vorstellung rief es mit den Hauptdarstellern, zum erstenmal, jubelnd auch Ernst Ludwig. Und am nächsten Tage schrieb der 20 führende Kritiker, gefürchtet wegen seines unerbittlichen Urteils: „Nicht Herr Lawin, der mit seinen schönen Mitteln und in bewährter Auffassung[83] den Romeo spielte, war der Gewinn des Abends. Vielmehr war dies überraschenderweise Herr Ludwig, der aus einem ureigensten Quell mächtigsten Empfindens[84] der sonst im 25 Schatten verschwebenden Tragödie des Grafen Paris Blut, Leben

---

[78] *Pappe* — cardboard.
[79] *Aufgebahrte* — body on the bier.
[80] *Trauerklang* — melancholy sound.
[81] *sich ihm geweigert hatten* — had failed to come.
[82] *über sein geschminktes Gesicht auf die hölzerne Tribüne des Theaters* — down his face covered with make-up, on to the wooden stage.
[83] *in bewährter Auffassung* — in traditional interpretation.
[84] *einem ureigensten Quell mächtigsten Empfindens* — a particularly original source of most intense feeling.

und Tränen spendete. In diesem noch jugendlichen Künstler wächst ein großer Menschendarsteller heran..." Direktor, Regisseur, Kollegen gratulierten ihm, und die es neidvoll unterließen, waren sich erst recht klar darüber, daß er „gemacht" sei.

5 Aufgewühlt und verwirrt verbrachte Ludwig den folgenden Tag zu Hause. Er starrte auf das Zeitungsblatt, er antwortete stockend und leise auf die telephonischen Glückwünsche und stand oft viertelstundenlang vor dem Bildnis der Mutter. Jetzt war der Weg zum Ruhme offen — und — er spürte ein wehes Lächeln — zur
10 hohen Gage,[85] die sie für ihn erwünscht hatte. Aber je näher der Abend kam, um so angstvoller, um so beklemmender[86] empfand er die Nötigung, die Bühne wieder zu betreten. Würde er Tränen haben, wieder so aufschluchzen können wie gestern? Er wußte, daß es unmöglich war und — daß er sein Menschlichstes verraten
15 und geschändet[87] hätte, wenn es möglich gewesen wäre. Er meldete sich krank. Aber die Furcht blieb: am nächsten Tage, am darauffolgenden, an allen kommenden Tagen. Der Direktor, der Regisseur, freundschaftliche Kollegen erschienen, man suchte ihn umzustimmen, zu überreden, zu überzeugen. Vergebens: er hörte
20 das Theater, und wieder das Theater, jene furchtbare Macht, die ihm Schmerz und Tränen, Kindesliebe und Kindessehnsucht gab und nahm, wann sie wollte, die seinen Leib und sein Leben auf ihr Schwungrad geschnallt hatte[88] und ihn im Kreise trieb. Stundenlang sprach der Theaterarzt mit ihm. Endlich schien es gelungen,
25 ihn zum Wiederauftreten in einer kleinen, harmlos-ruhigen Rolle zu bewegen. Als aber der Arzt erschien, um ihn abzuholen, fand er ihn unzugänglich, abgeschlossen, das Bild der Mutter in den Händen. Und während er hartnäckig, bald murmelnd, bald tief aufseufzend, beteuerte: „Ich kann nicht weinen — nicht weinen..."

---

[85] *Gage* — salary.
[86] *beklemmender* — oppressive.
[87] *geschändet* — dishonored.
[88] *die seinen Leib und sein Leben auf ihr Schwungrad geschnallt hatte* — which had bound him physically and spiritually on its wheel.

rann über seine eingefallenen Wangen Träne um Träne auf das Bild hinab.

FRAGEN

1. Was stand in Ernst Ludwigs Telegramm?
2. Wo verbrachte der Schauspieler einige Stunden, ehe der Zug abfuhr?
3. Wie lange sollte die Reise nach Hause dauern?
4. Warum wurde es Ernst schwer, an seine Mutter zu denken?
5. Wie lange war er schon Schauspieler?
6. Warum war seine Mutter mit seiner Laufbahn unzufrieden?
7. Was behauptete Ernst von seinem Beruf als Schauspieler?
8. Warum studierte er jede neue Rolle so eifrig?
9. Wer wartete auf Ernst auf dem Bahnhof?
10. Was erzählte der Schwager dem Schauspieler?
11. Woran wurde Ernst durch die dunkle Gasse erinnert?
12. Was konnte der Schauspieler nicht begreifen, als er mit dem Schwager nach Hause ging?
13. Wer war im Hause, als Ernst kam?
14. Wo glaubte Ernst zu sein, als er am Bett kniete?
15. Warum wollte Ernst weinen?
16. Woran dachte er, als er die tote Mutter verließ?
17. Was wünschte die Mutter für Ernst am Abend vor ihrem Tode?
18. Wo ging Ernst hin, als er in der Nacht aufstand?
19. Warum kehrte er in sein Zimmer zurück und blieb nicht bei seiner Mutter?
20. Warum traute der Schauspieler sich nicht mehr?
21. Was hoffte er in der Totenkammer tun zu können?
22. Warum mußte Ernst den Totengräber suchen?
23. An welches Drama dachte er, als er in der Totenkammer stand?

24. Wie wußten die Leute im Hause, daß er verstört war?
25. Wie lange nach dem Begräbnis blieb er zu Hause?
26. Was machte einen großen Eindruck auf die Schwester?
27. Was tat Ernst, ehe er wegfuhr?
28. Warum stand er zuerst sprachlos am Grabe?
29. Wie sprach er zu seiner Mutter?
30. In welchem Zustand verließ er das Haus?
31. Wie wurde er in Wien empfangen?
32. Wie änderte sich sein Leben nach seiner Rückkehr?
33. Warum blieb er jetzt wenig zu Hause?
34. Warum kam Ernst manchmal nicht zur Probe für „Romeo und Julia"?
35. Was geschah auf der Generalprobe?
36. Was liebte Ernst in letzter Zeit zu tun?
37. Welche Wirkung hatte das Bild der Mutter auf ihn?
38. Was tat er mit dem Bild?
39. Was sah Ernst, als er auf seinen nächsten Auftritt wartete?
40. Wo glaubte Ernst in seiner letzten Szene zu sein?
41. Warum wurden die Zuschauer so tief erschüttert?
42. Was war das Resultat seiner Darstellung?
43. Was für Ansichten auf Ernsts Zukunft hatte der Kritiker?
44. Wovor hatte Ernst jetzt Angst?
45. Wie gelang es ihm, vom Theater weg zu bleiben?
46. Wer versuchte Ernst zu überreden, wieder aufzutreten?
47. Was sagte er, während er vor dem Bild seiner Mutter weinte?

LEO SLEZAK

During a performance of the opera *Lohengrin* the swan boat in which the hero was to make a dignified exit was pulled off stage before the singer, Leo Slezak (1874–1946), had taken his place in it. Turning to the audience, Slezak placidly inquired: "Wann fährt der nächste Schwan?"

The author of the following selection was a rare combination of successful singer and writer. Not only was he a talented opera star, one of the outstanding German tenors of the early twentieth century, but he was also a gifted humorist. His first work, capriciously entitled *Meine sämtlichen Werke* (My Complete Works), was hailed with delight by his admirers. When he broke his word and published another volume after his "complete works," he gave it the apologetic title *Wortbruch* (Breach of Promise). It is from this book that "Lohengrin" was taken.

Slezak made his debut in *Lohengrin* in 1895 and sang the opera many times during his career on the operatic stage. This fact, however, did not prevent him from parodying the libretto of the work. This opera and four others comprise the contents of his *Opernführer* (Opera Guide), a whimsical imitation of those standard reference books which contain summaries of operatic plots. In this amusing and clever work he is poking fun at the librettos of the operas concerned and not at opera as an art form. With tongue in cheek he sets about the task of explaining the actions of the operas he has chosen. The epitome of his explanations is that of *Il Trovatore*:

"Bei dieser Oper habe selbst ich keine Ahnung was vorgeht!"

LOHENGRIN

—

LEO SLEZAK

Das ist eine sehr komplizierte Sache und ich muß meinen lieben
Leser ernstlich bitten, recht aufmerksam zu sein, um sich aus dem
Wirrsal[1] der Handlung herauszufinden und zu wissen, um was es
sich eigentlich handelt.

Jedermann weiß, daß in früheren Zeiten sehr viel gezaubert [5]
wurde. Man verwandelte damals die schönsten Jünglinge — meistens Prinzen — in alle möglichen Tiere, und oft, wenn man der
Meinung war, einen echten Harzer Kanari[2] im Zimmer zu haben,
entpuppte[3] sich dieser eines Tages als verzauberter Erzherzog,[4] den
eine neidische, miese Fee[5] in diesen Roller[6] verwandelt hatte. [10]

Also das kommt heute nicht mehr vor. —

— Wenn der Vorhang in die Höhe geht, ist die Bühne gespickt
mit Mannen.[7] — Sie werden mich korrigieren wollen und sagen:
„Männern!"; aber es heißt doch Mannen — die planlos mit den
Schwertern auf ihre Schilde schlagen und singen. [15]

König Heinrich sitzt unter einer großen Eiche, hat einen langen
Umhängebart[8] und hält Gericht. —

[1] *Wirrsal* — confusion.
[2] *Harzer Kanari* — a canary from the Harz Mountains of Germany.
[3] *entpuppte* — revealed.
[4] *Erzherzog* — Archduke.
[5] *miese Fee* — mean fairy.
[6] *Roller* — canary.
[7] *gespickt mit Mannen* — filled with men. The plural form *Mannen* is an obsolete
form which referred to followers.
[8] *Umhängebart* — false beard.

Telramund, ein Edler, hat eine Klage gegen Elsa von Brabant eingereicht und behauptet, sie habe ihren Bruder, den kleinen Gottfried, umgebracht. —

Der König glaubt es nicht, und es ist auch nicht wahr.

5 Elsa wird vorgeladen, wird gefragt — sie leugnet.

Wer hat recht? — Der Telramund oder die Elsa?

Bald hätte ich vergessen zu erzählen, daß Telramund verheiratet ist und seine Frau Ortrud heißt. — Übrigens eine recht düstere Dame — die eigentlich Telramund zur Überreichung der Klage
10 veranlaßte.[9]

In alten Zeiten war das Gottesgericht[10] modern. —

Wenn man nicht wußte, ob jemand schuldig oder unschuldig war, so ließ man zwei Männer miteinander kämpfen, und derjenige, der unterlag, war der Verbrecher.

15 Eine äußerst unsichere Angelegenheit.

Telramund fordert jedermann auf, sich für Elsas Unschuld zu schlagen. —

Trotzdem keiner der Ritter die arme Elsa dieser Gemeinheit für fähig hält, läßt sich, trotz wiederholten Blasens auf der Trompete,
20 keiner von ihnen in dieses Gedränge ein. Da befiehlt der König, noch einmal zu blasen.

Plötzlich sieht man von weitem einen glänzenden Ritter in einem Kahne stehen, der von einem schneeweißen Schwan gezogen wird.

25 Der Chor der Mannen brüllt durcheinander, zeigt auf den Ritter und schaut krampfhaft auf den Kapellmeister, was aber offenbar nicht viel nützt, denn sie sind untereinander vollständig verschiedener Ansicht,[11] was der Lateiner „Tohuwabohu"[12] nennt. —

---

9 *veranlaßte* — induced.

10 *Gottesgericht* — ordeal during which God was called upon to prove a person innocent or guilty.

11 *denn sie sind untereinander vollständig verschiedener Ansicht* — for they all have completely different opinions.

12 *Tohuwabohu* — noisy confusion.

Lohengrin kommt an, wird von allen Seiten beleuchtet, und singt das Schwanenlied,[18] einen Viertelton zu tief.

Der Schwan merkt das, darum fährt er davon.

Nun kommt das eigentlich Interessante. —

Telramund bebt hörbar, aber er läßt nicht nach, er darf auch nicht, weil es so vorgeschrieben ist.

Zuerst geht Lohengrin zu Elsa und sagt ihr, daß er für sie kämpfen werde, und ob sie seine Frau werden wolle. Dies könne jedoch nur unter der Bedingung geschehen, daß sie ihn nie frage, wer er sei und woher er komme. —

Also eigentlich eine Zumutung![14] — Man soll nicht wissen, mit wem man das Vergnügen hat. — Eine wilde Sache.

Sie schwört, er geht hin, besiegt den Telramund, schenkt ihm das Leben, die Ortrud zerspringt,[15] Elsa fliegt dem Namenlosen um den Hals, die Mannen schlagen freudig bewegt mit ihren Schwertern auf die Schilde, der König streicht seinen Umhängebart, gibt seinen Segen und der Vorhang fällt.

Dies ist der erste Akt.

Im zweiten Akte ist es vor allem einmal finster. —

Unheimlich lange Vorwürfe und gegenseitige Anklagen ertönen aus irgendeiner Ecke. — Ortrud und Telramund streiten sich. — Er nennt sie eine Genossin seiner Schmach[16] und sie ist auch sehr unfreundlich mit ihm.

Nach langem Hin und Her beschließen sie, Elsa neugierig zu machen und ihr den Lohengrin zu verekeln.[17]

Im Mittelalter erschien in der Nacht vor der Hochzeit die Braut immer auf dem Söller[18] und sprach mit dem Monde, oder, wenn keiner da war, mit dem „Zephir.“[19]

[18] *Schwanenlied* — the swan song, the famous farewell to the swan from *Lohengrin.*
[14] *Zumutung* — presumption.
[15] *die Ortrud zerspringt* — Ortrud flies into a rage.
[16] *Genossin seiner Schmach* — companion of his disgrace.
[17] *ihr den Lohengrin zu verekeln* — to turn her against Lohengrin.
[18] *Söller* — balcony.
[19] *Zephir* — breeze.

Das sind lauter Übertriebenheiten,[20] die man heute nicht mehr macht, weil man sonst für blödsinnig gehalten werden würde.

Während die Braut mit dem Zephir plaudert, seufzt Ortrud unten so laut, daß Elsa es hören muß.

Sie geht hinunter, liest Ortrud von der Schwelle auf[21] und nimmt sie zu sich in den Palast. — Das war das Dümmste, das sie tun konnte.

Beim Brautzug erscheinen die gewiegtesten Chordamen als Brautjungfern und streuen Blumen. — Die Mannen beteiligen sich am Schreiten und singen in Synkopen.[22] — Alles wallt majestätisch zur Kirche, da plötzlich drängt sich Ortrud vor Elsa und behauptet, sie gehöre nach vorne.

Es erhebt sich eine große Aufregung, und mitten in diesen Wirbel kommt der König mit Lohengrin. — Der überschaut sofort die ganze Situation und schleudert Blitze aus seinen Augen. — Er geht zu Elsa, nimmt sie beiseite und sagt ihr, sie solle sich ja nicht aufhetzen lassen und ihn fragen, weil er sonst sofort abreisen müsse. — Elsa meint, daß sie gar nicht daran denke und froh sei, daß sie endlich einmal heiraten könne. Er drückt sie an seine Brust und sie schreiten weiter auf die Kirche zu.

Plötzlich, im letzten Moment, springt Telramund hinter einem Pfeiler hervor und beschimpft Lohengrin. — Sagt, daß er ein Zauberer sei, und daß die ganze Geschichte doch höchst merkwürdig wäre. — Man soll mit einem Schwan angefahren kommen, man soll den Schwan wieder wegschicken, kein Mensch soll fragen dürfen, wer man ist, keine Legitimation, keine Ausweispapiere, kein Visum[23] — gar nichts! Deshalb erkläre er die ganze

---

[20] *Übertriebenheiten* — exaggerations.
[21] *liest . . . auf* — picks up.
[22] *Synkopen* — syncopation.
[23] *keine Legitimation, keine Ausweispapiere, kein Visum* — no legitimation, no identification papers, no visa.

Sache mit dem Gottesgericht für Blech[24] und verlange die Revision der Angelegenheit.

Kurz und gut, Telramund ist, nach seiner Meinung mit Recht, aufgeregt.

Aber wenn einmal ein Vorurteil zu jemandes Gunsten Platz [5] gegriffen hat,[25] so kann der machen was er will — er hat recht.

Telramund bekommt einen Stoß in den Magen und wird hinausgeschmissen. —

Lohengrin und Elsa setzen das unterbrochene Schreiten in die Kirche fort, die Mannen schlagen freudig bewegt mit den Schwer- [10] tern auf ihre Schilde, und unter beifälligem Nicken[26] des Königs fällt der Vorhang. —

Dritter Akt. —

Das Brautgemach.[27] —

Lohengrin und Elsa werden von dem König hereingeführt, der, [15] nachdem er den beiden praktische Winke diesbezüglich zuteil werden ließ,[28] sofort wieder verschwindet. —

Der Zuschauer merkt schon an der Einrichtung, daß das eine sehr unerfreuliche Brautnacht werden wird.

Lohengrin singt so lange, bis ihn Elsa endlich fragt, welchen [20] Geschlechtes[29] er sei. Die Bombe platzt. — Zu alledem kommt noch Telramund herein und will Lohengrin erschlagen. — Der Anschlag mißlingt, Telramund fällt, von dem Blitze aus dem Auge Lohengrins getroffen, tot zu Boden. —

Er wird weggeräumt. — [25]

Lohengrin sagt Elsa nichts. — Erst vor dem König will er reden. — Auch wieder eine Bosheit[30] von ihm.

---

[24] *die ganze Sache ... für Blech* — the whole affair of the ordeal to be nonsense.
[25] *Platz gegriffen hat* — has taken hold.
[26] *unter beifälligem Nicken* — with nods of approval.
[27] *Brautgemach* — bridal chamber.
[28] *nachdem er den beiden praktische Winke diesbezüglich zuteil werden ließ* — after he has given the two practical hints about this (the bridal night).
[29] *Geschlecht* — this is a pun on the word which means both sex and family.
[30] *Bosheit* — "dirty trick."

Während Elsa mit essigsaurer Tonerde[31] gewaschen wird, fällt der Vorhang.

Verwandlung. —

Derselbe Platz wie im ersten Akt. — Der König erscheint hoch
5 zu Roß. Dieses entledigt sich vor allem alles Innerlichen, während die Mannen siegesverlangend[32] mit den Schwertern auf die Schilde schlagen. — Es soll in den Krieg gehen. — Jeder einzelne lechzt[33] nach Heldentod. —

Lohengrin soll ein Bataillon übernehmen. — Er kommt herein
10 und sagt, er könne nicht mitkommen. — Zum Glück habe ihn Elsa gefragt und nun müsse er heimwärts ziehen. —

Zum Zeichen der Trauer schlagen die Mannen mit den Schwertern auf ihre Schilde.

Elsa wird hereingebracht. — Sie wankt. — Entweder sie schreitet
15 oder sie wankt.

Lohengrin stellt sich hin und singt die Grals-Erzählung.[34]

Er sagt nichts Stichhaltiges,[35] lauter Sachen, die er nicht beweisen kann und angesichts derer er von keiner Musterungskommission enthoben worden wäre.[36] Aber alle glauben es. — Vielleicht tun
20 sie nur so, weil es schon sehr spät ist, und niemand durch einen Einspruch oder durch eine Debatte die Vorstellung noch mehr in die Länge ziehen will.

Während Elsa nach Luft verlangt, verabschiedet sich Lohengrin und gibt ihr ein Horn, einen Ring und ein Schwert.

25 Auf dem Horn soll sie blasen lernen, den Ring soll sie behalten und das Schwert soll sie ihrem Bruder schenken.

Wie verwirrend!

Er geht.

[31] *essigsaurer Tonerde* — boric acid.
[32] *siegesverlangend* — shouting for victory.
[33] *lechzt* — is panting.
[34] *die Grals-Erzählung* — the story of the Holy Grail.
[35] *nichts Stichhaltiges* — nothing provable.
[36] *angesichts derer er von keiner Musterungskommission enthoben worden wäre* — in the face of which he would not have been cleared by any board of review.

Die Mannen schlagen zum Zeichen der Trauer mit ihren Schwertern auf ihre Schilde.

Plötzlich erscheint die Ortrud wieder. Sie gibt keine Ruhe. — Sie schreit, daß sie den Bruder in einen Schwan verwandelt habe, und daß sie an der ganzen Unannehmlichkeit schuld sei.

Lohengrin durchbohrt sie mit einem Blitz aus seinem Auge. — Sie stirbt. —

Der Schwan taucht unter, und es springt ein übertrieben wonniger[37] Jüngling — ein Prinz — aus dem Wasser und umarmt Elsa.

Der kleine Gottfried! —

Da Lohengrin nicht ohne jedes Zugtier[38] wegfahren kann, kommt eine Taube und zieht ihn fort — was sehr unwahrscheinlich ist.

Elsa wankt und schreit, da fällt Gott sei Dank der Vorhang, denn es ist schon sehr spät. —

Die Oper ist aus! —

FRAGEN

1. Was tun die Mannen, als der Vorhang aufgeht?
2. Was soll Elsa getan haben?
3. Wer ist Ortrud?
4. Warum soll jemand mit Telramund kämpfen?
5. Was sieht man auf einmal von weitem kommen?
6. Warum fährt der Schwan davon?
7. Unter welcher Bedingung wird Lohengrin Elsa zur Frau nehmen?
8. Was entschließen sich Ortrud und Telramund zu tun?
9. Was tut Elsa, als sie Ortrud seufzen hört?
10. Warum gehen die Leute in die Kirche?

[37] *wonniger* — attractive.
[38] *Zugtier* — draft animal.

11. Warum regen sich alle auf dem Wege zur Kirche so auf?
12. Wie beschimpft Telramund den Lohengrin?
13. Was geschieht mit Telramund?
14. Wer führt Lohengrin und Elsa ins Brautgemach?
15. Warum kommt Telramund ins Brautgemach?
16. Was geschieht Telramund im Brautgemach?
17. Warum erscheint der König auf einem Roß?
18. Warum muß Lohengrin nach Hause fahren?
19. Welche drei Geschenke gibt Lohengrin der Elsa, ehe er weg-geht?
20. Was soll Elsa mit dem Schwert tun?
21. Was wird aus dem Schwan?
22. Wie verläßt Lohengrin die Bühne?

ARTHUR SCHNITZLER

Schnitzler's "Der Witwer" is the account of the collapse of a man's world. In swift succession love, marriage, and friendship are revealed to him as deceptions. Schnitzler has chronicled the impact of a series of crises on a bereaved man's mind. Only by rationalizing and creating a tolerance for deception does the widower finally succeed in momentarily rescuing one value, friendship, from the chaos into which he is suddenly plunged. When this measure proves to have been only a temporary respite, the widower finds himself bereft of faith in all human relationships and he is left disillusioned and alone to face the world. Between the people who inhabit the world of Arthur Schnitzler there is no real contact or understanding. Life is a deceptive game in which the players never really know anything about one another.

Arthur Schnitzler (1862–1931) practiced medicine in Vienna before he turned to creative writing. He was very much interested in the psychological aspects of medical treatment, and the experience which he gained while engaged in this type of practice proved of great value to him when he began to write about the "fin de siecle" environment in which he spent a part of his life. He saw around him a society in which the basic values had deteriorated, a world of individuals seeking escape from themselves. In the face of a crisis human relationships collapsed, revealing that they were empty forms, and those who had put their faith in these relationships found themselves betrayed, as does the widower in the story which follows.

167

DER WITWER

ARTHUR SCHNITZLER

Er versteht es noch nicht ganz; so rasch ist es gekommen.

An zwei Sommertagen ist sie in der Villa krank gelegen, an zwei so schönen, daß die Fenster des Schlafzimmers, die auf den blühenden Garten sehen, immer offen stehen konnten; und am Abend des zweiten Tages ist sie gestorben, beinahe plötzlich, ohne daß man darauf gefaßt war. — Und heute hat man sie hinausgeführt, dort über die allmählich ansteigende Straße, die er jetzt vom Balkon aus, wo er auf seinem Lehnstuhl sitzt, bis zu ihrem Ende verfolgen kann, bis zu den niederen weißen Mauern, die den kleinen Friedhof umschließen, auf dem sie ruht.

Nun ist es Abend; die Straße, auf die vor wenig Stunden, als die schwarzen Wagen[1] langsam hinaufrollten, die Sonne herabgebrannt hat, liegt im Schatten; und die weißen Friedhofsmauern glänzen nicht mehr.

Man hat ihn allein gelassen; er hat darum gebeten. Die Trauergäste[2] sind alle in die Stadt zurückgefahren; die Großeltern haben auf seinen Wunsch auch das Kind mitgenommen, für die ersten paar Tage, die er allein sein will. Auch im Garten ist es ganz still; nur ab und zu hört er ein Flüstern von unten: die Dienstleute stehen unter dem Balkon und sprechen leise miteinander. Er fühlt sich jetzt müde, wie er es noch nie gewesen, und während ihm die Lider immer und immer von Neuem zufallen, — mit geschlossenen

---

[1] *die schwarzen Wagen* — the black funeral carriages.
[2] *Trauergäste* — mourners.

Augen sieht er die Straße wieder in der Sommerglut des Nachmittags, sieht die Wagen, die langsam hinaufrollen, die Menschen,
die sich um ihn drängen, — selbst die Stimmen klingen ihm wieder
im Ohr.

5   Beinah alle sind dagewesen, welche der Sommer nicht allzu-
weit fortgeführt hatte, alle sehr ergriffen von dem frühen und
raschen Tod der jungen Frau, und sie haben milde Worte des
Trostes zu ihm gesprochen. Selbst von entlegenen Orten sind manche
gekommen, Leute, an die er gar nicht gedacht; und Manche, von
10 denen er kaum die Namen kannte, haben ihm die Hand gedrückt.
Nur der ist nicht dagewesen, nach dem er sich am meisten gesehnt,
sein liebster Freund. Er ist freilich ziemlich weit fort — in einem
Badeort an der Nordsee,* und gewiß hat ihn die Todesnachricht zu
spät getroffen, als daß er noch rechtzeitig hätte abreisen können.
15 Er wird erst morgen da sein können.

    Richard öffnet die Augen wieder. Die Straße liegt nun völlig
im Abendschatten, nur die weißen Mauern schimmern noch durchs
Dunkel, und das macht ihn schauern. Er steht auf, verläßt den
Balkon und tritt ins angrenzende[3] Zimmer. Es ist das seiner Frau
20 — gewesen. Er hat nicht daran gedacht, wie er rasch hineingetreten
ist; er kann auch in der Dunkelheit nichts mehr darin ausnehmen;
nur ein vertrauter Duft weht ihm entgegen. Er zündet die blaue
Kerze an, die auf dem Schreibtisch steht, und wie er nun das
ganze Gemach in seiner Helle und Freundlichkeit zu überschauen
25 vermag, da sinkt er auf den Diwan hin und weint.

    Lange weint er; — wilde und gedankenlose Tränen, und wie
er sich wieder erhebt, ist sein Kopf dumpf und schwer. Es flimmert
ihm vor den Blicken,[4] die Kerzenflamme auf dem Schreibtisch
brennt trüb. Er will es lichter haben, trocknet seine Augen und
30 zündet alle sieben Kerzen des Armleuchters an, der auf der kleinen
Säule neben dem Klavier steht. Und nun fließt Helle durchs ganze

---

[3] *angrenzende* — adjoining.
[4] *Es flimmert ihm vor den Blicken* — There is a flickering before his eyes.

Gemach, in alle Ecken, der zarte Goldgrund der Tapete glitzert, und es sieht hier aus wie an manchem Abend, wenn er hereingetreten ist und sie über einer Lektüre[5] oder über Briefen fand. Da hat sie aufgeschaut, sich lächelnd zu ihm gewandt und seinen Kuß erwartet. — Und ihn schmerzt die Gleichgültigkeit der Dinge um 5 ihn, die weiter starr sind und weiter glitzern,[6] als wüßten sie nicht, daß sie nun etwas Trauriges und Unheimliches geworden sind. So tief wie in diesem Augenblick hat er es noch nicht gefühlt, wie einsam er geworden ist; und so mächtig wie in diesem Augenblick hat er die Sehnsucht nach seinem Freunde noch nicht empfunden. 10 Und wie er sich nun vorstellt, daß der bald kommen und liebe Worte zu ihm reden wird, da fühlt er, daß doch auch für ihn das Schicksal noch etwas übrig hat, das Trost bedeuten könnte. Wär' er nur endlich da!... Er wird ja kommen, morgen früh wird er da sein. Und da muß er auch lang bei ihm bleiben; viele Wochen 15 lang; er wird ihn nicht fortlassen, bevor es sein muß. Und da werden sie beide im Garten spazierengehen und, wie früher so oft, von tiefen und seltsamen Dingen sprechen, die über dem Schicksal des gemeinen Tages sind. Und abends werden sie auf dem Balkon sitzen wie früher, den dunklen Himmel über sich, der so still und 20 groß ist; werden da zusammen plaudern bis in die späte Nachtstunde, wie sie es ja auch früher so oft getan, wenn sie, die in ihrem frischen und hastigen Wesen an ernsteren Gesprächen wenig Gefallen fand,[7] ihnen schon längst lächelnd gute Nacht gesagt hatte, um auf ihr Zimmer zu gehn. Wie oft haben ihn diese Gespräche 25 über die Sorgen und Kleinlichkeiten der Alltäglichkeit[8] emporgehoben; — jetzt aber werden sie mehr, jetzt werden sie Wohltat, Rettung für ihn sein.

Immer noch geht Richard im Zimmer hin und her, bis ihn end-

[5] *über einer Lektüre* — with a book.
[6] *die weiter starr sind und weiter glitzern* — which remain lifeless and continue to gleam.
[7] *die in ihrem frischen und hastigen Wesen an ernsteren Gesprächen wenig Gefallen fand* — who with her fresh, lively personality found little pleasure in more serious conversations.
[8] *Kleinlichkeiten der Alltäglichkeit* — pettiness of everyday life.

lich der gleichmäßige Ton seiner eigenen Schritte zu stören anfängt. Da setzt er sich vor den kleinen Schreibtisch, auf dem die blaue Kerze steht, und betrachtet mit einer Art von Neugier die hübschen und zierlichen[9] Dinge, die vor ihm liegen. Er hat sie doch eigentlich
5 nie recht bemerkt, hat immer nur das Ganze gesehen. Die elfenbeinernen Federstiele,[10] das schmale Papiermesser, das schlanke Petschaft mit dem Onyxgriff,[11] die kleinen Schlüsselchen, welche eine Goldschnur zusammenhält; er nimmt sie nacheinander in die Hand, wendet sie hin und her und legt sie wieder sachte auf ihren
10 Platz, als wären es wertvolle und gebrechliche Dinge. Dann öffnet er die mittlere Schreibtischlade und sieht da im offenen Karton das mattgraue Briefpapier liegen, auf dem sie zu schreiben pflegte, die kleinen Kuverts mit ihrem Monogramm, die schmalen, langen Visitenkarten mit ihrem Namen. Dann greift er mechanisch an
15 die kleine Seitenlade, die versperrt ist. Er merkt es anfangs gar nicht, zieht nur immer wieder, ohne zu denken. Allmählich aber wird das gedankenlose Rütteln ihm bewußt, und er müht sich und will endlich öffnen und nimmt die kleinen Schlüssel zur Hand, die auf dem Schreibtisch liegen. Gleich der erste,[12] den er versucht,
20 paßt auch; die Lade ist offen. Und nun sieht er, von blauen Bändern sorgfältig zusammengehalten, die Briefe liegen, die er selbst an sie geschrieben. Gleich den, der oben liegt, erkennt er wieder. Es ist sein erster Brief an sie, noch aus der Zeit der Brautschaft.[13] Und wie er die zärtliche Aufschrift liest, Worte, die wieder ein
25 trügerisches Leben in das verödete Gemach zaubern,[14] da atmet er schwer auf und spricht dann leise vor sich hin, immer wieder dasselbe: ein wirres, entsetzliches: Nein . . . nein . . . nein . . .
Und er löst das Seidenband und läßt die Briefe zwischen den

---

9 *zierlichen* — dainty.
10 *elfenbeinernen Federstiele* — ivory penholders.
11 *das schlanke Petschaft mit dem Onyxgriff* — the slender seal with the onyx handle.
12 *Gleich der erste* — The very first one.
13 *Brautschaft* — engagement.
14 *ein trügerisches Leben in das verödete Gemach zaubern* — conjure an illusion of life into the desolate room.

Fingern gleiten. Abgerissene Worte[15] fliegen vor ihm vorüber, kaum hat er den Mut, einen der Briefe ganz zu lesen. Nur den letzten, der ein paar kurze Sätze enthält — daß er erst spät abends aus der Stadt herauskommen werde — daß er sich unsäglich freue, das liebe, süße Gesicht wiederzusehen —, den liest er sorgsam, 5 Silbe für Silbe — und wundert sich sehr; denn ihm ist, als hätte er diese zärtlichen Worte vor vielen Jahren geschrieben — nicht vor einer Woche, und es ist doch nicht länger her.

Er zieht die Lade weiter heraus, zu sehen, ob er noch was fände.

Noch einige Päckchen liegen da, alle mit blauen Seidenbändern 10 umwunden, und unwillkürlich lächelt er traurig. Da sind Briefe von ihrer Schwester, die in Paris lebt — er hat sie immer gleich mit ihr lesen müssen; da sind auch Briefe ihrer Mutter mit dieser eigentümlich männlichen Schrift, über die er sich stets gewundert hat. Auch Briefe mit Schriftzügen[16] liegen da, die er nicht gleich 15 erkennt; er löst das Seidenband und sieht nach der Unterschrift — sie kommen von einer ihrer Freundinnen, einer, die heute auch dagewesen ist, sehr blaß, sehr verweint.[17] — Und ganz hinten liegt noch ein Päckchen, das er herausnimmt wie die anderen und betrachtet. — Was für eine Schrift? Eine unbekannte. — Nein, 20 keine unbekannte ... Es ist Hugos Schrift. Und das erste Wort, das Richard liest, noch bevor das blaue Seidenband herabgerissen ist, macht ihn für einen Augenblick erstarren ... Mit großen Augen schaut er um sich, ob denn im Zimmer noch alles ist, wie es gewesen, und schaut dann auf die Decke hinauf, und dann 25 wieder auf die Briefe, die stumm vor ihm liegen und ihm doch in der nächsten Minute alles sagen sollen, was das erste Wort ahnen ließ ... Er will das Band entfernen — es ist ihm, als wehrte es sich, die Hände zittern ihm, und er reißt es endlich gewaltsam auseinander. Dann steht er auf. Er nimmt das Päckchen in beide Hände 30 und geht zum Klavier hin, auf dessen glänzend schwarzen Deckel

---

[15] *Abgerissene Worte* — random words.
[16] *Schriftzügen* — handwriting.
[17] *sehr verweint* — with eyes swollen from weeping.

das Licht von den sieben Kerzen des Armleuchters fällt. Und mit beiden Händen auf das Klavier gestützt, liest er sie, die vielen kurzen Briefe mit der kleinen verschnörkelten Schrift,[18] einen nach dem andern, nach jedem begierig, als wenn er der erste wäre. Und
5 alle liest er sie, bis zum letzten, der aus jenem Orte an der Nordsee gekommen ist — vor ein paar Tagen. Er wirft ihn zu den übrigen und wühlt[19] unter ihnen allen, als suche er noch etwas, als könne irgend was zwischen diesen Blättern aufflattern, das er noch nicht entdeckt, irgend etwas, das den Inhalt aller dieser Briefe zunichte
10 machen und die Wahrheit, die ihm plötzlich geworden, zum Irrtume wandeln könnte . . . Und wie endlich seine Hände inne- halten, ist ihm, als wäre es nach einem ungeheueren Lärm mit einem Male ganz still geworden . . . Noch hat er die Erinnerung aller jener Geräusche: wie die zierlichen Gerätschaften auf dem
15 Schreibtisch klangen . . . wie die Lade knarrte . . . wie das Schloß klappte . . . wie das Papier knitterte und rauschte . . . den Ton seiner hastigen Schritte . . . sein rasches, stöhnendes Atmen — nun aber ist kein Laut mehr im Gemach. Und er staunt nur, wie er das mit einem Schlage[20] so völlig begreift, obwohl er doch nie daran
20 gedacht. Er möchte es lieber so wenig verstehen wie den Tod; er sehnt sich nach dem bebenden heißen Schmerz, wie ihn das Unfaß- liche bringt,[21] und hat doch nur die Empfindung einer unsäglichen Klarheit, die in all seine Sinne zu strömen scheint, so daß er die Dinge im Zimmer mit schärferen Linien sieht als früher und die
25 tiefe Stille zu hören meint, die um ihn ist. Und langsam geht er zum Diwan hin, setzt sich nieder und sinnt . . .

Was ist denn geschehen?

Es hat sich wieder einmal zugetragen,[22] was alle Tage geschieht, und er ist einer von denen gewesen, über die Manche lachen. Und

---

[18] *verschnörkelten Schrift* — florid handwriting.
[19] *wühlt* — rummages.
[20] *mit einem Schlage* — suddenly.
[21] *wie ihn das Unfaßliche bringt* — as it is caused by the incomprehensible.
[22] *Es hat sich wieder einmal zugetragen* — It has happened again.

er wird ja auch gewiß —, morgen oder in wenigen Stunden schon
— wird er all das Furchtbare empfinden, das jeder Mensch in
solchen Fällen empfinden muß ... er ahnt es ja, wie sie über ihn
kommen wird, die namenlose Wut, daß dieses Weib zu früh für
seine Rache gestorben; und wenn der andere wiederkehrt, so 5
wird er ihn mit diesen Händen niederschlagen wie einen Hund.
Ah, wie sehnt er sich nach diesen wilden und ehrlichen Gefühlen
— und wie wohler[23] wird ihm dann sein als jetzt, da die Gedanken
sich stumpf und schwer durch seine Seele schleppen[24] ...

Jetzt weiß er nur, daß er plötzlich alles verloren hat, daß er sein 10
Leben ganz von vorne beginnen muß wie ein Kind; denn er kann
ja von seinen Erinnerungen keine mehr brauchen. Er müßte jeder
erst die Maske herunterreißen, mit der sie ihn genarrt.[25] Denn er
hat nichts gesehen, gar nichts, hat geglaubt und vertraut, und der
beste Freund, wie in der Komödie, hat ihn betrogen ... Wäre 15
es nur der, gerade der nicht gewesen! Er weiß es ja und hat es ja
selbst erfahren, daß es Wallungen[26] des Blutes gibt, die ihre Wellen
kaum bis in die Seele treiben, und es ist ihm, als wenn er der Toten
alles verzeihen könnte, was sie wieder rasch vergessen hätte, irgend
wen,[27] den er nicht gekannt, irgendeinen, der ihm wenigstens 20
nichts bedeutet hätte — nur diesen nicht, den er so lieb gehabt
hat wie keinen anderen Menschen und mit dem ihn ja mehr ver-
bindet, als ihn je mit seinem eigenen Weib verbunden, die ihm
niemals auf den dunkleren Pfaden seines Geistes gefolgt ist;[28] die
ihm Lust und Behagen,[29] aber nie die tiefe Freude des Verstehens 25
gegeben. Und hat er es denn nicht immer gewußt, daß die Frauen
leere und verlogene Geschöpfe sind, und ist es ihm denn nie in den

[23] *wie wohler* — how much better.
[24] *die Gedanken sich stumpf und schwer durch seine Seele schleppen* — the thoughts drag
themselves dully and heavily through his mind.
[25] *genarrt* — made a fool of.
[26] *Wallung* — agitation.
[27] *irgend wen* — anyone.
[28] *auf den dunkleren Pfaden seines Geistes* — along the more secret paths of his mind.
[29] *Behagen* — comfort.

Sinn gekommen, daß ein Weib ein Weib ist, wie alle anderen, leer, verlogen und mit der Lust, zu verführen? Und hat er denn nie gedacht, daß sein Freund den Weibern gegenüber,[30] so hoch er sonst gestanden sein mag, ein Mann ist wie andere Männer und
5 dem Rausch eines Augenblickes erliegen konnte? Und verraten es nicht manche scheuen Worte dieser glühenden und zitternden Briefe, daß er anfangs mit sich gekämpft, daß er versucht hat, sich loszureißen, daß er endlich dieses Weib angebetet und daß er gelitten hat? ... Unheimlich ist es ihm beinahe, wie ihm alles
10 das so klar wird, als stünde ein Fremder da, ihm's zu erzählen. Und er kann nicht rasen, so sehr er sich danach sehnt; er versteht es einfach, wie er es eben immer bei andern verstanden hat. Und wie er nun daran denkt, daß seine Frau da draußen liegt, auf dem stillen Friedhof, da weiß er auch, daß er sie nie wird hassen können
15 und daß aller kindische Zorn, selbst wenn er noch über die weißen Mauern hinflattern könnte, doch auf dem Grabe selbst mit lahmen Flügeln hinsinken würde. Und er erkennt, wie manches Wort, das sich kümmerlich als Phrase fristet, in einem grellen Augenblicke seine ewige Wahrheit zu erkennen gibt,[31] denn plötzlich
20 geht ihm der tiefe Sinn eines Wortes auf, das ihm früher schal geklungen: Der Tod versöhnt. Und er weiß es: wenn er jetzt mit einem Male jenem anderen gegenüberstände, er würde nicht nach gewaltigen und strafenden Worten suchen, die ihm wie eine lächerliche Wichtigtuerei irdischer Kleinlichkeit der Hoheit des
25 Todes gegenüber erschienen[32] — nein, er würde ihm ruhig sagen: Geh, ich hasse dich nicht.

Er kann ihn nicht hassen, er sieht zu klar. So tief kann er in andere Seelen schauen, daß es ihn beinahe befremdet. Es ist, als

---

[30] *den Weibern gegenüber* — as far as women are concerned.
[31] *das sich kümmerlich als Phrase fristet, in einem grellen Augenblicke seine ewige Wahrheit zu erkennen gibt* — which lives on miserably as a commonplace phrase, reveals its eternal truth in a blinding flash.
[32] *die ihm wie eine lächerliche Wichtigtuerei irdischer Kleinlichkeit der Hoheit des Todes gegenüber erschienen* — which seemed to him a ridiculous exaggeration of earthly pettiness compared to the dignity of death.

wäre es gar nicht mehr sein Erlebnis — er fühlt es als einen zufälligen Umstand, daß diese Geschichte gerade ihm begegnet ist.
Er kann eigentlich nur eines nicht verstehen: daß er es nicht immer,
nicht gleich von Anfang an gewußt und — begriffen hat. Es war
alles so einfach, so selbstverständlich, und aus denselben Gründen 5
kommend wie in tausend anderen Fällen. Er erinnert sich seiner
Frau, wie er sie im ersten, zweiten Jahre seiner Ehe gekannt, dieses
zärtlichen, beinahe wilden Geschöpfes, das ihm damals mehr eine
Geliebte gewesen ist als eine Gattin. Und hat er denn wirklich
geglaubt, daß dieses blühende und verlangende Wesen, weil über 10
ihn die gedankenlose Müdigkeit der Ehe[33] kam — eine andere
geworden ist? Hat er diese Flammen für plötzlich erloschen gehalten, weil er sich nicht mehr nach ihnen sehnte? Und daß es
gerade — Jener war, der ihr gefiel, war das etwa verwunderlich?
Wie oft, wenn er seinem jüngeren Freunde gegenübersaß, der 15
trotz seiner dreißig Jahre noch die Frische und Weichheit des
Jünglings in den Zügen und in der Stimme hatte — wie oft ist es
ihm da durch den Sinn gefahren: Der muß den Weibern wohl
gefallen können ... Und nun erinnert er sich auch, wie im vorigen
Jahre gerade damals, als ... es begonnen haben mußte, wie Hugo 20
damals eine ganze Zeit hindurch ihn seltener besuchen kam als
sonst ... Und er, der richtige Ehemann, hat es ihm damals gesagt:
Warum kommst du denn nicht mehr zu uns? Und hat ihn selbst
manchmal aus dem Büro abgeholt, hat ihn mit herausgenommen
aufs Land, und wenn er fort wollte, hat er selbst ihn zurückgehalten 25
mit freundschaftlich scheltenden Worten. Und niemals hat er was
bemerkt, nie das geringste geahnt. Hat er denn die Blicke der
beiden nicht gesehen, die sich feucht und heiß[34] begegneten? Hat
er das Beben ihrer Stimmen nicht belauscht, wenn sie zueinander
redeten? Hat er das bange Schweigen nicht zu deuten gewußt, das 30
zuweilen über ihnen war, wenn sie in den Alleen des Gartens hin

---

[33] *die gedankenlose Müdigkeit der Ehe* — the thoughtless routine of marriage.
[34] *feucht und heiß* — passionately.

und her spazierten? Und hat er denn nicht bemerkt, wie Hugo oft zerstreut, launisch und traurig gewesen ist — seit jenen Sommertagen des vorigen Jahres, in denen ... es begonnen hat? Ja, das hat er bemerkt, und hat sich auch wohl zuweilen gedacht: Es sind
5 Weibergeschichten,[35] die ihn quälen — und sich gefreut, wenn er den Freund in ernste Gespräche ziehen und über diese kleinlichen Leiden erheben konnte ... Und jetzt, wie er dieses ganze vergangene Jahr rasch an sich vorübergleiten läßt, merkt er nicht mit einem Mal, daß die frühere Heiterkeit des Freundes nie wieder
10 ganz zurückgekommen ist, daß er sich nur allmählich daran gewöhnt hatte, wie an alles, was allmählich kommt und nicht mehr schwindet? ...

Und ein seltsames Gefühl quillt in seiner Seele empor,[36] das er sich anfangs kaum zu begreifen traut, eine tiefe Milde — ein
15 großes Mitleid für diesen Mann, über den eine elende Leidenschaft wie ein Schicksal hereingebrochen ist; der in diesem Augenblick vielleicht, nein, gewiß, mehr leidet als er; für diesen Mann, dem ja ein Weib gestorben, die er geliebt hat, und der vor einen Freund treten[37] soll, den er betrogen.

20 Und er kann ihn nicht hassen; denn er hat ihn noch lieb. Er weiß ja, daß es anders wäre, wenn — sie noch lebte. Da wäre auch diese Schuld etwas, das von i h r e m Dasein und Lächeln den Schein des Wichtigen liehe.[38] Nun aber verschlingt dieses unerbittliche Zuendesein[39] alles, was an jenem erbärmlichen Abenteuer
25 bedeutungsvoll erscheinen wollte.

In die tiefe Stille des Gemachs zieht[40] ein leises Beben ... Schritte auf der Treppe. — Er lauscht atemlos; er hört das Schlagen seines Pulses.

---

[35] *Weibergeschichten* — affairs with women.
[36] *quillt in seiner Seele empor* — wells up in his soul.
[37] *treten* — appear.
[38] *das von i h r e m Dasein und Lächeln den Schein des Wichtigen liehe.* — which would receive from *her* existence and smile the appearance of being important.
[39] *unerbittliche Zuendesein* — inexorable finality.
[40] *zieht* — penetrates.

Draußen geht die Tür.[41]

Einen Augenblick ist ihm, als stürze alles wieder hin, was er in seiner Seele aufgebaut; aber im nächsten steht es wieder fest. — Und er weiß, was er ihm sagen wird, wenn er hereintritt: Ich hab' es verstanden — bleib! 5

Eine Stimme draußen, die Stimme des Freundes.

Und plötzlich fährt ihm durch den Kopf, daß dieser Mann jetzt, ein Ahnungsloser, da hereintreten wird, daß er selbst es ihm erst wird sagen müssen ...

Und er möchte sich vom Diwan erheben, die Tür verschließen 10 — denn er fühlt, daß er keine Silbe wird sprechen können. Und er kann sich ja nicht einmal bewegen, er ist wie erstarrt. Er wird ihm nichts, kein Wort wird er ihm heute sagen, morgen erst ... morgen ...

Es flüstert draußen. Richard kann die leise Frage verstehen: 15 „Ist er allein?"

Er wird ihm nichts, kein Wort wird er ihm heute sagen; morgen erst — oder später ...

Die Tür öffnet sich, der Freund ist da. Er ist sehr blaß und bleibt eine Weile stehen, als müßte er sich sammeln, dann eilt er auf 20 Richard zu und setzt sich neben ihn auf den Diwan, nimmt seine beiden Hände, drückt sie fest, — will sprechen, doch versagt ihm die Stimme.

Richard sieht ihn starr an, läßt ihm seine Hände. So sitzen sie eine ganze Weile stumm da. 25

Mein armer Freund, sagt endlich Hugo ganz leise.

Richard nickt nur mit dem Kopf, er kann nicht reden. Wenn er ein Wort herausbrächte, könnte er ihm doch nur sagen: Ich weiß es ...

Nach ein paar Sekunden beginnt Hugo von neuem: Ich wollte 30 schon heute früh da sein. Aber ich habe dein Telegramm erst spät abends gefunden, als ich nach Hause kam.

[41] *geht die Tür* — the door opens.

Ich dachte es, erwidert Richard und wundert sich selbst, wie laut und ruhig er spricht. Er schaut dem andern tief in die Augen... Und plötzlich fällt ihm ein, daß dort auf dem Klavier — die Briefe liegen. Hugo braucht nur aufstehen, ein paar Schritte zu 5 machen — und sieht sie... und weiß alles. Unwillkürlich faßt Richard die Hände des Freundes — das darf noch nicht sein; er ist es, der vor der Entdeckung zittert.

Und wieder beginnt Hugo zu sprechen. Mit leisen, zarten Worten, in denen er es vermeidet, den Namen der Toten auszu-
10 sprechen, fragt er nach ihrer Krankheit, nach ihrem Sterben. Und Richard antwortet. Er wundert sich anfangs, daß er das kann; daß er die widerlichen und gewöhnlichen Worte für all das Trau-rige der letzten Tage findet. Und ab und zu streift sein Blick[42] das Gesicht des Freundes, der blaß, mit zuckenden Lippen lauscht.
15 Wie Richard innehält, schüttelt der andere den Kopf, als hätte er Unbegreifliches, Unmögliches vernommen. Dann sagt er: es war mir furchtbar, heute nicht bei dir sein zu können. Das war wie ein Verhängnis.[43]

Richard sieht ihn fragend an.
20 Gerade an jenem Tag... in derselben Stunde waren wir auf dem Meer.

Ja, ja...

Es gibt keine Ahnungen! Wir sind gesegelt, und der Wind war gut, und wir waren so lustig... Entsetzlich, entsetzlich.
25 Richard schweigt.

Du wirst doch aber jetzt nicht hier bleiben, nicht wahr?

Richard schaut auf. Warum?

Nein, nein, du darfst nicht.

Wohin soll ich denn gehen?... Ich denke, du bleibst jetzt bei 30 mir?... Und eine Angst überfällt ihn, daß Hugo wieder weg-gehen könnte, ohne zu wissen, was geschehen.

---

[42] *streift sein Blick* — he glances at.
[43] *Das war wie ein Verhängnis* — It was as though it were predestined.

Nein, erwiderte der Freund, ich nehme dich mit, du fährst mit mir weg.

Ich mit dir?

Ja ... Und das sagt er mit einem milden Lächeln.

Wohin willst du denn?

Zurück! ...

Wieder an die Nordsee?

Ja, und mit dir. Es wird dir wohltun. Ich lasse dich ja gar nicht hier, nein! ... Und er zieht ihn wie zu einer Umarmung an sich ... Du mußt zu uns! ...

Zu uns? ...

Ja.

Was bedeutet das „zu uns"? Bist du nicht allein?

Hugo lächelt verlegen: Gewiß bin ich allein ...

Du sagst „uns" ...

Hugo zögert eine Weile. Ich wollte es dir nicht gleich mitteilen, sagt er dann.

Was? ...

Das Leben ist so sonderbar — ich habe mich nämlich verlobt ...

Richard schaut ihn starr an ...

Darum meint' ich: „Zu uns" ... Darum geh' ich auch wieder an die Nordsee zurück, und du sollst mit mir fahren. — Ja? Und er sieht ihm mit hellen Augen ins Gesicht.

Richard lächelt. Gefährliches Klima an der Nordsee.

Wieso?

So rasch, so rasch! ... Und er schüttelt den Kopf.

Nein, mein Lieber, erwidert der andere, nicht eben rasch. Es ist eigentlich eine alte Geschichte.

Richard lächelt noch immer. Wie? ... eine alte Geschichte?

Ja.

Du kennst deine Braut von früher her? ...

Ja, seit diesem Winter.

Und hast sie lieb? ...

Seit ich sie kenne, erwidert Hugo und blickt vor sich hin, als kämen ihm schöne Erinnerungen.

Da steht Richard plötzlich auf, mit einer so heftigen Bewegung, daß Hugo zusammenfährt und zu ihm aufschaut. Und da sieht er,
5 wie zwei große fremde Augen auf ihm ruhen, und sieht ein blasses, zuckendes Gesicht über sich, das er kaum zu kennen glaubt. Und wie er angstvoll sich erhebt, hört er, wie von einer fremden, fernen Stimme, kurze Worte zwischen den Zähnen hervorgepreßt: „Ich weiß es." Und er fühlt sich an beiden Händen gepackt und zum
10 Klavier hingezerrt, daß der Armleuchter auf der Säule zittert. Und dann läßt Richard seine Arme los und fährt[44] mit beiden Händen unter die Briefe, die auf dem schwarzen Deckel liegen, und wühlt, und läßt sie hin und her fliegen ...

Schurke![45] schreit er, und wirft ihm die Blätter ins Gesicht.

FRAGEN

1. Was kann der Mann von seinem Balkon aus sehen?
2. Wo ist das Kind?
3. Wer ist gestorben?
4. Was kann der Mann ab und zu hören, wenn er auf dem Balkon sitzt?
5. Wer ist nicht rechtzeitig angekommen?
6. Wo geht Richard hin, nachdem er den Balkon verlassen hat?
7. Was tat der Witwer zuerst, nachdem er zu weinen aufhörte?
8. Was hat seine Frau früher immer erwartet, wenn Richard in ihr Zimmer hineinging?
9. Warum sehnt Richard sich nach dem Freund?
10. Wie möchte Richard den Abend mit Hugo verbringen, nachdem er ankommt?

[44] *fährt* — digs.
[45] *Schurkel* — Scoundrel!

11. Warum ließ die Frau die zwei Freunde abends öfters allein auf dem Balkon?

12. Was tat Richard, nachdem er aufgehört hatte, im Zimmer auf und ab zu gehen?

13. Was fand er in der mittleren Schublade des Schreibtisches?

14. Was war in der kleinen Seitenlade?

15. Wann hatte Richard den letzten Brief an seine Frau geschrieben?

16. Welchen von den Briefen an seine Frau liest Richard?

17. Von wem sind die anderen Briefe in der Seitenlade?

18. Wie macht Richard das Paket mit Hugos Briefen auf?

19. Wo geht er mit Hugos Briefen hin?

20. Wann schrieb Hugo den letzten Brief an Richards Frau?

21. Wo ging Richard hin, nachdem er die Briefe gelesen hatte?

22. Was will Richard tun, sobald er Hugo sieht?

23. Was hätte Richard seiner toten Frau verzeihen können?

24. Was will er seinem Freund sagen, wenn er ihn sieht?

25. Was kann der Witwer nicht begreifen?

26. Wann muß das Verhältnis zwischen Hugo und Richards Frau begonnen haben?

27. Woran erinnert sich Richard jetzt, wie er über das vorige Jahr nachdenkt?

28. Wieso hat Hugo sich im Laufe des vergangenen Jahres verändert?

29. Worauf lauschte Richard mit einemmal atemlos?

30. Wann will Richard dem Freund sagen, daß er alles weiß?

31. Was tat Hugo, als er hereinkam?

32. Warum kam Hugo nicht früher?

33. Warum fängt Richard an zu zittern?

34. Wo war Hugo, als Richards Frau starb?

35. Wohin will Hugo Richard mitnehmen?

36. Wie lange hatte Hugo seine Braut schon gekannt?

37. Was tat Richard schließlich mit den Briefen, die Hugo an seine Frau geschrieben hatte?

CARL ZUCKMAYER

In his most recent book, "God's Country—and Mine," Jacques Barzun devotes an entire chapter to what he calls the "professional European." This is the type of cultured European who has either been forced to leave his native country or who has done so out of choice, and, once settled in America, proceeds to spend much of his time telling his American friends how unpleasant life is in the United States. He complains about the lack of cultural tradition, our eternal quest for the almighty dollar, and our hectic, hence somewhat uncivilized way of living, and he rarely fails to make the comparison between America and the land of his birth.

Carl Zuckmayer (1896–) is the living antithesis of Barzun's "professional European," as can be seen when one reads his essay: "Amerika ist anders." In it Zuckmayer reveals himself as one who has come neither to beg nor to brag. He does not hesitate to praise or to criticize where he thinks it necessary. While it is an all too common fault of both Americans and Europeans to make "definitive" comments about each other's countries after a two-week visit, Zuckmayer waited until three years after the last war before making a speech in Europe about his new homeland, where he had lived for eight years.

In his essay, which is a revised version of the speech made in Switzerland in 1948, Zuckmayer gives us honestly and frankly the reasons for his hesitation in deciding to come here. He tells of the fear that he might never feel at home and describes his wonderful discovery that America is still the "New World," where strangers can begin their lives all over again. He gives us too his explanation for the resentment which so many Europeans feel for this country. He comments on Hollywood, where he spent a brief period before he found out that he could not write in an artificial atmosphere; through his keen eyes we see him as a member of the faculty of a "dramatic workshop" in New York; he writes thinkingly and penetratingly about the intellectual curiosity of young Americans; he gives an amazingly clear picture of the American educational philosophy, and finally tells of his decision to become a farmer. In writing of his life on the farm in Vermont Zuckmayer does not merely content himself with narrative. He comments on human nature and on tolerance, and notes that there are many things in this country which could stand improvement. In addition he tries to express his gratitude for all the opportunities America has given him. As a playwright he not unnaturally regrets the lamentable condition of the theatre in the United States.

Zuckmayer has by no means failed to notice both the good and the bad in this country, but he has evaluated them discerningly, and in his view the former far outweighs the latter. He has never lost his optimistic view of life, nor his ability to adapt himself to new and strange conditions. To him America is now home, in the sense of the German word "Heimat," and although he makes frequent trips to Germany to supervise the production of each new play, it is to Woodstock, Vermont, that he returns with a real feeling of "belonging."

Carl Zuckmayer's journey to Vermont was a long and exciting one. Born in Nackenheim on the Rhine in 1896, he fought for four years for Germany during World War I. By 1920 his first play was performed, and although it was far from a popular success, his vitality and optimism never let him despair. In 1925 his comedy, "Der fröhliche Weinberg," made him famous overnight, and since that time he has written steadily, producing poems, plays, and stories. Forced to leave Germany in 1933, he continued his work in Austria, until he had to flee in 1938 to Switzerland one jump ahead of the Gestapo, arriving in America the following year.

"Amerika ist anders" is as informative for us as it was for Zuckmayer's European audiences. We are perhaps apt to lose the proper perspective in thinking of ourselves and of our country. Zuckmayer, who is in a sense both European and American, manages to look at both worlds with loving but critical eyes. What he has to say has done much and can do more to explain America to the Germans and to us as well.

"Amerika ist anders" has been slightly abridged with the permission of the author.

AMERIKA IST ANDERS

CARL ZUCKMAYER

Obwohl im Titel dieses Vortrags das Wort Amerika prangt,[1] werden Sie von mir wohl kaum eine Lektion über Demokratie erwarten. Gewiß läßt sich die Staatsform, in der ein Volk lebt, die politische Tradition oder Überzeugung, in der seine Jugend heranwächst, von seiner Wesenheit,[2] seiner menschlichen Substanz, seinem Charakterbild nicht trennen. Daneben aber gibt es eine unendliche Fülle anderer Wesenszüge,[3] die das Gesicht oder die Gesichter und Gesichte[4] eines Volkes, eines Landes, eines Weltteils formen und kenntlich machen.

Spreche ich also von einem andern Land, in dem sich ein Teil meines Lebens vollzog, und sage aus, daß es anders sei, so meine ich nicht nur: anders als das unsere, anders als Europa oder Deutschland. Sondern, im Spiegel einer langen und heftigen Begegnung mit seiner Wirklichkeit, erscheint es mir anders als alles, was man sich davon vorstellt oder erzählt, was man davon liest oder hört, gewiß völlig anders, als es sich durch die Zusammensetzung und Auswirkung einer Armee oder Verwaltungsbehörde im besetzten Land[5] zu erkennen gibt, und vielleicht sogar anders, als es selbst sich zu sehen pflegt, darstellt oder einschätzt.[6]

[1] *prangt* — shines.
[2] *Wesenheit* — essence.
[3] *Wesenszüge* — characteristic features.
[4] *Gesichte* — visions.
[5] *Verwaltungsbehörde im besetzten Land* — governing authorities in the occupied country.
[6] *sich ... einschätzt* — evaluates itself.

Vielleicht gelingt es mir, am lebendigen Beispiel darzustellen, was ich darunter verstehe. Die Einschätzung Amerikas durch die Außenwelt gründet sich auf das, was in die Augen springt und in die Ohren gellt — Film und Radio, illustrierte Zeitschriften und
5 Reklamebilder, übersetzte und importierte Literatur und auf die Zufälligkeit geschäftlicher oder persönlicher Begegnungen, die allzu leicht zur theoretischen Verallgemeinerung[7] und damit zum Mißverständnis führen. Damit ich aber nicht selbst der Gefahr jener Verallgemeinerung erliege, die in jedem Versuch einer generellen
10 oder objektiven Darstellung lauert,[8] will ich mich lieber an meine eigenen subjektiven Erlebnisse halten und Sie gewissermaßen mit nach Amerika nehmen, wie ich selbst vor einem Jahrzehnt hinüberkam, um mich an ihm zu messen und zu reiben, zu ärgern und zu erfreuen, zu stoßen und zu erheben, zu ermutigen und zu erneuern
15 — als ein eingefleischter und ausgewachsener Europäer,[9] der damals genau so wenig von Amerika wußte oder ahnte wie jeder, der dort nicht geboren wurde oder sich eine zweite Geburt aus seinem fremden und widerspenstigen Schoß[10] erzwingen mußte. Ich wollte absolut nicht nach Amerika, ich nahm es Herrn Hitler und seiner
20 Vorsehung,[11] dem Schicksal, dem lieben Gott und dem zwanzigsten Jahrhundert persönlich übel,[12] daß ich dazu gezwungen werden sollte. So wie mir ging es vielen.

Mein erster aktiver Widerstandsversuch ereignete sich in Zürich,* an einem strahlenden Frühlingstag des trüben Jahres 1938. Kurz
25 zuvor hatte uns der sogenannte Anschluß[13] und der drohende Zugriff der Gestapo dazu gezwungen, Österreich,* das letzte Stück Heimat, als Flüchtling zu verlassen. Benommen stand man auf der

---

[7] *Verallgemeinerung* — generalization.
[8] *lauert* — lurks.
[9] *ein eingefleischter und ausgewachsener Europäer* — a mature, 100% European.
[10] *widerspenstigen Schoß* — obstinate womb.
[11] *Vorsehung* — providence.
[12] *ich nahm es . . . persönlich übel* — I took it as a personal affront.
[13] *Anschluß* — union [here the incorporation of Austria into the German Reich in 1938].

Züricher Bahnhofstraße,[14] auf der man früher als sorgloser Besucher und Ferienreisender daherzuschlendern[15] pflegte, und wunderte sich ein wenig, daß man noch lebte, und daß so viele andere Leute sich an dem schönen Wetter und den hübschen Geschäften freuten. Warum aber sollten sie sich nicht daran freuen? Sie waren ja hier zu 5 Hause. Für uns gab es das mit einem Schlag[16] auf der Welt nicht mehr, ja, wir konnten uns nicht einmal als ihre Gäste betrachten, sondern es bestand kein Zweifel, daß wir nun zu denen gehörten, die ringsherum unerwünscht waren, den Mitessern[17] des Menschengeschlechtes und der Erdoberfläche. Inzwischen haben so viele 10 Menschen auch hier in Deutschland, innerhalb des eigenen Sprachgebiets, inmitten des eigenen Volkes, am eigenen Leib erfahren, was ein Flüchtling ist, daß ich seine Gefühle und sein bitteres Los hier nicht zu erklären brauche. An diesem Frühlingsmorgen, von dem ich erzählen will, hatte ich mich mit meinem Freund Franz 15 Werfel[18] getroffen, dem mittlerweile in Amerika verstorbenen Dichter, der damals in der gleichen Lage war, das heißt, nur etwas besser bemittelt;[19] in meinen Taschen konnte man schon die Löcher zählen und in seinen immerhin noch etliche Schweizer Franken[20] — was einen bedeutenden Unterschied im Lebensgefühl ausmacht, 20 — und so lud er mich denn in eine Weinstube, Bodega genannt, auf einen Sherry ein, nämlich zunächst auf einen, mit dem man ja anfangen muß. Er hatte dort einen gemeinsamen Wiener Freund von uns hinbestellt, der, selbst ein Flüchtling, das schöne Geschäft betrieb, als sogenannter Agent die Berufsinteressen von Schrift- 25 stellern und Künstlern zu vertreten.

Als dieser Mann eintrat, hielten wir[21] zwar erst beim dritten

[14] *Bahnhofstraße* — name of the main street in Zürich.
[15] *daherschlendern* — stroll along.
[16] *mit einem Schlag* — all at once.
[17] *Mitessern* — parasites.
[18] *Franz Werfel* — German poet, playwright, novelist (1890–1945).
[19] *besser bemittelt* — better off financially.
[20] *Franken* — francs [unit of Swiss currency: 25 cents].
[21] *hielten wir* — we were.

Sherry, aber er schien uns gleich von einer unerfreulichen, störenden Geschäftigkeit und Tüchtigkeit erfüllt. Er wollte sich gar nicht setzen und nicht einmal im Stehen etwas zu sich nehmen. „Ihr müßt sofort mitkommen," sagte er uns, „es sind jetzt wenig Leute 5 dort, ich habe euch schon angemeldet, und in ein paar Tagen wird die Quota geschlossen sein." Wir wußten, woher er kam, nämlich vom amerikanischen Konsulat. Wir hatten ihn dort als Späher und Kundschafter[22] hingeschickt und wirklich selber die Absicht gehabt, ihm dann zu folgen, aber das war noch vor dem ersten Sherry 10 gewesen. In einem Zustand grauer und nüchterner Resignation. Jetzt waren wir schon erleuchtet und einer höheren Einsicht fähig. Amerikanisches Konsulat? Quotanummer? Formulare? Anmeldung?[23] Affidavit? Was soll uns das alles? Wir wollen ja gar nicht hin. Warum sollten wir uns in peinlicher und würdeloser Hast nach 15 einem Lande drängeln,[24] in das wir nicht gehören, das uns nichts zu geben hat, von dem wir nichts lernen können und dem wir nichts zu sagen haben? — Ich war noch nie, Werfel nur einmal zu einem kurzen Aufenthalt in New York drüben gewesen. Aber wir wußten alles ganz genau, was es da drüben gab oder nicht gab, vom 20 schlechten Essen bis zur seelischen und erotischen Frigidität, und der Sherry half uns dazu, es in Worten dithyrambischen Abscheus[25] auszudrücken. Ein Land der phantasielosen Standardisierung, des flachen Materialismus, der geistfremden[26] Mechanik. Ein Land ohne Tradition, ohne Kultur, ohne Drang nach Schönheit oder 25 Form, ohne Metaphysik und ohne Weinstuben, ein Land des Kunstdüngers und der Büchsenöffner, ohne Grazie und ohne Misthaufen, ohne Klassik und ohne Schlamperei, ohne Melos, ohne Apoll, ohne Dionysos.[27] Sollten wir der Versklavung europäischer

---

[22] *Kundschafter* — emissary.
[23] *Anmeldung?* — Signing up?
[24] *drängeln* — push forward.
[25] *Worten dithyrambischen Abscheus* — dithyrambic [lyrical] expressions of horror.
[26] *geistfremden* — alien to the intellect.
[27] *ein Land des Kunstdüngers und der Büchsenöffner, ohne Grazie und ohne Misthaufen,*

Massendiktatur entrinnen, um uns unter die Tyrannei des Dollars, des *business*, der Reklame und der Modellmädchen zu begeben? Und außerdem, sagte Werfel, müßten wir Englisch lernen. Denn es ist für einen Schriftsteller und Dichter ein beschämender Zustand, bei jedem etwas komplizierteren Gespräch den Satz wiederholen zu 5 müssen: „*I am not able to express myself.*"

Als unser Freund zum zweiten Male erschien und uns beschwor,[28] wenigstens die mitgebrachten Formulare auszufüllen, konnten wir die Sherrys nicht mehr zählen, hatten aber den Komplex Amerika vollständig erledigt und rezitierten bereits gemeinsam das Gedicht 10 *Die Auswanderer* von Freiligrath:[29]

> Ich kann den Blick nicht von euch wenden,
> Ich muß euch anschaun immerdar.
> Wie reicht ihr mit geschäft'gen Händen
> Dem Schiffsmann eure Habe[30] dar. 15

Damit hielten wir unser Auswanderungserlebnis für abgeschlossen und wandten uns Themen zu, die uns produktiver und wichtiger erschienen.

Dieser Morgen in der Bodega hat uns viel gekostet. Denn es folgten ihm einige andere, an denen wir auch nicht aufs amerika- 20 nische Konsulat gingen, die Quota wurde geschlossen, Mr. Chamberlain flog nach München[31] und flog wieder zurück, Friede für

---

ohne Klassik und ohne Schlamperei, ohne Melos, ohne Apoll, ohne Dionysos — a land of artificial fertilizer and can-openers, without refinement or manure piles, without classicism or slovenliness, without Melos [island in the Aegean; focal point of Greek art and culture], without Apollo [Greek god of the sun, frequently invoked by poets seeking inspiration], and without Dionysus [Greek god of wine].

[28] *beschwor* — implored.

[29] *Freiligrath* — Ferdinand Freiligrath, German political poet (1810–1876).

[30] *Habe* — possessions.

[31] *Mr. Chamberlain flog nach München* — Mr. [Neville] Chamberlain flew to Munich [In 1938, as Prime Minister of Great Britain, he there signed a nonaggression pact with Germany. As a result of this act of appeasement, Hitler was able, six months later, to absorb Czechoslovakia into the German Reich.]

unsere Lebenszeit mitbringend, und ganz allmählich begannen sich
die europäischen Gefängnistore zu schließen. Ich mußte mich,
anderthalb Jahre später, über Cuba in die Vereinigten Staaten einschleichen,[32] die unser letzter Hafen geworden waren, und Werfel,
5 nach wieder einem Jahr, mußte erst durch ganz Frankreich, über
die Pyrenäen und durch Spanien und Portugal fliehen, um das
ungelobte[33] Land unserer Rettung und Hoffnung zu betreten. Als
ich ihn am Pier von Hoboken abholte, gedachten wir der Bodega.
Wir bereuten nichts, obwohl wir unrecht gehabt hatten, aber
10 damals wären wir sozusagen unter falscher Flagge hinübergesegelt,
nämlich unter der der Vorsicht und Selbstversicherung. Jetzt war
es ein Schicksalswind, der uns hingetrieben hatte, es war unver-
meidliche höhere Gewalt, und ein Mann muß sein Schicksal lieben,
um es zu bestehen und nicht an ihm zu zerbrechen.

15   Ich war nun schon ein Jahr drüben, ich hatte den ersten Rausch
und die erste Ernüchterung, die erste Illusion und die ersten Rück-
schläge hinter mir, aber ich war noch sehr weit davon entfernt,
etwas von Amerika zu wissen. Das einzige, was ich damals schon
gelernt hatte, war, daß Amerika noch immer die „Neue Welt" ist,
20 das heißt, die Welt, in der entwurzelte Menschen neu beginnen
können, weil sie selbst noch, mit ihren paar hundert Jahren Wachstum und ihrem ungeheuren unerschöpflichen Boden und Raum,
im Anfang, in der Hoffnung, im Werden[33a] ist.

Man kann nicht Franzose werden, wenn man Deutscher ist.
25 Man kann nicht einfach die Front und die Farbe wechseln. Man
kann sich nicht als Gast und Zuschauer in eine neutrale Ecke
setzen. Und als Engländer gar muß man geboren sein, das läßt
sich nicht lernen. In all diesen Ländern ist und bleibt man ein
Fremdkörper, bestenfalls ein freundlich Geduldeter. Amerikaner

[32] *sich einschleichen* — slip in.   [33] *ungelobte* — "unpromised."
[33a] *im Werden* — in the process of developing.

aber werden vom Schicksal gemacht. Ihnen ist nichts in den Schoß
gefallen oder in die Wiege gelegt, und ihre Geschichte besteht in
einer fortgesetzten männlichen Bemeisterung des Schicksals. Das
macht sie großzügig und elastisch, und diesen großen Zug des
Lebens und Lebenlassens, diese Elastizität in der Führung und Be- 5
wältigung der eigenen Existenz empfindet schon der Ankömmling
als Auftrieb[34] und als Verpflichtung. Man wird ihn nicht empfangen,
als habe man gerade auf ihn gewartet. Man wird es ihm nicht
leicht machen; Härten, Hürden und Hindernisse erwarten ihn in
Hülle und Fülle.[35] Aber man gibt ihm die Chance, sie zu über- 10
winden, und wenn er sie in seiner Weise zu ergreifen versteht,
dann kann er einen Platz finden in einer Lebensgemeinschaft, auf
dem er nicht mehr, gern oder ungern, geduldet ist, sondern auf
den er sich selbst gestellt hat und der sein eigen wird. Es liegt in der
Tradition, in der Natur, im Weltgefühl des Amerikaners, den 15
harten Weg mehr zu respektieren als den leichten, das Schwer-
erworbene höher zu achten als das Geschenkte, die gefährliche
Unabhängigkeit mehr als die reglementierte Sicherung, und auch
das kommt nicht nur aus realistischen oder materiellen Voraus-
setzungen, sondern ist in seinem Wesen und seinem Menschentum 20
tiefer begründet.

Die erste Zeit in Amerika war, trotz düsterer Untertöne, ein
gewaltiger, unerwarteter, übermächtiger Rausch. Es war Sommer,
es war eine Hitzewelle in New York, es war dumpfheiß und
schwülfeucht wie in einem Treibhaus,[36] die Wäsche klebte am 25
Leib, man schwitzte bestialisch, man saß nachts unter der kalten
Dusche oder nackt am offenen Fenster, weil jedes Bett, auch ohne
Decke, ein Backofen war; aber man wurde nicht müde und empfand selbst den unter der Schuhsohle aufweichenden[37] Asphalt als
Abenteuer, wie wenn man durch einen tropischen Sumpf waten 30

---

[34] *Auftrieb* — stimulus, incentive.
[35] *in Hülle und Fülle* — in abundance.
[36] *Treibhaus* — hothouse.
[37] *aufweichenden* — softening.

würde, bereit, vorsintflutlichen Riesenechsen und zierlichen Lemurenmädchen[38] zu begegnen; man begab sich in die künstlich gekühlten[39] Theater oder Kinos, darin man sich bald fühlte wie versandbereites Gefrierfleisch,[40] und dann wieder hinaus in den
5 dampfenden Kochkessel der Straße, man nahm sogar die unvermeidlich daraus folgende Erkältung ohne Murren in Kauf[41] und tat sie mit Rum oder Whisky ab, so stark war die erste Faszination dieser starken und fremden Welt. Ich glaube, daß die enorme Vitalität Amerikas zunächst auf jeden Menschen von einiger
10 Lebendigkeit oder Einbildungskraft so wirken muß, daß es die eigene Vitalität gewaltig stimuliert und auffrischt. Dabei ist New York ja immer noch ein Vorposten Europas und nur zum Teil amerikanisch. Das eigentliche Abenteuer der Entdeckung dieser neuen Welt und ihrer riesigen Dimensionen beginnt erst, wenn
15 man sie hin und her durchquert, um dann in einem begrenzten Umkreis ihrer Realität Wurzel zu schlagen.

Und die wirkliche Entdeckung ihrer inneren Dimensionen, ihrer Substanz und ihrer Alchimie fängt erst allmählich an, wenn der warme Schauer erster Empfänge, Händedrücke, Umarmungen,
20 Freundschaftsbeweise, Herzlichkeiten vorüber ist — die genau so gemeint sind, wie sie sich gebärden,[42] nämlich als eine Begrüßung, ein Auftakt,[43] ein wohltuendes Hallo, nicht mehr, nicht weniger. Diese Herzlichkeit und Wärme, mit der Fremde in Amerika gewöhnlich begrüßt werden, ist nämlich gar nicht verlogen — man
25 darf sich nur selbst nichts Falsches davon erwarten oder vorstellen. Sie entspringt einem der Grundzüge des amerikanischen Verhaltens, der, wie viele seiner Züge, vom Geist der Pionier-, der Grenzer- und Ansiedlerzeit geprägt ist, der natürlichen Hospitalität. Dem

---

38 *vorsintflutlichen Riesenechsen und zierlichen Lemurenmädchen* — giant antediluvian lizards and dainty female lemurs.
39 *künstlich gekühlten* — air-conditioned.
40 *versandbereites Gefrierfleisch* — frozen meat ready for shipping.
41 *nahm...in Kauf* — accepted as unavoidable.
42 *wie sie sich gebärden* — in the spirit in which they are made.
43 *Auftakt* — beginning.

fremden Gast bietet man sein Haus und seine Hilfe. Dann wird er halt[44] weitergehn — auf eigenen Füßen. Und dieses Weitergehn auf eigenen Füßen und auf einem selbstgewählten Pfad wird nun von dir erwartet.

Das ist der Anfang des ersten Aktes, nach dem Prolog, in einem sehr vielaktigen Drama. Er läßt sich schon bedeutend kühler an.[45] Ja, man beginnt zu ahnen, was eine kalte Schulter sein kann. Das erfährt man am unmittelbarsten im Berufsleben. Denn Amerika begrüßt zwar den Fremdling mit einer echt gemeinten Kameraderie, die besagen will: wir sind alle einmal angekommen, jeder von uns stammt von einem Fremdling, von einem Einwanderer ab, wir sind uns also gar nicht wirklich fremd, denn unser Ursprung und unser Ende sind gemeinsam. Aber Amerika erwartet mit ebensolcher Selbstverständlichkeit, daß der Neue sich dem, was er vorfindet, anpaßt. Nämlich, daß er sich ehrlich dazu bekennt, neu und fremd zu sein, und die Spielregeln zu akzeptieren, die hier gültig sind.

Hier steckt nun ein Teil der Fehlerquellen, die es vielen europäischen Einwanderern so schwer machen, mit Amerika und seiner Menschenwelt auf gleich zu kommen[46] und sie ohne Unter- oder Überschätzung zu verstehen. Hier treffen europäisches und amerikanisches Ressentiment vielfach hart aufeinander. Ein großer Teil der einwandernden Europäer hat das Gefühl, daß er mit sich selbst, seiner Individualität, seinem Können, seiner Bedeutung und vielleicht schon erwiesenen Leistung etwas mitbringt, das ohne weiteres als Geschenk, als Wert, als Bereicherung, als willkommener Zuwachs aufgefaßt und dankbar angenommen werden sollte. Die kalte Schulter Amerikas aber will besagen: keiner wird unbedingt gebraucht. Aber jeder braucht unbedingt die andern, unter und mit denen er leben muß.

Das europäische Ressentiment gegen Amerika ist wohl so alt

[44] *halt* — just.
[45] *Er läßt sich schon bedeutend kühler an* — things begin to cool off considerably.
[46] *auf gleich zu kommen* — to reconcile themselves.

wie die Loslösung der Staaten vom Mutterland, also die Rebellion
der Ausgewanderten gegen die Abhängigkeit von ihrer Herkunft,
ja, sie war wohl immer vorhanden, seit es Auswanderer gab, die
drüben ihre eigene selbständige Existenz gegründet und in wirt-
5 schaftlicher, politischer, psychologischer Hinsicht ihre eigene Lebensform fanden und damit eine eigenständige Macht wurden.
Die Vaterherrschaft[47] ist so tief im europäischen Wesensgefüge[48]
verankert, daß die freie Loslösung und neue Stammesgründung der
Söhne einen nie verwindbaren Widerstand, ein heimliches Grollen
10 und Übelnehmen auslöst. Nun war es ja auch — von den paar
großen politischen Emigrationen abgesehen, in denen verfolgte
oder oppositionelle Gruppen aus Gesinnungsgründen[49] eine neue
Erde suchten, wie zuerst die Pilgrims, später die deutschen Achtundvierziger,[50] schließlich die Flüchtlinge vor den modernen Dik-
15 taturen — immer so, daß nach Amerika ging oder geschickt wurde,
wer in Europa nichts hatte oder nichts taugte. Verarmte, von
Hungersnöten Bedrohte, sozial Entwurzelte oder Gestrandete,
Unzufriedene und Ungeratene[51] füllten das Zwischendeck der
Auswandererschiffe.

20   Nun sind aber unter diesen ungeratenen Söhnen sehr oft auch
die fähigsten, die kühnsten, die vorurteilslosesten und mindestens
die phantasievollsten. Amerika braucht sich dieser Ahnengalerie
nicht zu schämen, sie hat ihm viel von seiner biologischen und
intellektuellen Potenz vermacht.[52] Es ist aber ebenso natürlich und
25 in der menschlichen Wesensart begründet, daß sich unter diesen
erfolgreichen Freibeutern und ihrer Nachkommenschaft, auch wenn
sie längst arriviert und salonfähig[53] geworden ist, ein Rest von

---

47 *Vaterherrschaft* — patriarchy.
48 *Wesensgefüge* — structure of existence.
49 *Gesinnungsgründen* — reasons of conviction.
50 *Achtundvierziger* — "Forty-eighters," emigrants who were either forced to leave
Germany or left in disgust after the abortive revolution of 1848.
51 *Ungeratene* — unsuccessful people.
52 *vermacht* — bequeathed.
53 *salonfähig* — "accepted."

trotzigem Stolz, von Ablehnung und Selbstverteidigung gegen den Urstamm erhielt, der sich besser dünkt, und den man selbst wohl insgeheim einmal für besser hielt. Man muß auf diese reziproke Beziehung zwischen Ausgewanderten und Daheimgebliebenen zurückgehen, wenn man versuchen will, das Mißverständnis 5 zwischen Amerika und Europa aufzuhellen und den Standort beider Welten richtig zu verstehen. Denn ich selbst kenne viele europäische Emigranten, die schon zehn Jahre oder länger drüben waren, Bürger geworden oder zurückgekehrt sind, und immer noch nicht die wirkliche, positive Menschlichkeit Amerikas ken- 10 nengelernt haben.

Es ist gewiß nicht ganz leicht; denn Amerika ist anders, in jeder Beziehung und in jedem Lebenszweig. Vor allem aber auf den Gebieten, die mit dem geistigen Leben, mit intellektueller Arbeit, mit kulturellen Bezirken[54] und mit dem schöpferischen Werk zu 15 tun haben. Ich persönlich mußte sehr bald merken, daß ich nichts, aber auch gar nichts mitgebracht hatte, was da drüben unmittelbar verwendbar gewesen wäre, außer vielleicht meiner physischen Konstitution und einer gewissen inneren Anlage zum Cowboy oder zum Waldläufer.[55] 20

Den Stücken, mit denen ich auf allen Bühnen des deutschen Sprachgebiets heimisch geworden war, verschloß sich die angelsächsische und amerikanische Mentalität mehr noch als ihre Sprache. Die Tatsache, daß ich dieses Schicksal mit Goethe, Schiller, Kleist, Hebbel, Hauptmann, Strindberg, Wedekind[56] und vielen anderen 25 teilte, half mir wenig. Die meisten dieser Namen sind dem Amerikaner, wenn er nicht gerade Literatur oder Theaterwissenschaft studiert, gänzlich unbekannt, und daß ein Kleist etwas anderes

---

[54] *Bezirken* — spheres.
[55] *Waldläufer* — backwoodsman [*lit.* woods runner *or* messenger; scout].
[56] *Goethe, Schiller, Kleist, Hebbel, Hauptmann, Strindberg, Wedekind* — with the exception of Strindberg, who was Swedish, these are some of the most famous names in German drama.

sein könnte als ein Panzergeneral,[57] wird man ihm kaum verständlich machen. Mein Name war in Fachkreisen[58] des Theaters
bekannt, aber die kühle Schulter zuckte bedauernd, wenn meine
Stücke eingereicht wurden: zu deutsch — zu deutsch. Beim Film
5 war es zunächst etwas besser. Dort kannte man mich als Dialog-
Autor des *Blauen Engel*, und der Zaubername Marlene Dietrich
kennzeichnete mich als eine Art von Kulturträger. So kam ich
nach Hollywood, und die kühle Schulter schien sich für einen
Moment zu runden und aufzuwärmen. Der Wochenscheck, mit
10 dem ich dort als *writer* — Schreiber — anfangen durfte, hatte
sinnlichen Reiz. Aber er hielt nicht vor.[59]

Ich will diese Episode nur ganz kurz streifen: denn sie spielt nicht
in Amerika — nicht in dem, von dem ich erzählen will, nur an
seiner äußersten Peripherie. Ich wurde dort in ein fabrikartiges
15 Gebäude gesetzt, *the writer's building* genannt — sogar in einen
Raum, der etwa dem eines gehobenen Prokuristen[60] oder Bank-
direktors entsprach, mit allem Zubehör,[61] sogar einer Sekretärin
im Vorzimmer, mit der ich aber, meines damals noch nicht diktier-
fähigen Englischs wegen, nichts anzufangen wußte, als freundlich
20 mit ihr zu sein. Dort sollte ich von neun bis zwölf und von zwei
bis sechs schreiben, was ich gar nicht schreiben wollte. Als unver-
besserlicher Europäer konnte ich das aber nicht, und in der Beziehung bin ich auch unverbesserlich geblieben. Auch behagte[62] mir
dieses von vielen Leuten als Paradies gepriesene Südkalifornien gar
25 nicht, der ewige Frühling, durch Hitzewellen und Regenzeiten
unterbrochen, schien mir schal und fade, die wüste, fast kahle
Umgebung unerträglich, der falsche Stil der Prachtvillen, spanische
Neu-Renaissance oder orientalische Gotik, mit ihren künstlich

---

[57] *Panzergeneral* — commanding officer of armored forces [a German general
named Kleist played a prominent part in World War II].
[58] *Fachkreisen* — professional circles.
[59] *er hielt nicht vor* — it did not last.
[60] *gehobenen Prokuristen* — well-paid office manager.
[61] *Zubehör* — accessories.
[62] *behagte* — pleased.

bewässerten Paradiesgärtlein noch unerträglicher, und die allge-
meine Verfassung der Leute, mit denen ich durchweg zu tun hatte,
der Filmleute nämlich, am unerträglichsten.

Ich möchte aber hier sofort einschieben, daß dies ein ganz sub-
jektives Erlebnis war und keineswegs als ein gültiges Urteil über 5
Hollywood, auch nicht über seine Filmwelt, aufgefaßt werden
darf. Denn auch dort sind die Dinge und die Menschen nicht nur
so, wie sie auf den ersten Blick vielleicht wirken, nämlich unecht
oder verlogen, auch dort gibt es nicht nur die billige Verkitschung[63]
künstlerischer Werte oder die Verflachung und Veräußerlichung 10
des Lebens,[64] auch dort gibt es eine ganze Reihe von Menschen,
sogar unter den Stars, die kompromißlos um die Entwicklung und
Anerkennung ihres Talentes ringen, auch dort gibt es echtes Talent
und echten Charakter, auch dort wird nicht nur nach dem Dollar
und dem materiellen Erfolg gejagt oder Vergnügungsindustrie be- 15
trieben, sondern ernst gearbeitet, hart gearbeitet, ja hauptsächlich
der Arbeit gelebt und manchmal sogar starke und bahnbrechende
Leistung erzielt, wenn auch gegen den Widerstand einer kunst- und
geistfeindlichen Geschäftsgesinnung.[65] Daß ich dort als Schreiber
nicht hinpaßte, liegt auf einem andern Gebiet, und es war wohl ein 20
Glück für mein ganzes weiteres Leben in Amerika, daß sich das
bald herausstellte. Rasch kühlte die warme Schulter aus. Nach
einigen Zerwürfnissen,[66] die ich selbst herausgefordert hatte, wurde
ich *fired*, aber keineswegs im deutschen Sprachsinn, das heißt,
nicht gefeiert, sondern gefeuert. Meinen Abgang aus dem *writer's* 25
building feierte ich im Restaurant *Beachcomber*, das schon in seinem
Namen an eine schiffbrüchige Existenz erinnert, und wo alle
Viertelstunden künstlicher Regen auf ein Bambusdach trom-
melt, um dem Gast die Illusion zu geben, in den Tropen zu sein.

[63] *billige Verkitschung* — cheapening.
[64] *Verflachung und Veräußerlichung des Lebens* — process of making life shallow and
materialistic.
[65] *kunst- und geistfeindlichen Geschäftsgesinnung* — commercial attitude, hostile to art
and the intellect.
[66] *Zerwürfnissen* — differences of opinion.

Ich feierte mich selbst und mein Gefeuertsein mit einem Getränk, das man *Zombie* nennt oder „den wandelnden Leichnam"[87] und das aus sieben verschiedenen Rumsorten gemischt wird. Ich fühlte mich selten so erlöst, trotz dem Ausfall des Wochenschecks.

5 Ich ging nach New York zurück und wurde zunächst Lehrer an einem sogenannten *dramatic workshop,* das damals von Piscator[68] geleitet wurde, und wo ich den Schülern beibringen sollte, wie man Stücke schreibt. Meine Grundthese, daß man dazu Talent haben müsse, daß aber, wer Talent hat, lieber gleich zum Theater
10 als in eine Dramatiker-Schule gehen solle, kennzeichnete mich wieder als unverbesserlichen Europäer. Außerdem reichte mein Monatsgehalt kaum für die Wohnungsmiete, geschweige denn für *Zombie.* Eines Tages kam ein Mann zu mir, der traurig aussah und merkwürdig roch. Er sagte, er wolle von mir Privatstunden
15 haben. Er habe nämlich großartige Ideen für Komödien und Lustspiele,[69] aber überhaupt keinen Humor. Nachts fielen ihm die komischsten Situationen ein, mit denen er als Possenautor[70] Millionär werden könne; wenn er sie aber morgens seiner Frau erzählte, dann verziehe die keine Miene.[71] Er müsse Humor lernen,
20 und nach allem, was er von mir gehört habe, sei ich dazu der richtige Professor. Er bot fünf Dollar für die Humorstunde. Auf meine Frage nach seinem Beruf stellte sich heraus, daß er Apotheker war. Ich lehnte das Angebot ab. Für fünf Dollar roch er zu sehr nach Apotheke. Das war das Ende meiner Professorenlaufbahn. Auch
25 zum Lehrer, besonders für Humor und Stücke schreiben, schien ich nicht geeignet.

Ich aber hatte an diesem *workshop,* das einer größeren und sehr

67 „*den wandelnden Leichnam*" — "the walking corpse."
68 *Piscator* — Erwin Piscator, German director famous for his experimental work in the theater.
69 *Komödien und Lustspiele* — farces and comedies.
70 *Possenautor* — writer of farces.
71 *verziehe die keine Miene* — she didn't "crack a smile."

fortschrittlichen Hochschule angeschlossen war, mancherlei gelernt, nicht nur auf englisch frei zu sprechen und dann stundenlang die absurdesten Fragen zu beantworten: was man dort verlangte, und wobei ich am Anfang Blut schwitzte. Sondern vor allem war ich hier zum ersten Male amerikanischer Jugend begegnet. Weniger 5 in meiner Dramatiker-Klasse, die mehr von alten Jungfern oder Apothekern besucht wurde und deren einziger begabter Adlat[72] ein junger Neger war, als bei den andern Fakultäten, an deren Diskussionsabenden und öffentlichen Veranstaltungen ich öfters teilnahm. Am aufschlußreichsten[73] waren solche offenen Diskus- 10 sionen, wie sie sich etwa an den Vortrag einer prominenten Persönlichkeit, eines bedeutenden Forschers oder Gelehrten, eines berühmten Schriftstellers, eines führenden Politikers anschlossen. Was mir zunächst auffiel, als Gegensatz zu der durchschnittlichen Haltung von europäischen jungen Leuten, die, sagen wir, in einer 15 deutschen Universitätsstadt in einer öffentlichen Versammlung zur Diskussion aufgefordert würden, war die völlige Unbefangenheit, die innere Freiheit und Sicherheit, der Mangel an Hemmungen, aber auch an Eitelkeit und Geltungsbedürfnis,[74] mit dem diese jungen Leute aufs Podium gingen, ihre Fragen stellten oder auch 20 manchmal ihre kritische Meinung äußerten.

Man ist nämlich von Kind auf mit der Vorstellung aufgewachsen, daß man das Recht auf eine eigene Meinung hat, auch dem Großen, Bedeutenden und Anerkannten gegenüber und auf ihre fragende oder kritische Äußerung, daß man aber keineswegs verpflichtet sei, 25 selbst bedeutend zu sein oder Bedeutendes oder Geniales äußern zu müssen. Bei uns, besonders in Deutschland, kannte man das nicht. Wenn junge Leute öffentlich reden oder diskutieren sollten, litten sie entweder unter einer Art seelischer Verstopfung, einer Gehemmtheit und Verkrampfung, die sie davor zurückscheuen 30

---

[72] *Adlat* — pupil.
[73] *Am aufschlußreichsten* — most revealing.
[74] *der Mangel an Hemmungen, aber auch an Eitelkeit und Geltungsbedürfnis* — the lack of inhibitions, but also of vanity and the need for self-assertion.

ließ, sich einfach so zu benehmen und auszudrücken, wie sie wirklich waren und dachten, nicht gescheiter, nicht dümmer — oder aber sie mußten gleich die Weltkreuzworträtsel lösen und über die letzten Dinge[75] stolpern, möglichst unter Berufung auf wasserdichte oder feuerfeste Zitate[76] von Marx[77] bis Spengler,[78] von Heraklit[79] bis Bergson,[80] um ihre geistige Selbständigkeit zu beweisen.

Ich muß übrigens hier einschalten, daß ich im Lauf der letzten Jahre bei öffentlichen Diskussionen mit jungen Leuten in Deutschland völlig andere Erfahrungen gemacht habe und ein viel höheres Maß an Frische, Natürlichkeit, Unbefangenheit feststellen konnte, als ich es von meiner eigenen Studentenzeit her gewohnt war. Vielleicht hat sich wirklich durch die große Schreckens- und Leidensmühle[81] hier manches aufgelockert. Gewiß stimmt es, daß die Unbefangenheit der jungen Amerikaner manchmal ins Respektlose ausartet[82] oder ins Plump-Vertrauliche,[83] aber es ist nicht die Regel. So widerlich jene Lausbuben-Attitude ist, die etwa Thomas Mann[84] nach einer Vorlesung auf die Schulter schlägt und wohlwollend äußert: „Hey, Tommy, ich habe Ihr letztes Buch gelesen, es hat mir ganz gut gefallen, aber die Sätze sind viel zu lang" — so angenehm und sympathisch ist andererseits die freizügige[85] und durchaus bescheidene, intelligente und aufgeschlossene Art, mit der im allgemeinen die jungen Menschen drüben[86] ihre Meinung zu äußern wissen, wenn sie nämlich eine haben. Haben sie keine, so

---

[75] *die letzten Dinge* — the ultimate truths.
[76] *möglichst unter Berufung auf wasserdichte oder feuerfeste Zitate* — wherever possible calling on watertight or fireproof quotations.
[77] *Marx* — Karl Marx, father of "scientific Socialism" (1818–1883).
[78] *Spengler* — Oswald Spengler, German historian-philosopher (1880–1936) who had a wide following in the 1920's, author of *The Decline of the West*.
[79] *Heraklit* — Heraclitus, Greek philosopher (540–475 B. C.).
[80] *Bergson* — Henri Bergson, French philosopher (1859–1941).
[81] *Schreckens- und Leidensmühle* — mill of terror and suffering (World War II).
[82] *ausartet* — degenerates.
[83] *Plump-Vertrauliche* — attitude of coarse intimacy.
[84] *Thomas Mann* — Germany's greatest modern author (1875–1955).
[85] *freizügige* — unrestricted.
[86] *drüben* — over there [America].

halten sie entweder den Mund oder sie stellen Fragen, und dieses
hemmungslose Fragen, dem man in Amerika auch oft bei Erwachsenen begegnet, sobald Gebiete angeschnitten[87] werden, die ihnen
nicht vertraut sind, schwankt zwischen einem echten lebendigen
Interesse an allen Dingen und einer gewissen oberflächlichen Ge- 5
wohnheit, die auf wirklich klärende Antwort oder Auseinandersetzung gar nicht abzielt. Das Fragen erfreut den Europäer zuerst,
er ist entzückt von so viel Interessiertheit und Wissensdrang, dann
geht es ihm zeitweise auf die Nerven, wenn er nämlich merkt,
daß es zum Teil Cocktailfragen sind, die zur Konversation gehören 10
und deren Beantwortung man bis zum Dinner schon wieder vergißt, und schließlich zieht er den Querschluß,[88] daß der Mund des
Amerikaners oft leichtsinnig, unbedacht, gewichtlos fragt; aber
sein Inneres, sein Hirn, sein Herz, seine Seele fragt ernsthaft und
aus einem wirklich elementaren Bedürfnis heraus, die Welt, auch 15
wo sie fremd und ungewohnt ist, zu verstehen und zu verarbeiten.

Ich will hier etwas vorwegnehmen, was eigentlich zum Resümee
dieser Erzählung gehört, aber wohl gerade hierher paßt: Amerika
glaubt an Erziehung, das ist einer seiner fundamentalen Glaubens-
artikel, an Erziehung als Mittel zur Welt- und Lebensgestaltung[89] 20
und an die Erlernbarkeit alles Wesentlichen,[90] und darin liegt ein
Teil seiner Schwäche und seiner Stärke. Europa glaubt aus seiner
humanistischen Tradition heraus an Bildung, die in ihrer höchsten
Bedeutung an ein Privileg gebunden ist, ein Privileg der Berufung
oder der Standesvorzüge.[91] Amerika kennt kein Privileg, darin 25
liegt seine wunderbare menschliche Freiheitlichkeit und Generosi-
tät. Aber es vergißt auch vielfach die Ehrfurcht vor dem, was un-

---

[87] *angeschnitten* — mentioned.
[88] *Querschluß* — false conclusion.
[89] *Mittel zur Welt- und Lebensgestaltung* — means of shaping the world and one's life.
[90] *die Erlernbarkeit alles Wesentlichen* — that idea that everything essential can be learned.
[91] *Standesvorzüge* — advantages of class.

erlernbar und nicht anerziehbar[92] ist, was aus den schöpferischen
Urgründen des Geistes oder aus dem Einstrom einer hohen Gnade
stammt,[93] kurz, das Übervernünftige, das Geniale, das Prophe-
tische, das der Menschheit immer wieder ihre wahren Erleuchtun-
5 gen und Erneuerungen schenkt. Der Erziehungsglaube Amerikas
ist völlig anders gelagert als der Bildungsglaube Europas, und auf
beiden Seiten führt die Überschätzung und das Übermaß zu jenen
Mißverständnissen, in deren Überbrückung vielleicht ein Zukunfts-
weg liegen mag.

10   Mit einer naiven Gläubigkeit greift der pragmatische Erziehungs-
wille Amerikas alles auf, was an neuen Strömungen[94] etwa vom
europäischen Intellekt her aufscheinen mag, zum Beispiel die
Psychoanalyse, mit deren praktischer Anwendung auf Kinder-
erziehung und Liebesleben vielfach ein grotesker Unfug getrieben
15 wird.[95] Das System jedoch, in dem der durchschnittliche junge
Amerikaner erzogen wird, völlig anders als das europäische, grundsätzlich verschieden in seiner menschlichen Substanz und in seiner
geistigen Struktur, ist dem völlig anders gearteten Daseinsgefühl[96]
und den ganz eigenwüchsigen[97] Lebensformen der Neuen Welt
20 angepaßt und in sich selbst schon eigenwüchsig.

Es geht zunächst auf die simple Tatsache zurück, daß die jüngere
Generation dort nicht gewohnt ist, in die Fußstapfen der älteren
zu treten, daß der Sohn, von Ausnahmen abgesehen, nicht den
Beruf des Vaters ergreifen wird und das Heim, obwohl die Hoch-
25 haltung der Familie und vor allem die Mutterverehrung eine un-
geheure Rolle spielen, mehr einen seelischen als einen physischen

---

92 *anerziehbar* — capable of being acquired by instruction.
93 *was aus den schöpferischen Urgründen des Geistes oder aus dem Einstrom einer hohen
Gnade stammt* — that which is born of the creative depths of the spirit or the
inspiration of real grace.
94 *was an neuen Strömungen* — whatever there is by way of new currents.
95 *Unfug getrieben wird* — mischief is done.
96 *gearteten Daseinsgefühl* — conditioned sense of existence.
97 *eigenwüchsig* — indigenous.

und materiellen Halt bedeutet; denn die Existenz des Amerikaners
ist immer auf Wechsel und Wandel gestellt[98] und rechnet immer
mit Abbruch und Neubeginn. Es hat auch mit der weiteren simplen
Tatsache zu tun, daß alles, was der junge Amerikaner lernen und
sich geistig aneignen kann, immer aufs Leben, auf die Existenz, 5
auf die praktische Anwendung und nicht aufs Abstrakte oder
Theoretische gerichtet ist, wohlgemerkt keineswegs nur auf den
Erwerb oder das materielle Interesse, sondern vielmehr auf die
Fähigkeit des Miteinanderauskommens[99] auf der Welt, das Zu-
sammenleben mit anderen, die Bemeisterung dieses ganzen schwie- 10
rigen Gesamtkomplexes: Mitmensch zu sein. Denn das ist das
eigentliche amerikanische Ideal, nicht nur Mensch, sondern Mitmensch zu sein, und dieses ganz unpathetisch empfundene und oft
gar nicht bewußt fixierte Ideal strahlt als eine Art von immanenter
religiöser Kraft durch die Realität, die Härte, die Rauhheit des 15
täglichen Lebens.

Der Erziehungsglaube der Amerikaner drückt sich äußerlich
zum Teil schon darin aus, daß man in jedem kleinen Nest ein
wunderschönes Schulgebäude findet, prächtige Spiel- und Sport-
plätze für die Jugend und eine hübsch gebaute, reichhaltig und 20
modern eingerichtete Bibliothek, auch für die Erwachsenen. Ein
großer Teil des jugendlichen Lebens spielt sich in der Schule und
in den Landschulheimen[100] ab, viele Kinder werden in solchen
Schulheimen aufgezogen und verbringen nur die Ferien zu Hause.
Auf dem Land ist das „kleine rotgeziegelte Schulhaus an der 25
Straßenecke" geradezu ein Begriff geworden, der in die Poesie
und ins Volkslied übergegangen ist; denn die Sechsjährigen, die
dort zum Elementarunterricht hingehen, lieben es und empfinden
es als einen Spaß, eine lustige Abwechslung, dort hinzugehen, im

---

[98] *auf Wechsel und Wandel gestellt* — based on change.
[99] *Miteinanderauskommen* — getting along with people.
[100] *Landschulheimen* — private boarding schools in the country.

Gegensatz etwa zu der dumpfen Beängstigung, die von den gefängnisartigen, muffigen[101] Schulhäusern unserer Jugend ausging.

Das Spiel als Erziehungsmoment ist unerläßlich geworden, und es wird auch bei so schwierigen und problematischen Aufgaben
5 wie der Bemeisterung verkommener[102] und verwilderter Großstadtjugend als Hauptventil[103] und Besserungsmethode angewandt. Die Überschätzung des Spielerischen und Beiläufigen im Lernvorgang[104] führt wiederum dazu, daß der Bildungsgrad, der auf den Durchschnittsschulen erreicht wird, ungemein gering ist, daß
10 der durchschnittliche Schullehrer miserabel bezahlt wird, weil man von ihm kein besonders hohes Niveau[105] erwartet — die meisten müssen nebenbei einen andern Beruf ausüben, und ihr eigenes Fachwissen[106] kommt dabei nicht weiter. Auch hier scheint es wichtiger, daß junge Leute sich daran gewöhnen, ordentlich und
15 nett zusammen zu leben und sich die Zeit zu vertreiben, ohne einander totzuschlagen, als daß sie ihre geistigen Fähigkeiten trainieren.

So kommen sie im allgemeinen von Wissen und Kenntnissen ziemlich unbelastet aufs College, durch das viele sich als Werk-
20 studenten durcharbeiten, und das von unsern Universitäten und Hochschulen auch wieder so verschieden ist wie ein Sportklub von einem Priesterseminar. Seine Arbeitsweise ist auf ein ziemlich äußerliches und fragwürdiges Punktsystem, aber auf dauernden menschlichen Kontakt mit den Lehrkräften[107] gestellt, seine An-
25 forderungen sind gewöhnlich außerordentlich hoch, und es liegt ganz und gar beim einzelnen, bei seinem persönlichen Antrieb und seinen individuellen Fähigkeiten, was er sich dort geistig aneignet oder nicht. Denn es sind dort alle Möglichkeiten zu einer wahrhaft

101 *muffigen* — stuffy.
102 *verkommen* — degenerate.
103 *Hauptventil* — escape valve.
104 *Lernvorgang* — educational process.
105 *Niveau* — level.
106 *Fachwissen* — special field.
107 *Lehrkräften* — faculty.

geistigen Ausbildung gegeben, auch wenn sie nicht in die uns gewohnten Disziplinen eingefaßt sind. In seinen Collegejahren kann ein junger Mensch sich eine wirkliche, echte Bildungsgrundlage erwerben, oder er kann sich einfach durch sein Examen büffeln,[108] es liegt ganz bei ihm; er kann ein großer Sportheld sein, wobei das Sportliche, auch im Wettbewerb, niemals ins Militaristische ausartet, aber er kann auch ästhetische oder künstlerische Anlagen ausbilden; und diese Collegejahre sind für die große Mehrheit der Amerikaner aller Klassen und Stände die ungetrübte und paradiesische Zeit ihres Lebens, in der sie, vor dem Eintritt in den harten und brutalen Existenzkampf, frei und glücklich sind, selbst wenn sie sich nebenbei ihren Unterhalt verdienen müssen.

Dieses Verdienenmüssen ist im allgemeinen weniger plagenreich und bedrückend, als es bei uns der Fall ist. Vor allem ist es selbstverständlicher. Und es ist vollständig unbelastet von irgendwelcher sozialen Diskriminierung und Klassifizierung. Es war völlig selbstverständlich und ganz normal, daß meine Tochter in der kleinen Universitätsstadt, in der sie Musikwissenschaft studieren wollte, zweimal am Tag im einzigen Hotel des Ortes ihren *job* als Kellnerin ausübte — die Gäste bediente und Trinkgelder einnahm, um einen Teil ihres Unterhaltes aufzubringen. Es war keine Schande, und soviel ich weiß, tat sie es nicht einmal ungern, soweit nicht Geschirrwaschen damit verbunden war. Es hatte auch gar nichts Peinliches, wenn sie dort etwa einem ihrer Lehrer oder unserer Freunde und Bekannten das Essen servieren mußte. Das einzige, wovor sie Angst hatte, war, daß ich selbst sie manchmal bedrohte hinzukommen, mich als anspruchsvoller Gast an einen ihrer Tische zu setzen und sie wegen langsamer Bedienung und so weiter zu schikanieren.[109] Sie bedrohte mich dann umgekehrt damit, daß sie in einem solchen Fall zur Direktion gehen würde und erklären: „Der Herr an Tisch drei hat mich belästigt." Auf eine solche

---

[108] *büffeln* — cram.
[109] *schikanieren* — annoy.

Anklage hin kann man nämlich in Amerika sofort von der Polizei abgeführt werden. So habe ich es denn lieber bleibenlassen.

Es ist nichts Neues, daß Amerika die Heimat der Selfmademen ist, daß die Millionärslaufbahn drüben mit dem Tellerwaschen 5 beginnt und daß es dort keine Schande ist, Zeitungen verkauft zu haben. Trotzdem setzt die äußere und innere Versatilität des Amerikaners eine Lebensform und -auffassung voraus, die dem Europäer, auch dem weltbefahrenen Engländer, völlig fremd ist, weil sie nämlich, auf Anhieb,[110] gar keine Form zu sein scheint. 10 Bei uns prägt der Beruf mehr noch als der Stand und die Klasse bis zum gewissen Grad den Menschen. So kennen wir im deutschen Sprachgebrauch den „neugebackenen“ Leutnant oder den „neugebackenen“ Referendar;[111] das heißt: der Mensch ist nun in die Form des Leutnants oder des Referendars gefügt und hineinge- 15 backen, und er wird auch in ihr bleiben, selbst wenn er zum Feldmarschall oder zum Reichsgerichtspräsidenten[112] avanciert. Es ist die Lebensform des Spezialberufs, der für den Menschen nicht mehr Beschäftigung, sondern Bestimmung geworden ist und sogar seine körperliche Erscheinung beeinflußt. Die Generale v. 20 Paulus oder v. Seydlitz[113] würden auch in der Russenbluse oder Lederjacke immer noch wie deutsche Generale moderner Prägung aussehen. Die russischen Großfürsten[114] von 1918 sahen als Kellner in Berlin oder Paris immer noch wie russische Großfürsten aus. Ein französischer Weinbauer und ein französischer Kommunal- 25 beamter sind kaum zu verwechseln. Aber die Herren Eisenhower und Omar Bradley[115] würde, wenn man sie in Zivil zum ersten Male träfe und nichts von ihnen wüßte, kein Mensch jemals für

110 *auf Anhieb* — at first sight.
111 *Referendar* — title given to person who has passed the first state bar examinations.
112 *Reichsgerichtspräsidenten* — President of the Supreme Court.
113 *von Paulus; von Seydlitz* — German generals who defected to the Russians during World War II.
114 *Die russischen Großfürsten* — refers to members of the Czarist aristocracy, who, having fled Russia during the revolution of 1918, were forced to find employment in other countries in order to survive.
115 *Omar Bradley* — former Chief of Staff of the United States Army.

aktive Generale halten. Das trifft aber keineswegs nur für Militärs
zu, deren Typus sich vielleicht in dem völlig und zutiefst antimilita-
ristischen Volk Amerikas am wenigsten ausgeprägt hat. Sondern
man muß es in Amerika überhaupt aufgeben, einem Menschen
seinen Beruf oder seine Berufe, den jetzigen oder die gewesenen, 5
ansehen oder anmerken zu wollen. Man kann wohl dahinter-
kommen, wer jemand ist, aber nicht was er ist. Der Beruf hat
dem Amerikaner keinen unauslöschlichen[116] Stempel aufgedrückt
und ihn nicht in eine Form gegossen, deren Gestalt er angenommen
hätte. Und diese anscheinende Formlosigkeit war es, die uns 10
anfangs befremdete und verwirrte, bis wir begriffen, daß da eine
neue Form nach neuen Gesetzen heraufkam oder noch im Kommen
ist.

Solche elementaren Dinge aber begreift man erst an der eigenen
Haut.[117] Ich hatte in New York europäische Ärzte gesehen, be- 15
rühmte Herzspezialisten oder Gynäkologen, die mit fünfzig Jahren
noch einmal auf die Schulbank mußten und ängstlich darauf war-
teten, ob sie ihr Physikum[118] bestanden hätten und ihre Lizenz
bekämen, während die früher verwöhnte Frau zu Hause Knöpfe
auf Pappdeckel[119] nähte oder in fremde Wohnungen aufräumen 20
ging, um inzwischen die Familie zu erhalten. Ich hatte erfolgreiche
Juristen als Fabriknachtwächter und bekannte Industrielle als
Wurstverkäufer gesehen, aber bei allen war es immer nur ein
Übergang, um doch wieder ihren eigentlichen Beruf auszuüben,
in dem die meisten dann nach einigen Jahren auch gelandet sind. 25
Eines Tages aber stand ich selbst vor dem Entschluß, mein bis-
heriges Leben völlig über den Haufen zu werfen[120] und — da ich
in meinen eigensten Bezirken, denen der Literatur und des Theaters,

[116] *unauslöschlichen* — indelible.
[117] *an der eigenen Haut* — by personal experience.
[118] *Physikum* — first important examination taken by medical students.
[119] *Pappdeckel* — cardboard.
[120] *über den Haufen zu werfen* — to throw overboard.

ja unverbesserlich europäisch blieb — etwas radikal Amerikanisches
zu tun, nämlich einfach und ohne Übergang einen völlig neuen
Beruf zu ergreifen und mein Leben damit zu fristen.[121] Und von da
ab lernte ich überhaupt erst Amerika kennen. Denn man lernt ja
5 eine Welt erst kennen, wenn es aus ihr kein Zurück gibt, wenn
man sich ihr einmal mit Haut und Haaren,[122] mit Leib und Seele
einfügen[123] und vertrauen muß. Ein Zurück schien es für uns
nicht mehr zu geben. Der Krieg schien damals in seinem hoffnungs-
losesten Stadium. Hitlers Armeen beherrschten Europa, England
10 wurde Tag und Nacht gebombt, Amerika schien ungerüstet. Es
war, als würde nie mehr ein Schiff gehen. So hieß es, das Hiersein
völlig ernst zu nehmen und als etwas Endgültiges, nicht als eine
Wartezeit. So galt es, das zu tun, was man auf amerikanisch nennt:
to start all over again. Ganz von vorn anzufangen. Für Amerikaner
15 ist das nichts Ungewöhnliches. Sie können es zehnmal im Leben
tun, ohne umzukippen.[124] Und damit beginnt für den eingewan-
derten Europäer die große Lehre — und die große Liebe.

Ich wurde Farmer. Das war der einzige Beruf, zu dem ich zwar
keine Vorkenntnisse, aber Interesse und Neigung mitbrachte, der
20 einzige auch, der mir ermöglichte, wenn auch durch konstante
körperliche Arbeit, auf dem Land zu leben und eine gewisse Unabhängigkeit zu bewahren. Mein heimlicher Hintergedanke war
natürlich der gewesen, daß mir die Existenz auf einer abgelegenen
Farm auch ermöglichen würde, wieder zu schreiben, was in
25 den ersten Emigrationsjahren aus inneren und äußeren Gründen
nicht gegangen war. Ich hatte die Hoffnung, daß ich in meinen
freien Stunden, etwa an langen Winterabenden, ein Buch oder
ein Stück oder gleich mehrere und sehr viele Gedichte schreiben
könnte.

30 Ich mußte bald erkennen, daß diese freien Stunden eine reine

---

121 *mein Leben damit zu fristen* — earn enough to keep body and soul together.
122 *mit Haut und Haaren* — completely.
123 *sich einfügen* — become part of.
124 *umzukippen* — losing their balance.

Illusion waren, und daß die Kombination „Dichter und Bauer"
unabänderlich der Opernwelt angehört. Mit der Zeit habe ich
sie mir, die freien Stunden, doch erzwungen, aber fragt mich nur
nicht, wie. Buchstäblich mit blutigen Fingern, deren Nagelhaut
von Holzarbeit, Heizen und Melken aufgeplatzt war, schrieb ich 5
in mühsam gestohlenen Stunden vor Sonnenaufgang oder nach
Sonnenuntergang in all meiner Farmzeit ein einziges Stück, das
damals noch dazu für die Schublade bestimmt schien und keinerlei
Chancen hatte, am wenigsten für den Broadway. Es hieß „Des
Teufels General."[125]   10

  Nun kann Farmer und Farmer in Amerika etwas ganz Ver-
schiedenes sein. Ich will hier gar nicht vom sogenannten *gentleman
farmer* reden, der nämlich eigentlich gar kein Farmer ist, sondern
sich nur einen hält,[126] um in seinem Landhaus frische Eier auf dem
Frühstückstisch zu haben und sagen zu können: „Die sind selbst 15
gelegt." Für uns war es unmißverständlich, daß wir das werden
mußten, was man in Amerika *dirt farmer* nennt, zu deutsch gesagt
Dreckbauern, die sich die eigenen Fingernägel abbrechen und sich
mit der eigenen Mistbrühe[127] bespritzen. Aber auch unter den
selbst arbeitenden Farmern gibt es gewaltige Unterschiede, die von 20
dem Staat oder der Landschaft abhängen, in der sie ihr Glück versuchen, und von dem Kapital, das sie anfangs hineinstecken können.
Auch darin ist Amerika anders, nämlich überall anders, völlig
variabel und durchaus verschieden von der in Europa verbreiteten
Normalvorstellung, die von dem genährt ist, was man über die 25
modernen industrialisierten Riesengeschäftsfarmen in Amerika hört
oder liest. Die gibt es natürlich auch, besonders in den flachen
Staaten, in denen eine bestimmte Frucht mit motorisierten Werk-
zeugen über Meilen weg gleichmäßig angebaut und geerntet

[125] *„Des Teufels General"* — "The Devil's General," Zuckmayer's popular and
controversial postwar play (1946).
[126] *sich nur einen hält* — only keeps one.
[127] *Mistbrühe* — liquid manure.

werden kann oder die Tierzüchtung und -verwertung *en gros*[128] betrieben wird.

Es gibt auch kleinere Farmen, die man gewissermaßen als mechanisiert bezeichnen kann; so hatte sich zum Beispiel unser 5 Freund und Kollege Curt Goetz, der Schweizer Bühnenautor, in Kalifornien eine Hühnerfarm zugelegt, in der die Hennen auf Draht saßen, während ihr Trinkwasser stets frisch aus Leitungen floß, ihr Dreck in eine Rinne fiel, die man herausnehmen und auswechseln konnte, und ihre Eier auf einer elastischen Schiene 10 sanft in einen Gummibehälter rollten. Solche Farmen kann man vielleicht betreiben, ohne sich die Finger allzu schmutzig zu machen. Dann gibt es andere, wie sie auch in unserer sonst recht unzivilisierten Nachbarschaft vorkamen, in denen herrliches reinrassiges Zuchtvieh[129] auf sauberen Zementböden steht, elektrisch geladener 15 Draht die großen Weiden einsäumt und die elektrische Melkmaschine einem einzelnen Mann ermöglicht, ein Dutzend Kühe in nicht allzu langer Zeit zu entmilchen. Zu alledem gehören viele Dollars, von denen es nie ganz sicher ist, ob man sie einmal wiedersieht, wenn man sie hineingesteckt hat, und die man zuerst einmal 20 haben muß, um sie in etwas stecken zu können.

Davon war bei uns nicht die Rede. Hochherzige Freunde und ein tollkühner Verleger halfen mir zwar mit einer Anleihe aus, um die allernotwendigste materielle Basis zu schaffen, aber ich mußte ungefähr so primitiv beginnen wie ein Ansiedler in den Zeiten des 25 alten Lederstrumpf.[130] Das klingt etwas romantischer, als es sich anfaßt.[131] Wir hatten uns zur Niederlassung den Staat Vermont ausgesucht, was jedem Kenner der Verhältnisse ein Lächeln abnötigen[132] wird; denn dieser Staat gehört zu den wenigen im amerikanischen Osten, in denen es zwar eine herrliche, fast noch

---

[128] *en gros* — wholesale.
[129] *reinrassiges Zuchtvieh* — pureblooded breeding cattle.
[130] *Lederstrumpf* — "Leatherstocking," hero of James Fenimore Cooper's tales.
[131] *als es sich anfaßt* — than it is in reality.
[132] *abnötigen* — force from.

wildnishafte Wald- und Berglandschaft, kleine Seen und Forellen-
bäche, Hirsche und Bären, ursprüngliche Verhältnisse, eine eingesessene Siedlerbevölkerung und prachtvolle alte Farmhäuser
gibt — hundert bis hundertfünfzig Jahre alt, also für Amerika
uralt —, aber schlechte Verbindungen und schwere, geschäftlich 5
ungünstige, primitive Arbeitsbedingungen.

Uns zog dieser Staat, den wir im ersten Sommer schon als
Ferienbesucher kennengelernt hatten, geradezu magisch an, und
wohl nicht nur wegen seiner für uns recht heimatlichen — wenn
auch ungemein viel wilderen — Landschaft, sondern vor allem 10
durch ihre merkwürdigen, bodenständigen Bewohner,[133] die auch
für Amerika etwas Einzigartiges sind. Es gibt manche Amerikaner,
die behaupten, der Staat Vermont sei so veraltet, daß man ihn gar
nicht mehr als einen Teil des wirklichen Amerika bezeichnen könne.
Während die Vermonter ihrerseits erklären, er sei das einzige, was 15
vom wirklichen Amerika übriggeblieben ist. Es waren nämlich
diejenigen unter den frühen Siedlern, die eigensinnig genug waren,
den allgemeinen Zug nach dem fruchtbaren Westen, seinem besseren Boden, besseren Klima und größeren Erwerbsmöglichkeiten[134]
nicht mitzumachen, sondern mit Holzfeuerung und Ochsenpflug 20
die harten Winter und kurzen Sommer durchzustehen.

Das mag als Andeutung genügen, um darzutun,[135] daß es sich
bei den Vermontern um Leute von einem recht schönen Starrsinn
handelt. Auch gelten sie als besonders ablehnend gegen Fremde,
worunter man dort aber hauptsächlich die New Yorker versteht, 25
und als äußerst eigenbrödlerisch[136] und so schwer zu behandeln wie
der dortige Feldboden, in dem noch die Wurzeln des Urwalds
und die Steinbrocken aus der Eiszeit stecken. Dort fingen wir an,
eine Farm einzurichten und in Betrieb zu setzen, die eine Stunde
weit vom nächsten Nachbarn inmitten unwegsamer Wälder ge- 30

---

[133] *bodenständigen Bewohner* — inhabitants strongly attached to their native soil.
[134] *Erwerbsmöglichkeiten* — possibilities for financial gain.
[135] *darzutun* — to demonstrate.
[136] *eigenbrödlerisch* — eccentric.

legen und seit dreißig Jahren nicht mehr bewohnt worden war.
Geographisch lagen wir ziemlich nah an der Grenze des östlichen
Kanada; im Winter sank die Temperatur manchmal bis zu 45 Grad
unter Null, nach europäischen Maßen, und der Schnee türmte sich
5 meterhoch; die Sommer waren schön und manchmal fruchtbar,
wenn es nicht zu früh fror oder zu spät zu frieren aufhörte.

Die ersten zweieinhalb Jahre habe ich die Farm nicht einen Tag
verlassen. Dürfte ich hier mehr von diesem gewaltigen Abenteuer
und seinen Mühsalen, Rückschlägen und Aufschwüngen erzählen,
10 und wie gern würde ich es tun, dann müßten wir die Nacht hier
zusammen bleiben. So aber will ich mich auf das Menschentum
beschränken, das ich bei diesem jahrelangen Leben unter Farmern,
Holzfällern, Kleinstädtern und Landleuten so kennenlernte, wie es
mir nie unter anderen Umständen möglich gewesen wäre. Denn
15 wir waren ja jetzt nicht mehr Besucher, Zugvögel[137] oder Fremd-
linge, sondern Nachbarn, die mit ihren Nachbarn auf gleich und
gleich[138] zu leben hatten. Jeder Tag, jede gemeinsame Holzarbeit,
jeder Einkauf, jeder Besuch im Dorf war eine große Lehre. Amerikaner, besonders Vermonter, sind nicht vorschnell mit ihrer Freund-
20 schaft und ihrem Vertrauen. Sie betrachten einen Fremden, der in
ihrem Land bleiben will, zwar ohne Vorurteil, aber mit Vorsicht.
Eine gesunde Skepsis bewahrt sie vor Enttäuschungen. Man erwartet von dem Unbekannten weder Gutes noch Schlechtes, sondern
man wartet ab. Diese Zeit des Abwartens hatten wir zu bestehen
25 wie eine Probe im Märchen. Man wußte ja nicht, wes Geistes Kind
wir waren,[139] und vor allem, ob wir es wirklich schaffen würden,
unter den schwierigen Bedingungen hier auszuharren[140] und durch-
zukommen. Darin lag für die Leute dort der wesentliche Beweis,
ob man zu ihnen passen würde oder nicht. So schauten sie uns im

---

137 *Zugvögel* — birds of passage.
138 *auf gleich und gleich* — on equal terms.
139 *wes Geistes Kind wir waren* — what sort of people we were.
140 *auszuharren* — to hold out.

Anfang zu, mit einer gewissen Freundlichkeit, und hielten sich zurück.

Auch wir hielten uns zurück und vermieden es, uns ein- oder aufzudrängen. Als im dritten Sommer zwei Männer aus dem Ort zu mir kamen, um mich nach einem kleinen Trunk und einem 5 Gespräch über das Wetter aufzufordern, der *local grange* beizutreten, der über ganz Amerika ausgebreiteten Farmervereinigung, die in jedem Ort ihre besondere Zweiggruppe hat, da bedeutete das mehr, als wenn der Präsident mich zum Ehrenbürger ernannt hätte oder die UN mich zum Weltpräsidenten ausgerufen. Aber schon in der 10 ersten Zeit der gegenseitigen Zurückhaltung begriffen wir einiges Grundsätzliche und höchst Erstaunliche über das unbekannte amerikanische Menschentum.

Es bestand zunächst in der völligen Abwesenheit gewisser Züge, die uns in Europa in ähnlicher Situation bös und bitterlich auf- 15 stoßen könnten.[141] Vor allem: im Fehlen der Schadenfreude,[142] die übrigens die englische Sprache auch nicht als Wortbildung kennt. Niemals hatte man den Eindruck, es würden sich die andern, die eingesessenen und gelernten Farmer, ins Fäustchen lachen[143] oder amüsieren, wenn einem etwas mißglückt, weil man es noch nicht 20 versteht und keine Erfahrung hat. Genau das Gegenteil war der Fall. Der Amerikaner ist eben in seiner ganzen Geschichte immer gewohnt gewesen, jederzeit selbst in die Lage kommen zu können, in der er Neues beginnen und neue Erfahrungen machen muß. Er respektiert den Versuch eines noch Unbewanderten oder Unge- 25 schickten, sich ein Geschick[144] zu erwerben, das ihm nicht angeboren oder durch Erziehung mitgegeben ist. Sein Zuschauen besteht nicht darin, daß er sich grinsend die Hände reibt, wenn der andere versagt, sondern daß er ihm im rechten Augenblick einen Rat

---

[141] *bös und bitterlich aufstoßen könnten* — would anger and repel us.
[142] *Schadenfreude* — enjoyment of another's misfortune.
[143] *ins Fäustchen lachen* — laugh up their sleeves.
[144] *Geschick* — skill.

gibt, den man nutzen kann oder nicht. Das ist dann die eigene
Sache. Nie wäre mir im ersten Sommer ein Hälmchen auf meinem
Maisfeld herausgekommen, wenn mir nicht gerade noch vor dem
Aussäen ein Nachbar gesagt hätte, daß man die Saatkörner in
5 diesem Land in einer bestimmten, der Pflanze unschädlichen Teerlösung[145] wälzen muß, die sie klebrig macht, weil sie sonst von
den im Frühling einfallenden Krähen- und andern Wildvogel-
schwärmen aufgefressen werden. Ich könnte hundert solcher Beispiele aufzählen. Der gleiche eingesessene Farmer aber wird von
10 dem Neuling und Anfänger, der sich mit allerlei Büchern und
wissenschaftlichen Methoden befaßt hat, gern und ohne Hochmut
einen Rat annehmen, wie man sich gewisser Hühnerkrankheiten
besser erwehren kann, als es hierzulande der Brauch ist.

Die gegenseitige Hilfe, die natürliche und naturbedingte[146] Nach-
15 barlichkeit ist ein Grundzug des amerikanischen Wesens und einer,
von dem wir viel zu lernen haben.

Und es ist noch etwas: der Mann, der dir in einer schwierigen
Situation geholfen hat, rechnet nicht auf deine ewige Dankbarkeit.
Sondern er findet es nur selbstverständlich, daß du im umgekehrten
20 Fall das gleiche tun würdest. Der Nachbar, den du aus dem Bett
holst, weil dir dein Auto im Schneeschlamm steckengeblieben ist
und er das seine vorspannen muß, um dich herauszuziehen, wird
weder schimpfen noch fluchen, aber er wird ohne Hemmung bei
dir anklopfen, wenn ihm das gleiche passiert. Du kannst dich auf
25 ihn verlassen, und er verläßt sich auf dich.

Aus dieser einfachen und klaren Beziehung der Nachbarschaft
in einem weiten, immer noch mit seinen Naturkräften ringenden
Land wächst der Kern und der Grundstock des amerikanischen
Gesellschaftslebens. Ich meine natürlich nicht die Gesellschaft der
30 *Fifth Avenue* oder des bostonischen *social register,* des amerikanischen
Gotha,[147] ich meine die *small community,* die kleine Gemeinde, die

---

145 *Teerlösung* — tar solution.
146 *naturbedingte* — conditioned by nature.
147 *Gotha* — semi-official register of German nobility.

sich durch alle Staaten auf dem Land als die Zelle der nationalen
Gemeinschaft erhalten hat und das moralische, zum Teil auch das
wirtschaftliche Rückgrat des Volkes bildet. Denn sie ist nur bedingt
abhängig von den großen Schwankungen der Börse[148] und des
Welthandels, sie wird auf ihre Art immer lebenskräftig bleiben 5
und liefert dem Land nicht nur einen bestimmten Prozentsatz
seiner vitalsten Produkte, sondern vor allem ein Reservoir von
innerlich gefestigten, in ihrem Denken und Fühlen kerngesunden
Menschen.

An der kleinen Gemeinde zerbrechen alle Generalurteile und 10
Vorurteile über den „Amerikanismus," die Dollarjagd, die Vermassung[149] und vor allem über die amerikanische Frau. Denn auch
unsere Durchschnittsvorstellung von der amerikanischen Frau entstammt einer Magazin- und Filmversion ihres Wesens, die an der
Oberfläche bleibt. Ich persönlich stehe auf dem Standpunkt, daß 15
es an den Männern liegt,[150] am Mann in seinem erotischen Verhalten zur Frau, wie die Frau sich ihrerseits zum Mann einstellt,
verhält und gebärdet. Natürlich gibt es drüben den bekannten
Frauentypus, der den Mann als Arbeitstier betrachtet, der für die
Frau keine Zeit hat oder sie sich als rauhes Genußmittel leistet und 20
der das Kind als lästiges Anhängsel[151] oder, nach Laune, als lustiges
Spielzeug ansieht. Aber es steht, in Vergangenheit und Gegenwart,
von den Frauen, die in den Ochsenwagen mit ihren Männern
westwärts zogen, bis zu denen, die im letzten Krieg an der Drehbank schafften oder auf der einsamen Farm ihre Früchte einkochten, 25
eine Frau als Kameradin und Helferin neben dem Mann, deren
seelische Noblesse und gleichmütige Lebenstapferkeit[152] dadurch
nicht geringer wird, daß sie gern die Nägel färbt, eine Dauerwelle
trägt und überhaupt hübsch und gepflegt auszusehen und zu riechen

---

[148] *der Börse* — of the stockmarket.
[149] *die Vermassung* — mass production.
[150] *daß es an den Männern liegt* — that it depends on the man.
[151] *lästiges Anhängsel* — bothersome encumbrance.
[152] *Lebenstapferkeit* — courageous attitude towards life.

liebt. Auch das ist ein Thema, über dem wir leicht eine Nacht zusammen verbringen könnten. Ich kann nur sagen, daß ich nicht nur als alter europäischer Kavalier, sondern als jemand, der drüben mit ihnen zu rechnen hatte — und man hat sehr mit ihnen zu
5 rechnen —, die amerikanischen Frauen aufs heftigste gegen die einseitige Verzeichnung, in der man sie zu sehen gewohnt ist, verteidigen muß.

Zwei andere entscheidende Charakterzüge Amerikas, man kann ruhig sagen des Großteils der einfachen Bevölkerung, heißen: To-
10 leranz und Ehrlichkeit. Ich weiß, daß das für manche Leute paradox oder unglaubhaft klingen mag, die von der sicherlich existierenden Rassendiskrimination, vom Gangstertum, von der Unsicherheit in Städten und von betrügerischen Geschäftsleuten gehört haben. Das alles gibt es, aber es gibt eine andere Grundgesinnung,[153] die nicht
15 nur für das platte Land[154] charakteristischer, sondern auch dauerhafter ist. Fünf Jahre lang stand meine *mailbox,* ein offener, aus Blech gemachter und auf einen Pfahl aufgenagelter Landbriefkasten, an der Ecke der Überlandstraße, die, etwas über eine Meile von meiner Farm entfernt, den einsamen Waldweg kreuzt. Jeden
20 Nachmittag legte die Postbesorgerin, die mit ihrem Auto dort vorbeikommt, nicht nur die Post und Pakete, sondern alle möglichen Dinge, die man aus der nächsten Kleinstadt durch sie bestellt hatte, sogar Bier- oder Whiskyflaschen, dort ab. Manchmal hatte ich erst am Abend, manchmal erst am nächsten Tag Zeit, die
25 Sachen abzuholen und sie in meinem Tragkorb[155] bergauf zu schleppen. Nicht ein einziges Mal hat auch nur ein kleiner Gegenstand gefehlt, obwohl mancher fremde Wagen die Landstraße entlangfährt. Durch ganz Amerika hindurch findet man überall diese *US mailboxes* der Farmer an Straßenkreuzungen oder den

153 *Grundgesinnung* — basic principle.
154 *platte Land* — open country.
155 *Tragkorb* — basket [carried on the back].

Abzweigungen[156] der *driveways,* die zu den Höfen führen. Auch ist es ganz selbstverständlich, daß man auf dem Land — besonders in den wilden und einsamen Gegenden — sein Haus unverschlossen läßt, wenn man es eine Zeitlang allein läßt. In der Sierra Nevada fand ich ein einsames Blockhaus, das einem Jäger gehörte, der auf ein Dutzend Meilen im Umkreis keinen Nachbarn hatte. An der Tür war ein Zettel angeheftet, auf dem die entschuldigenden Worte standen: „Bin zwei Tage fort; mußte abschließen, weil Bären die Tür aufdrücken. Schlüssel liegt unter dem großen Stein. Kaffee und Zucker im Wandschrank neben dem Herd. Bitte Feuer auslöschen, falls jemand eins anzünden muß." Wenn man im Jahre 1938 aus Mitteleuropa kam, hatte die Lektüre einer solchen Aufschrift etwas Erfrischendes.

Ich will Ihnen ein einziges Beispiel erzählen, das die Toleranz in einer kleinen Gemeinde andeutet: In unserem Nachbardorf lebte ein Mann, der vor etwa einem Jahrzehnt in einem Anfall von Trunksucht sein eigenes Haus angezündet hatte, in dem sich auch ein versicherter kleiner Laden befand. Seine Familie hatte er dabei zum Zweck ihrer Ausrottung[157] in den Keller gesperrt. Gewiß keine sehr rühmliche Tat. Der Brand wurde gelöscht, der Mann zu ein paar Jahren Zuchthaus verurteilt. Als er herauskam, trank er immer noch, aber nur von Zeit zu Zeit, und beschränkte sich dann darauf, unbeliebte Ortsbeamte zu verprügeln, ohne weiteren Schaden zu stiften. Man konnte als Neuankömmling aber jahrelang in diesem Ort leben und verkehren, ohne daß je ein anderer Dorfbewohner einem diese Geschichte erzählt oder etwas Ungünstiges über diesen Mann gesagt hätte. Als ich bei einem bestimmten Anlaß später davon erfuhr, sagte ein Nachbar zu mir: „Der Mann hat etwas angestellt, er hat auch dafür gesessen,[158] nun muß man ihm

---

[156] *Abzweigungen* — turn-offs.
[157] *Ausrottung* — extermination.
[158] *er hat auch dafür gesessen* — he also went to jail for it.

halt eine neue Chance geben. Wenn er trinkt, ist er schlimm, wenn er nüchtern ist, ist er ein tüchtiger Arbeiter — man muß ihn nehmen, wie er ist."

Was aber entscheidend war: dieser Mann hatte Kinder, und die
5 Kinder gingen in die Gemeindeschule, während ihr Vater im Zuchthaus saß und nachdem er wieder herausgekommen war. Nun, ich weiß wohl, was es für ein europäisches Kind heißen würde, Sohn oder Tochter eines Zuchthäuslers zu sein. Auch wenn es genug anständige Menschen gäbe, die es das Kind nicht entgelten
10 lassen wollen.[159] Dort aber war es so, daß die Kinder es nicht einmal erfahren haben, da sie noch zu klein waren, als die Sache passierte. Man hielt es für fair und richtig, ihr Empfinden nicht damit zu beschweren oder zu verletzen, man traf eine stillschweigende Übereinkunft,[160] nie davon zu sprechen, und man tat es
15 einfach nicht, auch unter den andern Kindern. Diese Dinge lassen sich nicht erzwingen oder dekretieren. Sie müssen schon wurzelhaft im Charakter eines Volkes stecken.

Und dies ist für mein Gefühl eben die einzigartige menschliche Leistung Amerikas, daß es gerade in seinem riesigen Völkergemisch
20 und im Zug seiner höchst realistischen, harten, ja oft brutalen Geschichte solche Züge in seinem Grundcharakter entwickelt hat, von denen man wenig spricht, weil sie sich eigentlich von selbst verstehen. Vielleicht erklären diese kärglichen[161] Beispiele, die zu einer beliebigen Fülle[162] erweitert werden könnten, was ich vorher
25 damit meinte, wenn ich von dem gesunden Herzen Amerikas sprach.

Hätte ich nur Zeit, von den ebenso unbekannten, ebenso anderen Stilelementen[163] Amerikas, von der ihm eigenen unbekannten

---

[159] *die es das Kind nicht entgelten lassen wollen* — who do not want to have the child suffer for it.
[160] *man traf eine stillschweigende Übereinkunft* — people came to an unspoken agreement.
[161] *kärglichen* — scanty.
[162] *zu einer beliebigen Fülle* — to any desired degree.
[163] *Stilelementen* — typical components.

Schönheit zu sprechen, die sich unter allen mechanistischen Genormtheiten und zivilisatorischen Geschmacksgreueln[164] ihre merk-
würdige und unscheinbare Bahn bricht.[165]

Ja, es ist wahr, in Amerika ist vieles scheußlich, besonders für
unsern europäischen Geschmack und unser kulturelles Bewußtsein. 5
Es ist wahr, daß ein Teil des intellektuellen Lebens aus oberfläch-
lichem Gefrage und Gerede[166] besteht — aber es schadet nichts;
denn ein echter Wissensdrang, ein legitimes Verstehenwollen der
Welt, kämpft sich darunter vor.

Es ist wahr, daß die Berufspolitik, die Beeinflussung durch die 10
fachmäßigen[167] Columnisten, die durchschnittliche Schriftstellerei
und die durchschnittliche Gebarung[168] des Literatur- und Buch-
marktes eine Trivialisierung und Verflachung des Denkens und
Fühlens verschulden — aber auch das schadet nichts; denn ein
gesunder Kritizismus, ein Drang zu echter selbständiger Rechen- 15
schaft und eine trotzige, produktive Individualgesinnung setzt sich
immer wieder dagegen durch.

Es ist auch wahr, leider wahr, daß dieses hochzivilisierte Land,
mit all seinen großen Städten, kein nationales Theater hat, und,
von Ausnahmen abgesehen, überhaupt kein wirkliches Theater, 20
sondern nur ein *show-business,* aber es gibt die ungemein fruchtbaren und lebendigen Ansätze[169] in College- und Schultheatern,
es gibt kleine Sommerbühnen, die anderes versuchen, und es gibt
junge Menschen, die es besser machen könnten. Wäre ich ein
junger Amerikaner, ich würde das amerikanische Theater vom 25
Stück her[170] revolutionieren, daß es in allen Fugen kracht und aus

---

[164] *Genormtheiten und zivilisatorischen Geschmacksgreueln* — standardization and the
terribly tasteless products of civilization.
[165] *Bahn bricht* — forces its way.
[166] *Gefrage und Gerede* — small talk.
[167] *fachmäßigen* — professional.
[168] *Gebarung* — attitude.
[169] *Ansätze* — beginnings.
[170] *vom Stück her* — from the ground up.

allen Ritzen dampft.[171] Da ich aber keiner bin, muß ein anderer
kommen, der das macht, oder mehrere andere, und ich glaube, es
wird keine dreihundert Jahre mehr dauern, dann hat Amerika seine
eigene, ganz neue, nicht aus den Restbeständen Europas ausgeliehene
5 Theaterkultur. Wir können darauf nicht warten. Aber was sind
dreihundert Jahre, was sind 3000 Meilen dort, wo der alte Walt
Whitman[172] mit seinen beiden Händen die Ozeane streichelte, den
pazifischen zur rechten, den atlantischen zur linken, in seinem
ungeheuren Lebens-, Freiheits- und Zukunftsbewußtsein.

10 Es ist auch wahr, daß die heutige amerikanische Jugend den alten
Walt Whitman langweilig und überlebt findet, aber auch das
schadet nichts, denn sie wissen nur nicht, wieviel sie von seinem
Lebensgefühl und seinem großen schweifenden[173] Rhythmus einfach als Natursubstanz in sich tragen.

15 Es ist wahr, daß es, im Süden besonders, Negerdiskrimination
gibt und einen ganz krautstarken, saftigen[174] Antisemitismus in
weiten Kreisen des Volkes, und das schadet ganz gewiß etwas; es
ist sogar eine Schande, für die ich mich heute ebensosehr schäme,
wie ich mich im Jahre 1933 für die Nazis geschämt habe. Aber
20 Amerika enthält nicht nur in seinen besseren Exemplaren, die es
Gott sei Dank als Mehrheit auch unter den Deutschen gab, sondern
in seiner Grundstruktur, in seinem eigentlichsten Wesen, in seinen
Herzkammern und in seinem politischen Rüstzeug[175] die Waffen
und die Munition, um dieses Übel zu bekämpfen und immer
25 wieder zu bekämpfen. Es gibt soziale und politische Mißstände
genug, es gibt Verbrechen gegen die Menschlichkeit und gegen
die Gesellschaft, es gibt Bürokratie und Papierkrieg, es gibt Machtgier und Eigensucht, es gibt Versuche der Verfinsterung und der
Unterdrückung, aber es gibt eine heilige Kraft in diesem Volk, die

---

171 *daß es in allen Fugen kracht und aus allen Ritzen dampft* — so that all its joints
would creak.
172 *Walt Whitman* — American poet (1819–1892).
173 *schweifenden* — swelling.
174 *krautstarken, saftigen* — stubborn and unpleasant.
175 *Rüstzeug* — armor.

es im Beginn und im Zug seines Werdens selbst in sich entzündet hat,[176] und die wird und muß immer wieder gegen das menschlich Schlechtere und für das menschlich Bessere zum Kampf antreten, vor allem innerhalb seiner eigenen Grenzen. Denn darin liegt seine Überlieferung, seine Bestimmung, sein Auftrag.

Dies ist gewiß kein Propagandavortrag für Amerika. Ich glaube nicht an Propaganda. Ich bin sogar der Meinung, daß alle Völker, Rassen, Nationen, Gruppen, Ideen auf der Welt besser fortschreiten und weiter kommen würden, wenn man aufhören würde, für sie Propaganda zu machen. Denn Propaganda bedeutet ja immer, daß man eine Sache ein bißchen besser machen will als sie ist, und zwar zuungunsten[177] oder auf Kosten einer andern.

Nichts liegt mir ferner, als Amerika auf Kosten oder zuungunsten Europas herausstreichen zu wollen. Denn ich bin ja selbst ein geborener, ausgewachsener und eingefleischter Europäer. Aber Amerika hat mir die Chance gegeben, in meiner Arbeit, in meinem Denken, Fühlen und Schaffen, in meinem Lieben und Hoffen, kurz: im Kern meines Wesens europäisch — ja durchaus deutsch — zu bleiben und doch in seinem Boden Wurzel zu schlagen und auf diesem Boden selbst in härtesten Zeiten ein freier Mensch zu sein — ein Nachbar in einem nachbarlichen Land. In einem Land, dessen Leidenschaft und dessen Abenteuer die Zukunft ist, und das zu unserer europäischen Zukunft unlösbar dazu gehört nicht als unser Beherrscher, sondern als unser Weggenosse. Denn dieses Amerika, von dessen Wirklichkeit ich heute sprach, ist nicht besser, nicht schlechter, nur anders als unsere Länder, aber wir brauchen es nicht in Gegensatz zu uns, auch nicht zu andern Mächten, zu stellen. In

---

[176] *es gibt Bürokratie und Papierkrieg, es gibt Machtgier und Eigensucht, es gibt Versuche der Verfinsterung und der Unterdrückung, aber es gibt eine heilige Kraft in diesem Volk, die es im Beginn und im Zug ihres Werdens selbst in sich entzündet hat* — there is bureaucracy and red tape, there is greed for power and selfishness, there are attempts to spread obscurantism and oppression, but there is a sacred strength in this people which it ignited in itself at its beginnings and which is still burning.

[177] *zuungunsten* — to the disadvantage.

unseres Vaters Haus sind viele Wohnungen,[178] und es gibt keinen
Grund, daß man sie, ihrer verschiedenen Einrichtung halber, einander zerstört oder verbrennt. Amerika ist anders — und es ist
doch, in einer bestimmten Tiefenschicht,[179] allen Ländern der Erde
5 verwandt — in jener Schicht nämlich, wo die menschliche Ursprache gesprochen wird, in der Ja Ja heißt und Nein Nein. Und
von seinen Einwohnern kann ich zum Abschluß das Wort sagen,
das der alte Lederstrumpf seinem Freund Chingachgook, dem
Mohikanerhäuptling, aufs Grabmal setzte:

10   Er hatte die Fehler seines Volkes
    und die Tugenden eines Menschen.

FRAGEN

1. Was darf man nicht trennen, wenn man ein Volk kennenlernen
   will?
2. Was meint Zuckmayer, wenn er sagt: „Amerika ist anders"?
3. Woher bekommt ein Europäer meistens seine Einschätzung
   Amerikas?
4. Wer war, Zuckmayers Meinung nach, daran schuld, daß er
   auswandern mußte?
5. Warum waren Zuckmayer und Werfel in Zürich?
6. Unter welchen Umständen war Zuckmayer bereits früher in
   Zürich gewesen?
7. Warum wollte Zuckmayer zuerst nicht nach Amerika?
8. Wieso hat der Morgen in der Bodega Zuckmayer viel gekostet?

178 *In unseres Vaters Haus sind viele Wohnungen* — "In my [our] Father's house are
many mansions." [John, xiv: 2].
179 *Tiefenschicht* — level.

9. Wie kam Zuckmayer endlich nach Amerika?

10. Was meint Zuckmayer, wenn er von der „Neuen Welt" spricht?

11. Wie unterscheidet sich die Lage des Ausländers in Frankreich und England von der des Ausländers in Amerika?

12. Warum respektiert der Amerikaner den „harten Weg"?

13. Welche Wirkung hat die Vitalität Amerikas auf jeden Menschen?

14. Wie begrüßt Amerika einen Neuankömmling?

15. Was wird von einem Einwanderer in Amerika nach der ersten Begrüßung erwartet?

16. Was fühlen viele neuangekommene Europäer?

17. Was für Leute wanderten früher nach Amerika aus?

18. Warum sahen die zurückbleibenden Europäer oft auf die Auswanderer herab?

19. Auf welchem Gebiet findet Zuckmayer, daß Amerika sich am meisten von Europa unterscheidet?

20. Auf welchem literarischen Gebiet ist Zuckmayer in Hollywood berühmt?

21. Warum wurde Zuckmayer nach Hollywood gerufen?

22. Warum paßte sich Zuckmayer Hollywood nicht an?

23. Was mochte Zuckmayer an Südkalifornien nicht gern?

24. Was für eine Stellung fand er, nachdem er Hollywood verlassen hatte?

25. Wem begegnete Zuckmayer im *Workshop* zum ersten Male?

26. Welchen Zug der Jugend Amerikas schätzt Zuckmayer besonders?

27. Worin liegt ein Teil der Schwäche und Stärke Amerikas?

28. Wie betrachtet der Europäer die Bildung?

29. Erwähnen Sie noch einige Eigenschaften der jüngeren Generation in Amerika, die Zuckmayer beeindruckt haben!

30. Was ist für Zuckmayer das eigentliche amerikanische Ideal?

31. Was wird im amerikanischen Schulwesen überschätzt?
32. Als was betrachtet Zuckmayer die Collegejahre des jungen Amerikaners?
33. Wie hat Zuckmayers eigene Tochter ihren Lebensunterhalt verdient?
34. Warum ist der „Beruf" in Europa so wichtig?
35. Inwiefern ist das in Amerika anders?
36. Zu welchem Entschluß kam Zuckmayer eines Tages?
37. Was kann ein Amerikaner immer wieder im Leben tun?
38. Warum wurde Zuckmayer Farmer?
39. Was hoffte er, in seiner freien Zeit zu leisten?
40. Was hat Zuckmayer in seiner Farmzeit schreiben können?
41. Wo hat sich Zuckmayer in Amerika niedergelassen?
42. Warum zog gerade dieser Staat ihn an?
43. Was ist, nach Zuckmayer, eine Haupteigenschaft der Vermonter?
44. Wie betrachten die Vermonter einen neuangekommenen Fremden?
45. Wie wurde Zuckmayer schließlich nach zweieinhalb Jahren von den Nachbarn betrachtet?
46. Warum kamen eines Tages zwei Farmer, um Zuckmayer zu besuchen?
47. Von welchem Zug des amerikanischen Wesens kann der Europäer viel lernen?
48. Woher entstammt die europäische Vorstellung von der amerikanischen Frau?
49. Was sind zwei fernere wichtige Charakterzüge Amerikas?
50. Was hatte man nie in der Gegenwart der Kinder des Zuchthäuslers erwähnt?
51. Was täte Zuckmayer für das Theater, wenn er ein junger Amerikaner wäre?
52. Was versteht Zuckmayer unter dem Wort „Propaganda"?
53. Welche Chance hat Amerika Zuckmayer gegeben?

Appendices

GEOGRAPHICAL LOCATIONS
AND PLACE NAMES

Bagirmi—the province which makes up the western section of the
Chad territory in French Equatorial Africa.

der *Baikalsee*—Lake Baikal, which is located in eastern Siberia.

Benares—city in northeastern India.

Bern—capital of Switzerland.

Bombay—city on western central coast of India.

Bornu—Northeastern province of Nigeria.

Cairo—capital of Egypt.

Chartum—Khartoum, city in the Sudan.

der *Chasseral*—the name of a mountain in the Swiss Jura Mountains.

Dâr-Fûr—West central province of the Sudan.

El Orde—a city on the Nile in the northern part of the Sudan.

Frankreich—France.

der *Genfer See*—Lake of Geneva.

Hamburg—large port city on the Elbe in northern Germany.

Himavat—the Himalayan mountain system.

der *Jura*—the Jura Mountains (in France and Switzerland).

Kamerun—the Cameroons, French colony (formerly German) in
West Africa.

Köln—Cologne, city in west central Germany on the Rhine.

Köpenick—the name of a southeastern section of the city of Berlin.

Kordofan—a plateau in the central section of the Sudan.

Korosko—Kurusku, Egyptian city on the upper Nile.

Mont Crosin—a peak in the Jura mountains.

Montreux—a city on the western end of the Lake of Geneva in Switzerland.

der *Nil*—the Nile River.

die *Nordsee*—the North Sea.

Österreich—Austria.

Preston—English city north of Liverpool.

Preußen—Prussia.

Pyrenäen—the Pyrenees Mountains.

Rußland—Russia.

St. Immer—a small city northwest of Bern in the Swiss Jura Mountains.

die *Schweiz*—Switzerland.

der *Schweizer Jura*—the Swiss Jura Mountains in the southwestern section of Switzerland.

Shandon—a small city in central Scotland.

Smolensk—Russian city southwest of Moscow.

Spanien—Spain.

Tunis—Tunisia, former French protectorate in North Africa.

die *Vereinigten Staaten*—the United States.

Villeneuve—small city on the Lake of Geneva in Switzerland.

Wladiwostok—Russian port near the borders of Korea and Japan.

Wadai—the province which makes up the northeastern section of the Chad territory in French Equatorial Africa.

Zürich—city in northern Switzerland.

The following words have been omitted from this vocabulary:

1. articles, pronouns, numerals, days of the week, and names of the months.
2. the first 500 words of the frequency list.
3. compounds of these first 500 words.
4. obvious cognates.
5. words the meaning of which, in the editor's view, should be readily apparent to intermediate students from context.
6. a considerable number of unusual words which are given in the footnotes.
7. all geographical names and places which, with the exception of the most obvious ones, will be found in an appendix immediately preceding the vocabulary.
8. most of the words which appear in the translation of phrases or sentences in the footnotes.

Plurals of nouns and vowel changes of strong verbs are given in the usual manner. Where no plural is given, it is either non-existent or rare. The genitive singular of weak masculine and irregular nouns is given. Separable prefixes of verbs are set off with dots. Word families are given in groups, except where this practice would make for unwieldiness.

VOCABULARY

ab off; **ab und zu** now and then
ab·brechen break off, interrupt; **der Abbruch,** *ü*e breaking off
ab·drehen turn away
ab·drücken fire
der Abendschatten, - evening shadow
das Abenteuer, - adventure
abergläubisch superstitious
sich ab·finden, a, u come to terms
ab·führen arrest, take away
der Abgang, *ü*e departure; **abgehen, i, a** go off
abgelegen remote
abgesehen von apart from
ab·grenzen limit
der Abhang, *ü*e steep slope
ab·hängen depend on; **die Abhängigkeit** dependence
ab·holen call for, fetch, pick up
ab·legen deliver
ab·lehnen decline, refuse, avert; **ablehnend** reserved; **die Ablehnung, -en** rejection
ab·lesen, a, e read off
ab·nehmen, a, o take off, take away
ab·reiben, ie, ie rub down
die Abreise, -n departure; **ab·reisen** depart
ab·schaffen dismiss, discharge, abolish
ab·schätzen estimate, appraise

ab·schließen, o, o finish, lock, close, settle, seclude, withdraw; **der Abschluß,** *ü*e conclusion
ab·schneiden, i, i cut off
ab·schrecken frighten
ab·schreiben, ie, ie copy
ab·schwellen, o, o decrease
ab·setzen depose
die Absicht, -en intention
ab·sperren barricade, shut off
sich ab·spielen take place
ab·stammen be descended from, come from
der Abstand, *ü*e interval
ab·sterben, a, o die off
der Abteil, -e compartment; **die Abteilung, -en** division, section, department
ab·tragen, u, a carry off, away
ab·tun, a, a get rid of
ab·warten await, wait for
die Abwechslung, -en change
ab·wehren ward off, fight off
die Abwesenheit, -en absence
ab·ziehen, o, o divert, turn off
ab·zielen auf aim at
achselzuckend with a shrug
achten heed, respect, pay attention to; **sich in Acht nehmen** watch out
ächzen groan

233

der **Adel** nobility; **adlig** noble

der **Affe, -n, -n** monkey

ahnen suspect, feel

die **Ahnengalerie, -n** ancestral gallery

ähnlich similar

die **Ahnung, -en** presentiment, suspicion, idea; **ahnungslos** unsuspecting

die **Allee, -n** walk

allein alone, but, however

alleinstehend single, unmarried

allerdings to be sure, of course, by all means

allerlei all kinds of

allernotwendigst most necessary

allgemein general

allmählich gradually

alltäglich everyday, commonplace

allzusehr all too much

als than, as, when

alsbald forthwith, thereupon, immediately

das **Alter, -** age

amtlich official; das **Amthaus,** ᵘer administration building; das **Amtszimmer, -** office

an·bauen cultivate

an·bellen bay at

an·beten worship; die **Anbetung, -en** adoration

an·bieten, o, o offer

an·blicken look at

an·bringen, a, a make, place

die **Andacht, -en** devotion

andererseits on the other hand

ändern change; **anders** in another manner, otherwise, different

anderthalb one and a half

an·deuten intimate, indicate; die **Andeutung, -en** indication

an·drehen turn on

sich **an·eignen** assimilate, appropriate

anerkennen, a, a recognize; die **Anerkennung** recognition

an·fahren, u, a arrive

der **Anfall,** ᵘe fit, attack

der **Anfänger, -** beginner, novice; **anfangs** in the beginning, at first

an·fertigen make, manufacture

die **Anforderung, -en** demand

die **Anfrage, -n** inquiry

der **Anführer, -** leader

angeboren innate, inborn

das **Angebot, -e** offer

an·gehen, i, a concern

angehören belong to; der **Angehörige, -n, -n** member

die **Angelegenheit, -en** affair

angenehm pleasant

angesichts in the face of

der **Angriff, -e** attack

die **Angst,** ᵘe fear; **Angst haben** be frightened; **ängstigen** frighten; **ängstlich** distressed, alarmed, scrupulous; **angstvoll** fearful

an·halten, ie, a last, persist, stay, check, stop

an·heben, o, o commence, begin

an·heften stick on

sich **an·hören** sound

der **Ankauf,** ᵘe purchase

die **Anklage, -n** accusation, complaint

an·klopfen knock at the door

an·kommen, a, o arrive; der **Ankömmling, -e** newcomer, stranger

ankündigen announce

die **Ankunft,** ᵘe arrival

die **Anlage, -n** tendency, predisposition

an·langen arrive at, reach

der **Anlaß,** ᵘe cause, occasion

an·lassen, ie, a rebuke

an·laufen, ie, au go against

die **Anleihe, -n** loan, advance

an·locken attract, allure

sich an·melden give one's name

an·merken perceive

an·nehmen, a, o accept, assume

an·ordnen order

sich an·passen adapt oneself

der Anruf, -e call, shout; an·rufen, ie, u call

an·rühren touch

an·schauen look at

anscheinend apparent

sich an·schicken set about, begin, prepare for

der Anschlag, ⁰e plot, attempt

an·schließen, o, o attach to; sich an·schließen follow; der Anschluß, ⁰e connection

an·schreien, ie, ie shout at

an·sehen, a, e look at

ansehnlich important, eminent

an·setzen fix, set

die Ansicht, -en opinion; ansichtig werden get sight of, catch sight of

der Ansiedler, - settler; die Ansiedlerzeit colonial times

an·springen, a, u jump on

der Anspruch, ⁰e claim; in Anspruch nehmen occupy; anspruchsvoll demanding

anständig respectable, decent

an·starren stare at

an·stecken light

an·steigen, ie, ie mount, ascend

an·stellen arrange, do

an·stoßen, ie, o nudge

die Anstrengung, -en exertion, effort

das Antlitz, -e face

an·treten, a, e begin, set out on, enter upon

der Antrieb, -e drive

anvertrauen entrust to

der Anverwandte, -n, -n relative

an·wachsen, u, a swell, grow to

an·wenden employ, use; die Anwendung, -en application

an·zeigen announce, advertise

an·ziehen, o, o dress, lure

an·zünden light, set fire to

die Apotheke, -n dispensary, apothecary's shop, pharmacy; der Apotheker, - pharmacist

die Arbeitsbedingungen working conditions

die Arbeitsstätte, -n work room; das Arbeitszimmer, - office; die Arbeitsweise, -n method

arg bad

ärgerlich vexed, annoyed; sich ärgern lose one's temper

arm poor

die Armlehne, -n arm rest, arm of a chair

der Armleuchter, - candelabra

armselig wretched, miserable

die Armut poverty

die Art, -en kind, type, way, manner

der Arzt, ⁰e doctor, physician

ärztlich medical

der Ast, ⁰e branch

der Atem, - breath; atemlos breathless; atmen breathe; auf·atmen breathe a sigh of relief, take a deep breath

auf·bauen build up, erect

auf·blicken look up

auf·bringen, a, a collect, raise

sich auf·drängen obtrude, force oneself upon someone

auf·drücken push open, impress on

aufeinander together, on one another

aufeinander·treffen encounter

der Aufenthalt, -e stay

auf·fallen, ie, a to attract attention, be conspicuous

auf·fangen, i, a catch up, intercept

auf·fassen take up, interpret

auf·finden, a, u find, seek out

auf·flattern flutter out

auf·fordern challenge, invite

auf·fressen, a, e eat up

auf·frischen revive

die Aufführung, -en conduct, performance; zur Aufführung bringen present [on the stage]

die Aufgabe, -n task

auf·gehen, i, a open, become clear

aufgeschlossen frank

auf·glänzen shine, gleam

auf·greifen, i, i seize upon

sich auf·halten, ie, a stop, stay

auf·häufen pile up

auf·heben lift, raise, provide for

auf·hellen clear up, throw light on

auf·hetzen rouse, stir up, excite

auf·hören stop

auf·knöpfen unbutton

auf·lockern loosen, relax

auf·lösen dissolve, resolve

auf·machen open

aufmerksam attentive

auf·nageln nail on

die Aufnahme, -n photo

auf·nehmen, a, o take in, take out, draw up

auf·passen watch, pay attention

auf·platzen crack, tear

auf·räumen clean

aufrecht erect; aufrecht·halten, ie, a maintain

auf·regen excite, arouse; sich auf·regen get excited; die Aufregung excitement

auf·reißen, i, i tear open

auf·richten erect; steil auf·richten hold erect, perk up

auf·rufen, ie, u summon

auf·schauen look up

auf·scheinen, ie, ie appear

auf·schichten pile up

auf·schlagen, u, a open

auf·schließen, o, o unlock

auf·schluchzen sob aloud, burst into sobs

der Aufschrei, -e shriek, outcry

die Aufschrift, -en address, inscription

auf·schrillen resound shrilly

der Aufschwung, ⁔e enthusiasm, progress

auf·seufzen sigh, groan

auf·spielen play, strike up a tune

auf·springen, a, u jump up

auf·steigen, ie, ie ascend, rise, mount

auf·stellen set up, erect

die Aufteilung, -en division

der Auftrag, ⁔e commission, mandate, task

auf·wachen awake

auf·wachsen, u, a grow up

der Aufwärter, - attendant, steward

aufwühlen agitate

auf·zählen enumerate

auf·zehren consume

auf·zeichnen record

auf·ziehen, o, o raise, rear, wind

auf·zucken start convulsively

augenblicklich instantaneous

das Augenzwinkern, - wink

ausarten degenerate

aus·bilden develop; die Ausbildung, -en development

der Ausblick, -e view

aus·brechen, a, o break out; der Ausbruch, ⁔e outburst, eruption

aus·breiten spread out

der **Ausdruck**, ⁻e   expression; (sich)
   aus·drücken   express [oneself]; **ausdrücklich**   expressly

auseinander·reißen, i, i   tear apart

auseinander·setzen   explain, analyze

der **Ausfall**, ⁻e   loss

der **Ausflugsort**, **-e**   excursion point

die **Ausfuhr**   export

aus·geben, a, e   spend

aus·gehen, i, a   go out, proceed, start,
   come

ausgewachsen   mature

aus·halten, ie, a   endure

sich **aus·heulen**   howl itself out

aus·kosten   enjoy to the full

aus·kühlen   cool off

das **Ausland**   foreign country; **im
   Auslande**   abroad; der **Ausländer, -**
   foreigner

aus·leihen, ie, ie   borrow, lend out

aus·löschen   put out, extinguish

aus·lösen   release

aus·machen   make

die **Ausnahme**, **-n**   exception; **ausnehmen, a, o**   distinguish

sich **aus·prägen**   impress itself

aus·rechnen   figure out

aus·reden   dissuade

aus·reichen   suffice, last

der **Ausruf**, **-e**   cry, outcry; **aus·rufen,
   ie, u**   proclaim

aus·säen   sow

aus·sagen   declare

aus·scheiden, ie, ie   leave, withdraw

aus·sehen, a, e   appear, look; **aus·sehen
   nach**   look like

außen   outside, abroad; die **Außenwelt**
   outside world

äußer   outer, exterior; **äußerlich**   ex-
   ternal

außer sich   beside oneself

außerdem   besides

außergewöhnlich   extraordinary

außerhalb   outside of

äußern   utter, express; **sich äußern**
   express one's opinion, speak; die
   Äußerung, **-en**   remark

außerordentlich   extraordinary

äußerst   extreme

aus·sprechen, a, o   pronounce

aus·spreizen   spread out

aus·sterben, a, o   die out

aus·stoßen, ie, o   emit, expel

aus·strecken   extend, stretch out

aus·suchen   select, choose

aus·tragen   deliver

aus·üben   carry on

aus·wandern   emigrate; der **Auswanderer, -**   emigrant; das **Auswanderungserlebnis, -se**   emigration experience

aus·wechseln   replace

die **Auswirkung**, **-en**   influence

aus·ziehen, o, o   emigrate, move out,
   take out

die **Backe**, **-n**   cheek

der **Backofen**, ⁻   oven

der **Badeort**, **-e**   resort

badisch   in the province of Baden

bahnbrechend   pioneering

der **Bahnhof**, ⁻e   railroad station; der
   Bahnsteig, **-e**   platform

die **Bahre**, **-n**   stretcher, bier

bald   soon, almost; **bald...bald**   now...
   now; **baldigst**   very soon

der **Balken**, **-**   beam

das **Bambusdach**, ⁻er   bamboo roof

das **Band**, ⁻er   ribbon

bang(e)   afraid, with trepidation, anxious,
   uneasy; **bangen**   have fear; **ohne
   Bangen**   without fear

bannen fix [eyes]

der **Barde, -n, -n** bard, singer

der **Barometerstand,** ^{u}**e** barometer reading, height of the barometer

der **Bauch,** ^{u}**e** belly, stomach

bauen build

der **Bauernjunge, -n, -n** country lad, farm boy

der **Baumstrunk,** ^{u}**e** tree trunk

die **Baustelle, -n** construction project

beachten take heed of, pay attention to

die **Beängstigung, -en** uneasiness, anxiety

die **Beantwortung, -en** answer

beben quiver, shiver, waver, tremble

der **Becher, -** cup

bedauern regret

bedecken cover

bedenken consider, bear in mind; **bedenklich** doubtful, suspicious

bedeuten mean, inform, direct; **bedeutend** significant; die **Bedeutung, -en** significance, importance, meaning; **bedeutungsvoll** meaningful

bedienen serve, wait on; sich **einer Sache bedienen** make use of a thing

bedingt conditionally, partly

die **Bedingung, -en** condition

bedrohen threaten

bedrücken oppress, harass

das **Bedürfnis, -se** need, requirement

beeinflussen influence, have an effect on

beenden end

der **Befehl, -e** command, order; **befehlen, a, o** order, command

befestigen fasten

sich **befinden, a, u** be

beflecken stain

befolgen obey, follow

befördern promote

sich **befreien** free oneself, liberate oneself

befremden surprise unpleasantly, appear strange

befürchten fear

begabt gifted, talented

sich **begeben, a, e** go

begegnen happen, meet; die **Begegnung, -en** encounter

die **Begeisterung, -en** enthusiasm

begierig eager, greedy

beglänzen illuminate

die **Begleitung, -en** accompaniment; **in Begleitung** in the company of

das **Begräbnis, -se** funeral

begreifen, i, i understand, comprehend; **begreiflich** conceivable

begrenzt limited, restricted

der **Begriff, -e** idea, symbol; **im Begriffe** on the point of

begründen base

die **Begrüßung, -en** greeting

behaglich comfortable

behalten, ie, a keep

behandeln treat

beharren persist, persevere

behaupten maintain

beherbergen shelter

beherrschen be master of, rule over

behilflich sein assist

bei·bringen, a, a teach

der **Beifall** applause

das **Beil, -e** axe

beiläufig incidental, casual; das **Beiläufige** casualness

das **Bein, -e** bone, leg; **auf den Beinen** afoot, on the move

beinah(e) almost

beirren confuse

beiseite aside; **beiseite·nehmen, a, o** take aside; **beiseite·stoßen, ie, o**

push aside; **beiseite·treten, a, e** step aside

das **Beispiel, -e** example; **zum Beispiel** for example

beißen, i, i bite

bei·treten, a, e join

bei·wohnen attend

bekämpfen combat

bekannt known, well known; der **Bekannte, -n, -n** acquaintance; sich **bekennen, a, a** admit to oneself

beklagen lament, deplore

bekommen, a, o get

belachen laugh at

belästigen annoy

belauschen hear, perceive

beleuchten light, illuminate; die **Beleuchtung, -en** illumination

beliebt popular

belohnen reward; die **Belohnung, -en** reward

belügen deceive by lying

belustigen amuse

bemalen paint

die **Bemeisterung** mastery

bemerken notice; **bemerkenswert** remarkable; die **Bemerkung, -en** remark

sich **bemühen** take trouble, endeavor

sich **benehmen, a, o** behave

benommen numb

benötigen need

benutzen use

beobachten observe; die **Beobachtung, -en** observation

bequem comfortable

die **Beratung, -en** deliberation, consultation

berauben deprive of, rob of

bereden discuss

die **Bereicherung, -en** enrichment

bereisen travel over or through

bereit prepared, ready; **bereit·legen** lay out in readiness; **bereits** already; **bereitwillig** ready, willing

bereuen regret

der **Berg, -e** mountain; **bergauf** up the hill; der **Berggipfel, -** mountain top; der **Berghang, ⁔e** mountain slope; der **Bergwald, ⁔er** mountain forest; die **Bergwand, ⁔e** mountain side

der **Bericht, -e** report, account; **berichten** report

der **Beruf, -e** profession, vocation; **berufen, ie, u** call, convoke; **sich auf etwas berufen** refer to something; das **Berufsinteresse, -n** professional interests; **berufsmäßig** professional; die **Berufswahl, -en** choice of profession; die **Berufung, -en** calling, profession

beruhigen compose, comfort, calm; die **Beruhigung** comfort

berühmt famous

berühren move, affect, touch

besagen say, mean

beschäftigen engage, employ; sich **beschäftigen mit** occupy oneself with; **beschäftigt** busy; die **Beschäftigung, -en** occupation

beschämen shame; **beschämend** shameful

bescheiden modest, unassuming; die **Bescheidenheit** modesty

bescheinen, ie, ie shine upon

beschimpfen revile, insult

sich **beschließen, o, o** decide; **beschließen, o, o** close

beschneit snow-covered

beschränken limit, restrict

beschreiben, ie, ie describe

die **Beschwerde, -n** grievance

beschweren burden, encumber

beschwindeln deceive

besetzen set [jewels], occupy; die Besetzung, -en cast [of a play]

besichtigen survey, look at

besiegen conquer

besingen, a, u celebrate in song, sing

die Besinnung consciousness; besinnungslos senseless

der Besitz, -e possession; besitzen, a, e possess

besonders especially

besorgen take care of; die Besorgung, -en business, care

sich bespritzen spray oneself

die Besserungsmethode, -n means of improvement

bestaunen look at in astonishment

bestehen, a, a come through, pass [through], exist; bestehen aus composed of, consist of

bestellen order

bestenfalls at best

bestialisch beastly, extremely

bestimmt definite, certain, destined; die Bestimmung, -en destiny

bestreiten, i, i attack, contest

bestreuen bestrew

der Besuch, -e visit; besuchen attend, visit; der Besucher, - visitor

betäuben overpower, stupefy

sich beteiligen an participate in, take part in

beten pray

beteuern protest, assert

betrachten look at, watch, observe; sich betrachten regard oneself

beträchtlich considerable

betreiben, ie, ie cultivate, develop, carry on

betreten, a, e enter, set foot on

betreuen take care of

der Betrieb, -e management; in Betrieb setzen operate

betrügen, o, o deceive; betrügerisch dishonest

der Betrunkene, -n, -n intoxicated, inebriated person

betteln beg

die Bettkante, -n edge of the bed; der Bettrand, ⸚er edge of the bed

beugen bend

die Beute prey, booty

die Bevölkerung, -en population

bewaffnen arm; der Bewaffnete, -n, -n armed man

bewahren keep, preserve

bewähren prove, confirm

bewaldet covered with trees

die Bewältigung mastery

bewässern water, irrigate

bewegen move, agitate; sich bewegen stir, move; die Bewegtheit agitation, commotion; die Bewegung, -en motion, movement

beweinen mourn

der Beweis, -e proof; beweisen, ie, ie prove

bewohnen inhabit; der Bewohner, - inhabitant

die Bewunderung admiration

bewußt conscious; etwas einem bewußt bleiben remain conscious of something; bewußtlos unconscious; das Bewußtsein consciousness

bezahlen pay

bezeichnen mark, designate

die Beziehung, -en relation, connection

der Bezirk, -e sphere, precinct

die Bibliothek, -en library

biegen, o, o bow, bend

bieten, o, o offer

das Bild, -er picture; **bilden** form; die **Bilderfolge, -n** sequence of scenes; das **Bildnis, -se** portrait; die **Bildung** education; der **Bildungsgrad, -e** educational level; die **Bildungsgrundlage, -n** educational foundation

billig cheap

binnen within

der **Birnbaum,** ^{u}**e** pear tree

bis until; **bis dahin** till then, by that time; **bisher** up to now; **bisherig** hitherto, existing; **bislang** heretofore, until now

ein **bißchen** a little bit; der **Bissen, -** bite, morsel, mouthful

bitten, a, e request, ask; die **Bitte, -n** request

blank clear

das **Bläschen, -** small bubble

blasen blast, blow; **blasen lernen** learn to play [wind instrument]; das **Blaseinstrument, -e** wind instrument

blaß pale

das **Blatt,** ^{u}**er** sheet, leaf, page, newspaper

bläulich bluish

das **Blech** tin

bleich pale

bleigrau lead gray

der **Blick, -e** glance, look; **blicken** look; **zu Boden blicken** look down

der **Blitz, -e** lightning, flash; **blitzen** flash, sparkle; **blitzschnell** quick as a flash

das **Blockhaus,** ^{u}**er** log cabin

blödsinnig idiotic, silly

bloß simply, bare; die **Blöße, -n** nakedness

blühen bloom, blossom

blutunterlaufen bloodshot

der **Boden, -** *or* ^{u} ground, earth, floor

das **Boot, -e** boat

bösartig malevolent, vicious; **böse** bad, ill-tempered, evil; die **Bosheit, -en** maliciousness

der **Brand,** ^{u}**e** blaze

der **Branntwein, -e** brandy

der **Brauch,** ^{u}**e** custom; **brauchen** need, use

die **Braut,** ^{u}**e** betrothed; der **Bräutigam, -e** fiancé; die **Brautjungfer, -n** bridesmaid; die **Brautnacht,** ^{u}**e** bridal night; der **Brautzug,** ^{u}**e** bridal procession

brechen, a, o break; **sich brechen** be refracted

der **Brei** mush, pulp

breit broad, wide; **breitästig** broad-branched; die **Breite, -n** breadth; **breiten** extend

die **Bremse, -n** brake

brennen burn

das **Brett, -er** board

die **Brieftasche, -n** pocketbook, letter case

die **Brille, -n** spectacles

bringen, a, a bring; **es zu etwas bringen** amount to something; **an sich bringen** acquire; **zu Papier bringen** write down; **einen um etwas bringen** to cause one to lose something

die **Brosame, -n** crumb

das **Bruchstück, -e** fragment; **bruchstückweise** fragmentarily, in fragments

die **Brücke, -n** bridge

brüllen roar

die **Brust,** ^{u}**e** breast, chest; die **Brusttasche, -n** breast pocket

brüten brood; **er brütete vor sich hin** he brooded

der **Buchdrucker, -** book printer; der **Buchstabe, -n, -n** letter [of the alphabet]; **buchstäblich** literally

die **Bühne, -n** stage; die **Bühnenlaufbahn, -en** career on the stage

bumsen bang against something

das **Bündel, -** bundle

der **Bunker, -** air raid shelter, bunker

der **Bürger, -** citizen

das **Büro, -s** office

der **Bursch, -en, -en** young man

das **Charakterbild, -er** make-up

das **Coupé, -s** compartment

da there, since; **da und dort** here and there

dabei moreover, at the same time, present

das **Dach, ⁔er** roof; der **Dachgiebel, -** gable

daheim at home

daher therefore

dahin·gehen, i, a die

dahin·schreiten, i, i walk along

dahinter·kommen, a, o find out, figure out

damals at that time, then, formerly

damit so that, with it, therewith

das **Dämmerlicht** twilight, dusk; **dämmern** grow dusk; das **dämmernde Dunkel** approaching dark; die **Dämmerung, -en** twilight

dampfen steam

der **Däne, -n, -n** Dane

daneben in addition

dar·reichen hand over to

(sich) dar·stellen represent, present; die **Darstellung, -en** statement, description

darum therefore

das **Dasein** existence

dauerhaft durable, stout; **dauern** last, take; die **Dauerwelle, -n** permanent wave

der **Daumen, -** thumb

davon·fahren, u, a depart; **davon·stolpern** stumble off; **davon·traben** trot off; **davon·tragen, u, a** carry off

dazu in addition; **dazu·halten, ie, a** hold to it, hurry

dazwischen in between; **dazwischen·fahren, u, a** intervene; **dazwischen·kommen, a, o** come between

die **Decke, -n** blanket, ceiling; der **Deckel, -** lid, top; **decken** cover

der **Degen, -** sword, dagger

dekretieren decree

die **Demut** humility

sich denken imagine

denkwürdig memorable, notable

dennoch nevertheless

deshalb therefore, for this reason; **deswegen** for that reason, therefore

deuten point, point out, indicate, interpret

deutlich clear

devot humble

dicht close, thick, dense

der **Dichter, -** poet; die **Dichtung, -en** poetry

dick fat, thick

das **Dickicht, -e** thicket

der **Dieb, -e** thief

der **Diener, -** servant, porter; der **Dienst, -e** duty, service; die **Dienstleute** servants; die **Dienstmagd, ⁔e** servant girl

diktierfähig suitable for dictation

die **Direktion** management

doch nonetheless, anyway, oh yes

der **Donner** thunder

die **Dorfwirtschaft, -en** village inn

der **Drache, -ns, -n** dragon; das **Drachengeheul, -e** dragon roar

der **Draht,** ⁑e wire

der **Drang** urge

drängen press, crowd

drauf·schauen look at

draußen out of doors, outside

der **Dreck** excrement

die **Drehbank,** ⁑e lathe; die **Drehbühne, -n** rotating stage; **drehen** turn

dreschen, o, o thrash

drin (darin) in it

dringen, a u press, penetrate; **dringend** urgent

drohen threaten

drollig droll, amusing

drüben over there

drücken press, weigh down; sich **drücken** press one's way through

der **Dschungel, -n** jungle

sich **ducken** cringe

der **Duft,** ⁑e scent, fragrance, odor; **duften** give off fragrance

dulden endure, suffer

dummerweise stupidly

dumpf dull, gloomy, heavy; **dumpfheiß** oppressively hot

das **Dunkel** darkness; die **Dunkelheit** darkness; **dunkeln** get dark

sich **dünken** seem, consider oneself

dünn thin

dunstig misty

durch through; **durch und durch** completely; **durchaus** quite, thoroughly

durchbohren pierce

durcheinander·brüllen roar in confusion; **durcheinander·sprechen** talk simultaneously, speak confusedly

durchfahren, u, a flash through

durchfliegen, o, o skim through

durch·gehen, i, a run away, go through

durch·halten, ie, a hold out

durch·kommen, a, o succeed

durch·kreuzen cross

durch·nehmen, a, o go through

durch·prüfen check carefully

durchqueren cross; die **Durchquerung, -en** crossing

durchschauen see through

durchschnittlich average; die **Durchschnittsvorstellung, -en** general impression

durch·schreiten, i, i walk through

durchschüttert vibrating

durch·setzen prevail

durchsichtig transparent

durchstehen, a, a withstand, last out

durchweg ordinarily

durch·ziehen, o, o move through

durchzucken flash through

sich **durch·zwängen** force one's way through

dürftig insufficient, puny

der **Durst** thirst; **dursten** thirst

die **Dusche, -n** shower

düster gloomy, sad

das **Dutzend, -e** dozen

eben just

die **Ebene, -n** plain

ebenfalls likewise, too, also

ebenso in the same way; **ebenso wie** just as; **ebensolcher** just the same, equal; **ebensowenig** just as little

echt genuine; die **Echtheit** genuineness

die **Ecke, -n** corner

der **Edelstein, -e** gem

der **Edle, -n, -n** noble

ehe before

die Ehe, -n marriage; der Ehemann, ⁰er husband, married man

eher rather

der Ehrenbürger, - honorary citizen

die Ehrfurcht, -en awe, respect

ehrlich honorable, honest; die Ehrlichkeit honesty

ehrwürdig venerable

das Ei, -er egg

die Eiche, -n oak tree; der Eichentisch, -e oak table

eifersüchtig jealous

eifrig eager, zealous

eigen own; ihnen eigen sein be peculiar to them

die Eigenschaft, -en characteristic

eigensinnig stubborn

eigenständig independent

eigentlich actually, really

das Eigentum, ⁰er possession; eigentümlich peculiar

eigenwüchsig indigenous

eilen hurry

der Eimer, - pail

die Einbildungskraft, ⁰e imagination

ein·bringen, a, a bring in

ein·dämmen stop, dam

ein·drängen push forward

sich ein·dringen, a, u intrude; der Eindringling, -e intruder

eindringlich impressive

der Eindruck, ⁰e impression

einerlei immaterial, all the same

einerseits on the one hand

einfach simple

ein·fallen, ie, a occur, attack; eingefallen sunken

ein·fangen, i, a catch

ein·fassen include, inclose

ein·führen institute

der Eingang, ⁰e entrance

eingefleischt "100%"

eingehend in detail, exhaustive

eingereicht entered (a complaint)

eingesessen established

ein·gestehen, a, a confess

ein·hüllen wrap

einige several, a few, some

der Einkauf, ⁰e purchase

ein·kochen can

ein·laden, u, a invite

sich ein·lassen, ie, a venture

ein·laufen, ie, au pull in, arrive

einleitend introductory

einmal once, some time; nicht einmal not even; mit einemmal suddenly

ein·nehmen, a, o earn

ein·packen pack

sich ein·reden convince oneself of

ein·reichen hand in, present

ein·richten set up, furnish, establish; die Einrichtung, -en furnishing, adjustment

einsam lonely

ein·säumen surround

ein·schalten add, insert

ein·schätzen appraise; die Einschätzung, -en appraisal

ein·schieben, o, o insert, interpolate

ein·schlafen, ie, a fall asleep

ein·schlagen, u, a hit, set [a pace]

ein·sehen, a e understand

ein·setzen begin

die Einsicht, -en insight

der Einspruch, ⁰e protestation

einst one day, some day; einstig former

ein·steigen, ie, ie board, get on

sich ein·stellen appear, present oneself

ein·treffen, a, o arrive

ein·treten, a, e enter; der Eintritt, -e admission, advent, entrance

der **Einwand**, ᵘe objection; **ein·wenden**
object, oppose

der **Einwanderer**, - immigrant; **ein-**
·wandern immigrate

ein·wickeln wrap up

der **Einwohner**, - inhabitant

der **Einzelbericht**, -e detail

einzeln single; das **Einzelne** detail;
bis ins **Einzelne** in every detail

ein·ziehen, o, o draw in, enter

einzig only, single, unique; **einzig-**
artig unique

das **Eisen** iron; **eisern** iron

die **Eisenbahnstunde**, -n hour by train

die **Eiszeit** Ice Age

der **Elementarunterricht** elementary
education

elend miserable, pitiful

empfangen, i, a receive; das **Emp-**
fangszimmer, - reception room

empfinden, a, u feel, experience; die
Empfindsamkeit sensitivity; die
Empfindung, -en feeling, sensation

empor·blicken look up

empor·gehen, i, a go up

empor·heben, o, o raise, lift, elevate

empor·raffen gather up

empor·steigen, ie, ie rise

empört indignant; die **Empörung**, -en
indignation, rebellion

empor·ziehen, o, o pull up

endgültig final, conclusive

endlich finally

eng close, narrow

das **Enkelkind**, -er grandchild

entdecken discover; die **Entdeckung**,
-en discovery

entfahren, u, a escape

entfallen, ie, a fall from

sich **entfernen** retire, withdraw, escape;
entfernen remove; **entfernt** distant;
die **Entfernung**, -en distance

entgegen towards; **entgegen·kommen**,
a, o come towards; **entgegen·schrei-**
ten, i, i stride toward, advance
toward; **entgegen·stoßen**, ie, o push
toward; **entgegen·wehen** drift toward

enthalten, ie, a contain

sich **enthalten**, ie, a refrain from

entkleiden undress

entkommen, a, o escape

entlang along; **entlang·fahren**, u, a
drive along

entlasten ease, unburden

sich **entledigen** rid oneself of

entlegen remote, distant

entmilchen milk

entnehmen, a, o understand, gather

entreißen, i, i tear away from

entrichten pay

entrinnen, a, o escape, run away

sich **entscheiden**, ie, ie resolve, decide

sich **entschließen**, o, o decide; der
Entschluß, ᵘe decision

entschuldigen apologize, make excuses
for

entschwinden, a, u disappear

entsetzen horrify; das **Entsetzen**, -
horror; **entsetzlich** terrible, horrible

entspinnen, a, o arise, develop

entsprechen, a, o correspond to

entspringen, a, u come from, derive
from

entstammen derive from

enttäuschen disappoint; die **Ent-**
täuschung, -en disappointment

entvölkern depopulate

entweder either

entweichen, i, i escape

entwickeln develop; die **Entwicklung**,
-en development

entwurzeln uproot
entziehen, o, o withdraw
entzücken charm
entzwei·schlagen, u, a break in two
erbärmlich wretched
erbeben vibrate
erbeuten capture, catch
erbittern irritate, incense
erblicken catch sight of
erbost vexed
der Erdboden earth
das Erdenland earth
die Erdhölle hell on earth
die Erdoberfläche surface of the earth
das Erdreich soil, earth
sich ereignen happen, take place; das Ereignis, -se event
erfahren, u, a learn, find out, experience; die Erfahrung, -en experience; in Erfahrung bringen learn
erfinden, a, u invent
der Erfolg, -e success; erfolgreich successful
sich erfreuen rejoice; erfreuen please
erfrieren, o, o freeze to death
erfrischend refreshing
erfüllen fill, fulfill, make good
sich ergießen, o, o overflow
ergrauen turn gray
ergreifen, i, i seize, grasp, grip, touch, affect, take up
erhalten, ie, a receive, hold, contain, support
erheben, o, o lift, raise; sich erheben, o, o get up, arise
erhellen illuminate, brighten
erhöhen raise
sich erholen recover
erinnern remind; sich erinnern remember; die Erinnerung, -en memory; sich in Erinnerung rufen recall

die Erkältung, -en cold
erkennen, a, a recognize, perceive; zu erkennen geben make known
erklären explain, declare; die Erklärung, -en explanation
erklingen, a, u resound, sound
erkranken fall ill; die Erkrankung, -en illness
sich erkundigen inquire
erlauben permit
erläutern explain
erleben experience; das Erlebnis, -se experience
erledigen settle
erlegen kill, pay
die Erlernbarkeit acquisition
erleuchtet gay; die Erleuchtung, -en enlightenment
erliegen, a, e succumb
erlöschen, o, o go out, be extinguished
erlösen free, deliver
ermöglichen make possible
sich ermutigen take courage
ernähren feed
ernennen, a, a appoint
sich erneuern rejuvenate; die Erneuerung, -en revival, rejuvenation
ernst serious, earnest; ernsthaft serious
die Ernte, -n harvest; ernten harvest
die Ernüchterung sobering
eröffnen open
erquicken refresh
erregen excite, arouse; die Erregung, -en excitement
erreichen reach, attain
die Errettung, -en rescue
erschallen, o, o resound
erschauen see, behold
erscheinen, ie, ie appear; das Erscheinen appearance; die Erscheinung, -en appearance
erschießen, o, o shoot dead
erschlagen, u, a kill

erschöpft exhausted

erschrecken, a, o frighten, be startled, start

erschüttern stagger, affect deeply

ersehnt longed for

erst only, not until, first

erstarren become numb, motionless; die Erstarrung numbness

erstaunlich amazing

ersteigen, ie, ie climb

ertappen catch

ertönen resound, sound

ertragen, u, a endure

ertrinken, a, u drown

erwachen awaken

der Erwachsene, -n, -n adult

erwähnen mention

erwarten expect, await; die Erwartung, -en expectation; erwartungsvoll expectant

erwecken rouse, awaken

sich erwehren guard against

erweisen, ie, ie reveal, prove

erweitern expand, enlarge

der Erwerb, -e acquisition, profit; sich erwerben, a, o win, acquire, gain

erwidern answer

erwünschen wish

erzählen tell, relate; die Erzählung, -en tale

erzeugen produce

erziehen, o, o train, raise, bring up; die Erziehung education; der Erziehungsglaube, -ns faith in education; der Erziehungsmoment, -e aspect of education

erzielen strive after, aim at

sich erzwingen, a, u force, wrest [for oneself]

das Essen, - food

etliche a few

etwa about, perhaps

etwas something, some

ewig eternal; seit ewig for ever

fabrikartig factory-like; der Fabriknachtwächter, - night watchman in factory

fade insipid, dull

fähig capable; die Fähigkeit, -en ability, capability

fahl pale; fahlgrau pale gray

fahrbar mobile; fahren, u, a travel; in jemanden fahren to come over someone; durch den Kopf fahren occur; der Fahrplan, ⁼e timetable

die Fakultät, -en department, school

der Fall, ⁼e case

die Falle, -n trap

fallen, ie, a fall; da fiel ein Schuß there was a shot; über einen her·fallen assail someone; einem ins Wort fallen interrupt someone

fälschen falsify

die Falte, -n wrinkle; falten fold

der Familienschmuck family jewels

fangen, i, a catch

die Farbe, -n color; färben color

die Farmervereinigung, -en farmer's association

faßbar comprehensible; fassen grasp, seize, comprehend; fassungslos disconcerted

fast almost

fauchen spit, snarl, whiz

fehlen miss, be lacking

der Fehler, - fault, mistake, error

der Fehlerquell, -e source of error

die Feier, -n ceremony; feierlich solemn, ceremonious; die Feierlichkeit, -en solemnity; feiern honor, celebrate der **Feind,** -e enemy

der **Feldboden** soil

das **Fell,** -e fur, hide

der **Fels,** -en, -en cliff; die **Felswand,** ⁔e rock wall

der **Fensterladen,** - window shutter; die **Fensterscheibe,** -n window pane

die **Ferien** (pl.) vacation; der **Ferienreisende,** -n, -n vacationer

fern distant; **fern·bleiben, ie, ie** stay away; die **Ferne,** -n distance

fertig ready, finished; **fertig bringen** accomplish, bring about; **fertig·machen** get ready; **fertig werden mit** manage, come to terms with

fesseln bind, fetter; die **Fesselung,** -en fettering, chaining

fest firm, strong, solid; **fest·halten, ie, a** hold fast, record; **festigen** settle, establish; **fest·legen** determine, plan; **fest·nehmen, a, o** seize, arrest; **fest·stehen, a, a** stand firm; **fest·stellen** confirm, ascertain

festlich festive

der **Feuerschein** firelight

fieberisch feverish

die **Filmgesellschaft,** -en motion picture company

finster dark, sad; die **Finsternis,** -se darkness

der **Fischfang,** ⁔e catch

fixieren settle, establish

flach shallow, flat

die **Flak** antiaircraft artillery

flau slack

flehen supplicate, plead; **flehentlich** imploring

der **Fleischer,** - butcher; der **Fleischhauer,** - butcher; die **Fleischlieferung,** -en meat delivery

fleißig diligent, busy

fliegen, o, o fly

fliehen, o, o flee

fließen, o, o flow

die **Flinte,** -n rifle; der **Flintenlauf,** ⁔e gun barrel; der **Flintenschuß,** ⁔e rifle shot

die **Flöte,** -n flute, organ flute stop; der **Flötenbläser,** - flute-player

der **Fluch,** ⁔e curse, oath; **fluchen** curse

die **Flucht,** -en flight; **flüchtig** hasty; der **Flüchtling,** -e refugee

der **Flügel,** - wing

das **Flugzeuggebrumm** sound of airplanes

der **Fluß,** ⁔e river

flüstern whisper

die **Folge,** -n sequel, succession, sequence

fordern demand; die **Forderung,** -en demand

der **Forellenbach,** ⁔e trout stream

die **Formel,** -n formula

das **Formular,** -e form

der **Forscher,** - researcher; die **Forschung,** -en research

fort·fahren, u, a continue, proceed

fort·führen take away

fort·kommen, a, o go away

fort·kriegen get rid of, chase away

fort·lassen, ie, a leave out, let go

fort·schreiten, i, i progress; **fortschrittlich** progressive

fort·setzen continue

fort·ziehen, o, o pull, draw away

fragwürdig dubious, questionable

der **Franzose,** -n, -n Frenchman; **französisch** French

frei free, open

der **Freibeuter,** - pirate, freebooter

frei·geben, a, e   release, give up;
frei·haben   have free

die Freiheitlichkeit   sense of freedom;
das Freiheitsbewußtsein   consciousness of freedom

freilich   of course

freimütig   frank

frei·stehen, a, a   be free; es steht einem frei   one is at liberty, one may; frei-umher·springen, a, u   jump around with abandon

fremd   foreign, strange; in der Fremde abroad; fremdartig   strange; der Fremde, -n -n   stranger, foreigner; die Fremdheit   strangeness; der Fremdkörper, -   foreign element; der Fremdling, -e   stranger

frenetisch   frantic

fressen, a, e   eat [used only for animals]

die Freude, -n   joy; sich freuen   rejoice; sich freuen auf   look forward to; sich freuen an   enjoy; freudig   joyful

der Freundschaftsbeweis, -e   proof or demonstration of friendship

der Friede, -ns   peace

der Friedhof, ⸚e   cemetery; die Fried-hofmauer, -n   cemetery wall

frieren, o, o   freeze, be cold

die Frische   freshness; frischgedruckt freshly printed

froh   happy, glad; fröhlich   gay, merry

fromm   pious

die Front, -en   (military) front, façade

frösteln   shiver; frostzitternd   shivering

die Frucht, ⸚e   fruit, crop; fruchtbar fertile, fruitful

früher   former

frühzeitig   early, premature

fügen   mold, form

führen   carry, lead, keep, manage; der Führer, -   leader; die Führung   conduct, management

die Fülle   abundance, number

das Füllen, -   foal

funkeln   sparkle

die Furcht   fear; furchtbar   terrible; fürchten   fear; furchterregend   fear-instilling; furchtlos   fearless

der Fürst, -en, -en   prince

die Fußstapfe, -n   footstep; der Fuß-tritt, -e   footstep

das Futter   food, fodder

gähnen   yawn

gallertartig   gelatinous

der Gang, ⸚e   hall, passage, cadence, flow

ganz   quite, whole; das Ganze   the whole; gänzlich   entirely

die Gartenlaube, -n   summerhouse; der Gartenzaun, ⸚e   garden fence

gasig   gaseous; die Gasmauer, -n   wall of gas; die Gasschicht, -en   layer of gas

das Gäßchen, -   lane; die Gasse, -n alley, narrow street

der Gast, ⸚e   guest; der Gasthof, ⸚e   inn; der Gastwirt, -e   innkeeper

die Gattin, -nen   wife

die Gebärde, -n   gesture; sich gebärden behave, act

das Gebaren   conduct

gebären   bear, produce, bring forth

das Gebäude, -   building

das Gebell   barking

das Gebiet, -e   district, area, field

das Gebirge   mountains

der Gebrauch, ⸚e   custom; gebräuchlich customary

gebrechlich   fragile

das Gebrüll   roar, roaring

die Geburt, -en   birth

das Gedächtnis, -se memory

der Gedanke, -ns, -n thought; ge-
dankenlos thoughtless, empty

gedenken, a, a intend, plan, have in
mind, remember

das Gedicht, -e poem

das Gedränge dilemma, difficulty

das Gedröhn boom, booming

die Geduld patience; der Geduldete,
-n, -n one who is tolerated

geeignet suited

die Gefahr, -en danger; die Gefähr-
dung, -en danger; gefährlich
dangerous

der Gefährte, -n, -n traveling companion, comrade

gefallen, ie, a please

der Gefangene, -n, -n prisoner; ge-
fängnisartig prisonlike; das Ge-
fängnistor, -e prison gate

gefaßt ready, prepared; auf etwas
gefaßt sein be prepared for something

gefestigt firm

das Geflügel poultry

das Gefrierfleisch frozen meat

das Gefühl, -e feeling

gefühllos apathetic

die Gegend, -en region, area

der Gegensatz, ᵘe contrast, antithesis

gegenseitig mutual

der Gegenstand, ᵘe object, item

das Gegenteil opposite

gegenüber opposite, over and against;
compared to; gegenüberliegend opposite

die Gegenwart presence, present

das Gehaben behavior

geheim secret; das Geheimnis, -se
secret; geheimnisvoll mysterious

die Gehemmtheit, -en inhibition

gehen, i, a go, work; vor sich gehen
take place

das Geheul howling

der Gehilfe, -n, -n assistant

das Gehirn, -e brain

das Gehör hearing

gehören belong

die Geige, -n violin

geil lewd

der Geist, -er spirit; geisteskrank
insane; geistig spiritual, intellectual;
geistlich religious

das Gejauchze jubilant shouting

das Gelächter laughter

das Geländer, - railing

gelb yellow; gelblich yellowish;
gelbbraun yellowish-brown

geldlich financial; die Geldmünze, -n
coin

die Gelegenheit, -en occasion, opportunity

der Gelehrte, -n, -n scholar

das Gelenk, -e joint

gelernt experienced

die Geliebte, -n beloved, lover, mistress

gelingen, a, u succeed

gellen ring

gelten, a, o prevail, be valid, be considered, be a question of

das Gemach, ᵘer room

gemein common, ordinary

die Gemeindejugend youth of the
community

die Gemeinheit, -en coarseness, vile-
ness, meanness

gemeinsam mutual, together, common

die Gemeinschaft, -en community

gemütlich comfortable

gen toward, at

genau exact, strict, definite

die Generalprobe, -n dress rehearsal

das **Generalurteil, -e** sweeping judgment

genesen, a, e recover

genial original, ingenious, striking

genießen, o, o enjoy

genügen suffice

das **Genußmittel, -** source of pleasure

geradeheraus directly

geradewegs straight

geradezu actually

geraten, ie, a get into, fall into, become

die **Gerätschaften** implements

geräumig roomy

das **Geräusch, -e** noise

das **Gericht, -e** court

gering scanty, little, slight, low

der **Geruch, ⁻e** odor, smell

das **Gerücht, -e** rumor

der **Gesamtkomplex, -e** general complex

die **Gesandtschaft, -en** embassy

das **Geschäft, -e** business, transaction, store; **geschäftlich** commercial; **geschäftig** busy; die **Geschäftigkeit** businesslike manner; der **Geschäftsmann, -leute** businessman; die **Geschäftsreise, -n** business trip

geschehen, a, e happen; das **Geschehnis, -se** event

gescheit intelligent

das **Geschenk, -e** gift

die **Geschichte, -n** story, history; **Geschichten machen** make a fuss

geschickt skillful

das **Geschirrwaschen** dishwashing

das **Geschlecht, -er** family, race, sex

der **Geschmack** taste

das **Geschöpf, -e** creature

das **Geschütz, -e** cannon

das **Geschwätz, -e** idle talk, chatter

geschweige let alone, not to mention

die **Geschwister** brothers and sisters

der **Geselle, -n, -n** journeyman

die **Gesellschaft, -en** society, company; das **Gesellschaftsleben** social life

das **Gesetz, -e** law

das **Gesicht, -er** face

gespannt eager, intent

das **Gespenst, -er** ghost, apparition; **gespenstisch, gespenstig** ghostly

gespitzt pointed

das **Gespräch, -e** conversation

die **Gestalt, -en** form

gestatten permit, grant

die **Geste, -n** gesture

gestehen, a, a confess

gestikulieren gesticulate

gesund healthy; die **Gesundheit** health

das **Getöse** uproar

das **Getränk, -e** beverage, drink

getrauen dare, venture

getreulich faithful

gewahr aware of

gewahren notice

die **Gewalt, -en** force, violence, power; **gewaltig** violent, intense; **gewaltsam** forcible

das **Gewehr, -e** gun

gewichtlos unimportant

gewiegt clever, experienced

der **Gewinn, -e** profit, prize

das **Gewinsel** whine

gewiß certain; **gewißermaßen** so to speak

sich **gewöhnen** become accustomed; die **Gewohnheit, -en** habit; **gewöhnlich** usual, ordinary; **gewohnt** accustomed, usual

die **Gier** eagerness, greed

gießen, o, o pour

giftig poisonous

der **Glanz** gleam, glare, splendor;
glänzen gleam, glitter, shine

gläsern crystal-clear

glasig glassy

die **Glasscheibe, -n** pane of glass

glauben believe, think; der **Glaubens-
artikel, -** article of faith; die **Gläubigkeit** credulousness

gleich immediately, same, like, even;
gleich viele the same number;
gleichen, i, i resemble; **gleichfalls**
also, likewise; **gleichgültig** indiffer-
ent; die **Gleichgültigkeit** indifference;
gleichmäßig uniform; **gleichmütig**
calm, even-tempered; **gleichsam** as
it were; **gleichzeitig** simultaneously

gleiten, i, i glide, slide

der **Gletscher** glacier

das **Glied, -er** limb, member

glitzern glitter

das **Glück** luck, good fortune; **zum
Glück** fortunately; **glücken** succeed;
glückselig blissful; der **Glückwunsch**
ᵘe congratulation(s)

glühen glow

der **Goldgrund,** ᵘe gold background;
die **Goldsache, -n** gold object; die
Goldschnur, ᵘe golden cord; die
Goldwaren jewelry, golden objects

der **Gongschlag,** ᵘe sound of the gong

gottesdienstlich religious

das **Grab,** ᵘer grave; **graben, u, a** dig,
engrave, impress; das **Grabgewölbe, -**
burial vault; das **Grabmal, -e** tomb

der **Grad, -e** degree

der **Graf, -en, -en** count

grau gray

grausam horrible, cruel, fierce

greifen, i, i reach, snatch at; **sich
greifen an** clutch at

greis hoary; der **Greis, -e** old man;
die **Greisin, -nen** old woman

grell glaring, vivid; **grellblau** dazzling
blue

die **Grenze, -n** boundary; die **Grenzer-
zeit, -en** frontier times

der **Griff, -e** handle

grimmig grim, wrathful

grinsen grin

grollen be angry

großartig magnificent, grandiose; die
Größe, -n size; **groß·ziehen, o, o**
raise; **großzügig** grandiose, magna-
nimous

die **Großstadtjugend** metropolitan
youth

der **Großteil, -e** majority

die **Grube, -n** ditch, pit, grave

grübeln rack one's brain

der **Grund,** ᵘe reason, cause; **gründen**
base, establish; **sich gründen auf** be
based on; die **Grundlage, -n** foun-
dation; **grundsätzlich** basic; der
Grundstock basic elements; die
Grundstruktur foundation; die
Grundthese, -n basic thesis; der
Grundzug, ᵘe basic characteristic

der **Gruß,** ᵘe greeting; **zum Gruß** as
a greeting; **grüßen** greet

gucken look, watch, peer

gültig applicable, valid

der **Gummibehälter, -** rubber con-
tainer

die **Gunst** favor, grace; **zu Gunsten**
in favor of

der **Gürtel, -** belt

gütig kind, benevolent; **gutmütig**
good-natured; **gutwillig** voluntary

der **Hafen, -** harbor, haven

hager haggard, thin

der **Haken, -** hook, check mark
halber on account of
der **Halbkreis, -e** half circle
halbwüchsig half-grown
die **Hälfte, -n** half
hallen resound
das **Hälmchen, -** blade, stalk
der **Hals,** ⁔**e** throat, neck; das **Halsband,** ⁔**er** collar
halt after all
der **Halt, -e** support
halten, ie, a hold, keep, take, stop;
halten für consider; **halten von**
think of; **einen Vortrag halten** give
a lecture
die **Haltung** mien, deportment, attitude
der **Hammel, -** ram
die **Handbewegung, -en** motion of
the hand; der **Händedruck,** ⁔**e** handshake; **handgroß** size of a hand;
handlich handy; der **Handschuh, -e**
glove; der **Handwerker, -** craftsman;
der **Handwerksbursche, -n, -n** journeyman
sich **handeln um** be a matter of, be
about; **handeln von** treat of, deal
with; die **Handlung, -en** action,
performance
harren wait
hart hard, harsh
die **Härte, -n** hardship
hartnäckig obstinate, stubborn; die
Hartnäckigkeit obstinacy
hassen hate; **häßlich** ugly
hastend hastily, hurriedly
hastig hurriedly
häufig frequently
das **Haupt,** ⁔**er** head; der **Hauptdarsteller, -** leading actor; der **Hauptmann, -leute** captain; **hauptsächlich**
particularly, above all; die **Hauptstadt,** ⁔**e** capital

der **Hauseingang,** ⁔**e** house entrance;
der **Haushalt, -e** household
die **Haut,** ⁔**e** skin
heben, o, o lift, raise
heftig violent, furious, vigorous
heilen heal, cure
heilig holy, sacred
das **Heim, -e** home, abode; die **Heimat**
homeland, native country, home, home
town; das **Heimatdorf,** ⁔**er** home
village; **heimisch** native, indigenous;
heim·kehren return home; **heimlich**
quiet, secret; die **Heimlichkeit** privacy, secrecy; die **Heimreise, -n** journey home; **heimwärts** homeward
heiraten marry
heiser hoarse
heißen, ie, ei be called, mean, command;
es heißt it is said
die **Heiterkeit** cheerfulness
das **Heizen** making fires
der **Held, -en, -en** hero; der **Heldentod,**
-e heroic death
hell light, bright; die **Helle** light,
brightness; die **Helligkeit** brightness;
hellviolett bright violet
der **Helm, -e** helmet
das **Hemd, -en** shirt
hemmen restrain, check; die **Hemmung, -en** hesitation, inhibition;
hemmungslos uninhibited
herab·brennen, a, a burn down; **herab·hängen** hang down; **herab·reißen,**
i, i tear off; **herab·rieseln** trickle
down; **herab·sehen, a, e** look down
on
heran·brechen, a, o break in upon,
dawn, break; **heran·kommen, a, o**
approach; **heran·steuern** steer toward;

heran·wachsen, u, a grow up, develop

herauf·quellen, o, o surge up; herauf-·starren stare up; herauf·steigen, ie, ie well up; herauf·stieren stare up

heraus·bringen, a, a bring forth, bring out

heraus·finden, a, u discover; sich heraus·finden aus find one's way out of

heraus·fordern provoke

die Herausgabe, -n publication

heraus·kommen, a, o become known, come out, be published

heraus·nehmen, a, o take out

heraus·reißen, i, i tear out

heraus·stehen, a, a protrude, stand out

sich heraus·stellen turn out, prove, become evident

heraus·streichen, i, i praise, extol

heraus·ziehen, o, o pull out

herbei·holen fetch; herbei·laufen, ie, au run up; herbei·schaffen produce

der Herd, -e hearth, fireplace

herein·bringen, a, a bring in; herein-·führen lead in; herein·spähen look in; herein·treten, a, e enter

die Herkunft origin

herrlich magnificent, glorious

die Herrschaften ladies and gentlemen

herrschen rule, govern

her·sehen, a, e look

her·stellen produce, set up

her·trotten trot along

herüber·kommen, a, o come over; herüber·schwimmen, a, o swim over

herum·blicken look around; herum·fahren, u, a turn around; herum·kommen, a, o travel around, come around; herum·schwirren flit about;

herum·sitzen, a, e sit around; herum·steigen, ie, ie climb around

sich herunter·bücken bend down; herunter·kommen, a, o come down; herunter·laufen, ie, au run down; herunter·platzen crash down; herunter·reißen, i, i tear down; herunter·werfen, a, o throw down

hervor·blinzeln squint out; hervor-·bringen, a, a produce; hervor·holen take out, produce; hervor·laufen, ie, au run out; hervor·pressen force out; hervor·schluchzen sob out; hervor·springen, a, u jump out; hervor·treten, a, e stand out, come forward

die Herzkammer, -n innermost heart

herzlich affectionate, cordial; die Herzlichkeit, -en cordiality

hetzen pursue

das Heu hay; der Heuschober, - haystack

heulen howl

heutig present day

hierzulande in this country

hilfreich helpful

der Himmel, - heaven, sky; himmlisch heavenly

hinab·rinnen, a, o run down, trickle down; hinab·schleppen drag down

hinan·klimmen, o, o climb upwards

hinauf·rollen roll up, go up; hinauf-·schauen look up; hinauf·schreiten, i, i walk up

hinaus·führen take out; hinaus·kommen, a, o come out; hinaus·rudern row out; hinaus·schmeißen, i, i throw out; hinaus·sehen, a, e look out; hinaus·tragen, u, a carry out; hinaus·treten, a, e step out, walk out; hinaus·werfen, a, o throw out

hin·bestellen arrange to meet

das **Hindernis, -se** obstacle
hin·deuten point, hint
hindurch·blinzeln blink through
hin·eilen hurry
hinein·backen, u, a bake; **hinein·feuern** fire into; **hinein·legen** put in; **hinein·stecken** put in; **hinein·treten, a, e** enter
hin·flattern flutter
hin·geben, a, e surrender
hin·gehen, i, a approach
hin–hören listen
hin·kommen, a, o come
hin·laufen, ie, au run
hin·legen put down
hin·passen fit in
hinreichend sufficient
hin·reißen, i, i transport, overpower
hin·schicken send over
hin·schieben, o, o push over
hin·sehen, a, e look
die **Hinsicht, -e** respect, view
hin·sinken, a, u sink down
vor sich **hin·sprechen, a, o** speak to oneself
sich **hin·stellen** take up position
hin·strecken extend
hin·stürzen tumble down
hinter behind; **hinter einem her sein** be after someone
hintereinander one after the other
der **Hintergedanke, -ns, -n** ulterior motive
der **Hintergrund, ⁻e** background
hinterher afterwards; **hinterher·traben** trot after
das **Hinterland, ⁻er** back-country
hin·treiben, ie, ie drive
hinüber·kommen, a, o come over; **hinüber·lassen, ie, a** let across, let over; **hinüber·schwimmen, a, o** swim over; **hinüber·segeln** sail over

hin und her back and forth
hinunter·gehen, i, a go down, decline; **hinunter·setzen** reduce, lower
hinweg·steigen, ie, ie step over
auf etwas **hin·weisen, ie, ie** point out something
sich **hin·werfen, a, o** throw oneself down
hin·zerren pull, drag
hinzu·fügen add; **hinzu·ziehen, o, o** consult; die **Hinzuziehung, -en** consultation
das **Hirn, -e** brain
der **Hirsch, -e** deer, stag
die **Hitzewelle, -n** heat wave
die **Hochebene, -n** tableland
hoch·fahren, u, a start, be startled; **hoch·halten, ie, a** hold up; **hochgelegen** situated on high ground, lofty
die **Hochhaltung** high esteem; **hochherzig** nobleminded; **höchlich** greatly, mightily; der **Hochmut** pride; **hochmütig** haughty, arrogant; **hoch·nehmen, a, o** lift; die **Hochschule, -n** college; **hoch·stellen** put up, place high; die **Hochzeit, -en** wedding
hocken squat
der **Hof, ⁻e** farm, yard
hoffen hope; die **Hoffnung, -en** hope
höflich polite; die **Höflichkeit, -en** courtesy, politeness
der **Hofplatz, ⁻e** farmyard
die **Höhe, -n** height, mountain top, intensity
die **Hoheit** majesty
hohl hollow
die **Höhle, -n** cave
der **Hohn** scorn, disdain
holen get, fetch

die **Hölle** hell

das **Holz** wood; die **Holzarbeit** wood-cutting; der **Holzfäller**, - wood-cutter; **hölzern** wooden; die **Holzfeuerung** firewood; das **Holzkreuz**, -e wooden cross; der **Holzschrank**, ⁻e wooden cupboard; die **Holzschranke**, -n wooden fence; der **Holzstuhl**, ⁻e wooden chair

hörbar audible

horchen listen

die **Hose**, -n pair of trousers

hübsch nice, pretty

das **Hufgetrampel** trampling of hoofs

der **Hügel**, - hill; **hüglich** hilly

die **Hühnerfarm**, -en poultry farm; die **Hühnerkrankheit**, -en poultry disease

das **Hundebein**, -e dog's leg

hundertfach, hundertfaltig hundred times, hundredfold

die **Hungersnot**, ⁻e famine

die **Hürde**, -n obstacle, hurdle

husten cough

der **Hut**, ⁻e hat; der **Hutrand**, ⁻er hat brim

hüten guard, keep; sich **hüten vor** guard against

der **Hüttenhaufen**, - group of huts

ihrerseits for their part

immerdar always

immerhin anyway, at any rate

imstande sein can, be able

die **Inbrunst** ardor, fervor

indes while

indessen meanwhile, in the meantime

indisch Indian

die **Individualgesinnung**, -en individual disposition

infolgedessen as a result

der **Inhalt**, -e contents

inmitten in the midst of

innehalten, ie, a stop, pause

die **Innenstadt** center of the city

das **Innere** inside, interior

innerhalb inside of; **innerlich** inner, internal; **innerst** inmost

innig sincere, ardent, hearty

insgeheim secretly

der **Instrumentenbauch**, ⁻e belly of the instrument

inwiefern in what way

inzwischen meanwhile

irdisch earthly

irgend any, some; **irgendwo** somewhere, anywhere; **irgendwelcher** any kind of

das **Irrenhaus**, ⁻er insane asylum

irrsinnig mad, insane

der **Irrtum**, ⁻er error

die **Jagd**, -en hunt; **jagen** hunt, chase; der **Jäger**, - hunter

jäh suddenly

das **Jahrhundert**, -e century; das **Jahrzehnt**, -e decade

jämmerlich pitiful, miserable

je ever

jedenfalls in any case

jedesmal every time

jedoch however

jeglich each, every, all

jemals ever

jenseitig opposite, on the other side

jenseits beyond

jetzig present

jubeln cheer

jucken itch

die **Jugend** youth; **jugendlich** youthful

die **Jungfer, -n** virgin, maid; **alte Jungfer** old maid
die **Jungfrau, -en** virgin
der **Jüngling, -e** youth
der **Jurist, -en, -en** lawyer

die **Kaffeegesellschaft, -en** coffee party; der **Kaffeetisch, -e** coffee table
kahl bare
der **Kahn, -e** boat, skiff
kaiserlich imperial
das **Kalb, "er** calf
die **Kameraderie** friendship
die **Kammer, -n** chamber, room
kämpfen fight
der **Kapellmeister, -** orchestra conductor
kaputt ruined, destroyed, broken
der **Kaufpreis, -e** sales price
kaum scarcely
der **Kegel, -** cone; die **Kegelbahn, -en** bowling alley
die **Kehle, -n** throat
keinerlei none whatsoever
keinesfalls by no means; **keineswegs** by no means
der **Kellner, -** waiter; die **Kellnerin, -nen** waitress
kennen·lernen become acquainted with
der **Kenner, -** expert
kenntlich recognizable
die **Kenntnis, -se** information
kennzeichnen mark
der **Kerl, -e** fellow
der **Kern, -e** core, heart; **kerngesund** thoroughly sound
die **Kerze, -n** candle
der **Kessel, -** kettle, boiler
keuchen pant, gasp
der **Kiefer, -** jaw

die **Kindessehnsucht, "e** longing of childhood
kindisch childish
kindlich childlike
die **Kirsche, -n** cherry
die **Klage, -n** lament, complaint; **klagen** complain; **kläglich** miserable, wretched
klammern grip
der **Klang, "e** sound
klanggewohnt accustomed to sound
klappen click, rattle
klar clear; **sich über etwas klar sein** understand; **klärend** enlightening
das **Klavier, -e** piano
kleben stick; **klebrig** sticky
das **Kleid, -er** piece of clothing; **kleiden** dress
kleinlich petty, trivial; die **Kleinlichkeit, -en** pettiness, littleness
der **Kleinstädter** small-towner
klettern climb
das **Klima, -s** climate
klingeln ring
klingen, a, u sound
klirren clatter, rattle
der **Klopfer, -** doorknocker
der **Knabe, -n, -n** boy
knallen crack, snap, fire [a gun]
knapp close, scarce
knarren creak, squeak
die **Knechtschaft** servitude
knirschen grind, grate
knittern crackle
der **Knöchel, -** knuckle
der **Knopf, "e** button
knüpfen join, fasten; **sich knüpfen an** be associated with
knurren growl
der **Knüttel, -** cudgel

der **Kochkessel, -** caldron

der **Koffer, -** suitcase

der **Kollege, -n, -n** colleague

komisch strange

der **Kommunalbeamte, -n, -n** municipal official

die **Komödie, -n** play

der **Komplex, -e** complex, whole

das **Konfekt, -e** sweetmeats

das **Kopftuch, ⁲er** scarf for the head

korrigieren correct

die **Kostbarkeit, -en** jewel, valuable[s]

die **Kosten** expenses

die **Kostümangelegenheit, -en** matter of costume

die **Kraft, ⁲e** strength, power

das **Kraftwerk, -e** power station

der **Kragen, -** collar

krähen crow, speak with a shrill voice; die **Krähe, -n** crow

der **Krampf, ⁲e** cramp; **krampfhaft** convulsive

der **Krankenträger, -** stretcher bearer

die **Krankheit, -en** illness

die **Kränkung, -en** annoyance, grief

der **Kreis, -e** circle

das **Kreuz, -e** cross; **kreuzen** cross

der **Krieg, -e** war; der **Krieger, -** warrior; die **Kriegszeit, -en** wartime

kriegen get

krumm bent, stooped; **krümmen** bend

die **Küche, -n** kitchen; das **Küchenmädchen, -** kitchen maid

die **Kugel, -n** bullet

kühn bold

der **Kulturträger, -** representative of culture

der **Kummer, -** sorrow, concern; **kümmern** trouble, concern; sich **kümmern um** concern oneself with

die **Kunde** news

der **Künstler, -** artist; **künstlich** artificial; **kunstvoll** complicated, intricate, ingenious

kupfern copper

das **Kuvert, -e** envelope

lächeln smile

lächerlich absurd, ridiculous; die **Lächerlichkeit, -en** absurdity

die **Lade, -n** drawer

der **Laden, ⁲** shop

laden, u, a invite, charge with electricity

die **Lage, -n** situation

das **Lager, -** bed

lagern camp, orient

lahm lame, paralyzed

der **Landbriefkasten, -** rural mail box

die **Landschaft, -en** landscape

lange for a long time

langsam slow

längst long ago, long since

langweilig boring

der **Lärm** noise

die **Last, -en** burden

der **Lateiner, -** Roman

der **Lauf, ⁲e** course; die **Laufbahn, -en** career; der **Laufbursche, -n, -n** errand boy, bell boy

die **Laune, -n** mood; **launisch** moody

der **Lausbub, -en, -en** brat, "squirt"

lauschen listen; der **Lauscher, -** eavesdropper

der **Laut, -e** sound; **lautlos** silent, soundless

lauter nothing but, only

lebendig living; die **Lebendigkeit** liveliness

die **Lebensauffassung, -en** approach to life; das **Lebensbewußtsein** consciousness of life; das **Lebensbuch, ⁲er** book of life; das **Lebensgefühl, -e** attitude toward life; die **Lebensgemeinschaft, -en** way of life, community; **lebenskräftig** vigorous; die **Lebenslage, -n** situation; die **Lebensweise, -n** way of life; der **Lebenszweig, -e** branch of life

das **Lebewesen, -** living creature

lebhaft lively, sprightly

leblos lifeless

leer empty; die **Leere** vacant spot

lehnen lean; der **Lehnstuhl,** ⁼e armchair

die **Lehre, -n** lesson; **lehren** teach; die **Lehrerin, -nen** woman teacher

der **Leib, -er** person, body; der **Leibdoktor, -en** personal physician

die **Leiche, -n** corpse; der **Leichnam, -e** corpse

leicht gentle, slight, easy; **leichtsinnig** thoughtless

das **Leid** suffering; **leiden, i, i** suffer, endure

die **Leidenschaft, -en** passion; **leidenschaftlich** passionate

leider unfortunately

leise faint, gentle, soft

leisten perform, do; **Gesellschaft leisten** keep company; **sich leisten** afford, indulge in; die **Leistung, -en** accomplishment

leiten conduct, run

die **Leiter, -n** ladder

die **Leitung, -en** pipe

die **Lektion, -en** lesson

die **Lektüre, -n** reading

letzthin recently

leuchten shine, gleam, illuminate

leugnen deny

lichtfunkelnd sparkling with light

das **Lid, -er** eyelid

lieb beloved, valued; **lieb haben** be fond of

lieber rather

liebevoll loving

liefern provide

liegen, a, e lie

lila mauve

link left

lispeln whisper, murmur

die **List, -en** ruse, trick; **listig** cunning, sly

das **Loch,** ⁼er hole

die **Locke, -n** lock [of hair]

locken entice, lure

locker loose

der **Löffel, -** spoon

das **Lokal, -e** place, public room

die **Lokalnachricht, -en** local news

das **Los, -e** lot, fate

los loose; **los·binden, a, u** untie; **los·brechen, a, o** start; **los·gehen, i, a** begin; **los·lassen, ie, a** release; **los·reißen, i, i** tear away; **los sein** be rid of; **los werden** get rid of

löschen put out, extinguish

lösen loosen, solve; **sich lösen** relax

die **Loslösung, -en** detachment

die **Lösung, -en** solution

die **Luft,** ⁼e air; das **Luftgewehr, -e** air rifle

lügen, o, o lie

die **Lust,** ⁼e pleasure, desire; **lustig** gay; **Lust haben** want to

lüstern greedy

die **Macht,** ⁼e power; der **Machthaber, -** ruler, lord

mächtig strong, powerful, enormous; **etwas mächtig sein** be master of something

die **Magd,** ⁼e maidservant, waitress

der **Magen, -** stomach
mager thin, frail
die **Magie** magic
die **Mahlzeit, -en** meal
das **Maisfeld, -er** cornfield
das **Mal, -e** time; **mal** once; **mit einem Male** suddenly; **nicht mal** not even
malen paint, write painstakingly
mancherlei all kinds of [things]
manchmal sometimes
mangeln lack
männlich masculine
die **Mannsleute** menfolk
das **Märchen, -** fairy-tale
das **Maß, -e** measure, amount
die **Massendiktatur, -en** dictatorship of the masses
die **Maßnahme, -n** measure
die **Maßregel, -n** measure
matt dull, dim, feeble
mattgrau dull gray; **mattrot** dull red; **mattweiß** dead white
die **Mauer, -n** wall
das **Maul,** ⁻**er** mouth [of an animal]
mäuschenstill quiet as a mouse
das **Meer, -e** sea
mehrere several
die **Mehrheit, -en** majority; die **Mehrzahl, -en** majority
meiden, ie, ie avoid, shun
meinen say, think, mean; die **Meinung, -en** opinion; **der Meinung sein** be of the opinion
meistens for the most part
melden report, notify, inform
melken, o, o milk
die **Menge, -n** crowd, multitude, great number
der **Mensch, -en, -en** person; das **Menschenalter, -** generation; der

Menschendarsteller, - actor; das **Menschenerlebnis, -se** human experience; das **Menschengeschlecht** human race; das **Menschenschlachtfest, -e** cannibal feast; die **Menschenstimme, -n** human voice; das **Menschentum** humanity
die **Menschheit** mankind
menschlich human
das **Menschtum** humanity
merken notice
merkwürdig strange
messen, a, e gauge
das **Messer, -** knife
mieten rent, hire
die **Milde** gentleness
mindestens at least
mischen mix
der **Mißerfolg, -e** failure; **mißglücken** go wrong; **mißlingen, a, u** fail, miscarry; der **Mißstand,** ⁻**e** impropriety; das **Mißtrauen** suspicion; **mißtrauisch** suspicious; das **Mißverständnis, -se** misunderstanding
mitein·bringen, a, a help bring in; **mit·erleben** share an experience; das **Mitglied, -er** member; das **Mitleid** pity, compassion; **mitleidig** compassionate; **mit·machen** take part in; der **Mitmensch, -en, -en** fellow man; **mit·teilen** tell, communicate
das **Mittel, -** means
das **Mittelalter** Middle Ages
mitten midway, in the middle; **mitten unter** in the midst of
mittlerweile in the meantime
mitunter now and then
möglich possible; die **Möglichkeit, -en** possibility; **möglichst** as much as possible
der **Mohikanerhäuptling, -e** Mohican chief

monatlich monthly; das **Monatsgehalt,** ̈**er** monthly salary
die **Mondscheibe** disk-shaped moon
der **Mord, -e** murder
die **Morgendämmerung, -en** dawn
morgig morning
müde tired; die **Müdigkeit** weari-
ness
die **Mühe, -n** trouble, toil, pains, labor;
sich **mühen** make an effort; das **Müh-
sal** difficulty; **mühsam** laborious,
painstaking; **mühselig** difficult
mündlich verbal, by word of mouth
munter gay, cheerful
murren grumble
die **Musikwissenschaft** musicology
mustern examine critically, survey
der **Mut** courage; **mutig** courageous
die **Mutterverehrung** respect for one's
mother
die **Mütze, -n** cap

der **Nachbar, -n** neighbor; das **Nachbarcoupé, -s** neighboring compartment; die **Nachbarschaft** neighbor-
hood
nachdenklich thoughtfully
nacheinander one after the other
nach·geben, a, e yield, give way
nach·gehen, i, a follow, pursue
nachher afterwards
der **Nachkomme, -n, -n** descendant
nach·kommen, a, o follow
die **Nachkommenschaft** descendants
nach·lassen, ie, a abate, yield
nachmals afterwards
die **Nachricht, -en** report, news
nach·schauen look after
die **Nachschrift, -en** postscript
nach·sehen, a, e look after
nach·sehen auf refer to
nächst next

nach·starren stare after
das **Nachtkästchen, -** night stand; die
Nachtstunde, -n hour of night;
nachts by night, during the night
nackt naked; **nacktbeinig** barelegged
der **Nagel,** ̈ fingernail; die **Nagelhaut,**
̈**e** cuticle
nah near, nearby; die **Nähe** vicinity;
nichts Näheres nothing more detailed
nähen sew
näher·kommen, a, o approach
nähren feed; sich **nähren** eat; die
Nahrung food
der **Namenlose, -n, -n** nameless one
namentlich especially
naß wet
die **Naturgewalt, -en** force of nature;
die **Naturkraft,** ̈**e** natural force
nebenan next door, close by; **nebenbei**
in addition
der **Negerstamm,** ̈**e** negro tribe
nehmen, a, o take; **etwas zu sich
nehmen** eat or drink something; **in
Acht nehmen** take care; **übel nehmen** blame
neidisch envious; **neidvoll** envious
neigen incline, slope; die **Neigung, -en**
inclination
nennen, a, a name, call
das **Nest, -er** hamlet, village
nett nice
neu new; **aufs Neue** again; **von
Neuem** anew; der **Neuankömmling, -e** new arrival, immigrant;
neuartig new; **neueinstudiert** newly
rehearsed; **neugebacken** "brand
new"; der **Neuling, -e** novice
die **Neugier** curiosity; **neugierig** curious
nicken nod

nieder low; nieder·knieen kneel
down; sich nieder·lassen, ie, a settle;
die Niederlassung, -en settlement;
nieder·schlagen, u, a strike down;
nieder·schreiben, ie, ie write down;
nieder·senken settle, sink; sich
nieder·setzen sit down; nieder·stei-
gen, ie, ie descend

niemals never

nirgends nowhere; nirgendwo nowhere

die Noblesse nobility

noch still, yet, in addition; nochmals
once again

die Not, ⁻e necessity, distress, misery,
need; nötig necessary; die Nötigung
urgency; notwendig necessary

die Note, -n musical note; die Noten-
schrift, -en musical score

notieren make notes, note

nüchtern sober

Null zero

nutzen use; nützen be of use; nutzlos
useless

der Oberfeldarzt, ⁻e chief medical
officer (military)

die Oberfläche, -n surface; oberfläch-
lich superficial

der Oberkörper upper part of the body

obwohl although

der Ochsenpflug, ⁻e ox-plow

die Öde, -n solitude; öde desolate

die Ofenbank, ⁻e bench at the stove

offenbar obviously, apparently; offen-
baren reveal; offenherzig candid

öffentlich public

öfters often

die Opernwelt world of the opera

das Opferfestlied, -er sacrificial song

ordentlich orderly; ordnen arrange,
order; die Ordnung, -en order; in
Ordnung bringen fix

die Orgel, -n organ

der Ort, -e place, town; der Ortsbeamte, -n, -n local official

östlich to the east

ein paar a few

das Päckchen, - small package

packen seize, grasp

papierlos without identification papers

das Papiermesser, - paper knife

das Paradiesgärtlein, - miniature
Garden of Eden

passen fit

passieren pass, happen

die Patrouille, -n patrol

peinlich painful, awkward, embarrassing

peitschen whip; die Peitsche, -n whip;
der Peitschenschlag, ⁻e crack of a
whip

die Pelzmütze, -n fur cap

pendeln swing, sway back and forth

der Pfad, -e path

der Pfahl, ⁻e post

der Pfarrer, - pastor; das Pfarrhaus,
⁻er parsonage

pfeifen, i, i whistle, hiss

der Pfeil, -e arrow

der Pfeiler, - pillar

die Pflegekosten nursing expenses;
pflegen indulge in, take care of, be in
the habit of; der Pfleger, - nurse

der Pflug, ⁻e plough

die Pfote, -n paw

die Pfütze, -n puddle

phantasielos unimaginative

piepsen chirp

plagenreich annoying, vexing

das Plakat, -e poster, sign

platt flat

der Platz, ⌐e place, seat, town square
platzen burst, explode
plaudern chatter, chat
plötzlich suddenly
pochen beat, knock
der Pokal, -e goblet
der Polizeibeamte, -n, -n police official
das Polster, - cushion, bolster
die Postbesorgerin, -nen mail deliverer (woman)
der Posten, - position, post, entry, item
sich postieren take position
prächtig magnificent; prachtvoll magnificent
die Prachtvilla, -en mansion
prägen (von) stamp with, coin from; die Prägung, -en stamp
prahlen brag, boast
präsentieren offer
predigen preach
preisen, ie, ie praise
preußisch Prussian
das Priesterseminar, -e theological seminary
die Privatstunde, -n private lesson
die Probe, -n experiment, test, rehearsal; das Probestück, -e sample
probieren try
die Professorenlaufbahn professor's career
das Protokoll, -e report
der Prozentsatz, ⌐e percentage
das Punktsystem, -e point system, grading system
die Puppe, -n doll, puppet

die Quadratmeile, -n square mile
quäken squeak
die Qual, -en torture; quälen torture, torment
der Quell, -en source

263

quer diagonal; quer durch right through
die Rache revenge
der Rand, ⌐er rim, edge
der Rang, ⌐e rank; rangieren rank
rasch quick
der Rasen, - grass, lawn
rasen rage, rave, speed; rasend frantic, furious
die Rasse, -n race
der Rat advice; ratlos perplexed
raten, ie, a guess
das Raubtier, -e beast of prey
rauchen smoke; rauchig smoky
rauh coarse, rude; die Rauheit, -en harshness
der Raum, ⌐e space, room
der Rausch, ⌐e intoxication, delirium; die Rauschgewalt, -en power of intoxication
rauschen roar, rush, rustle
die Rechenschaft accounting, responsibility
rechnen figure, calculate, reckon; die Rechnung, -en bill
das Recht, -e right; recht very, quite, right; rechts to the right; mit Recht justifiably; recht haben be right
die Rechte, -n right hand
rechtzeitig in time
recken stretch
die Rede, -n speech; Rede und Antwort question and answer; von etwas die Rede sein be a question of something; reden speak
redlich honest
die Regel, -n rule; regelmäßig regular
sich regen stir, move
regieren rule, govern

der **Regisseur, -e** stage manager, producer

reglementieren regulate, control

regnen rain

regungslos motionless

reiben, ie, ie rub, fret

reich ample, abundant; **reichen** suffice, last; **reichhaltig** well-stocked

die **Reihe, -n** row, succession

rein clean, pure; die **Reinheit** purity

die **Reise, -n** journey, trip; **reisen** travel; die **Reisevorbereitung, -en** preparation for a journey

reißen, i, i tear, pluck

der **Reiter, -** rider

der **Reiz, -e** charm, attraction

reizen irritate

das **Reklamebild, -er** advertisement

die **Religionsschrift, -en** religious tract

das **Ressentiment** resentment

der **Rest, -e** left-over food, remains; der **Restbestand, ⁻e** remnant

retten save; die **Rettung** deliverance

die **Revision, -en** review

das **Rezept, -e** recipe, formula

reziproke reciprocal

richten direct, turn; das **Wort richten an** address

der **Richter, -** judge

richtig real, correct; das **Richtige** the right thing

die **Richtung, -en** direction

riechen, o, o smell

der **Riegel, -** bolt

der **Riemen, -** strap, thong

die **Riesengeschäftsfarm, -en** huge commercial farm

riesig immense, huge

ringen, a, u struggle

ringsherum everywhere

die **Rinne, -n** drain

der **Ritter, -** knight

der **Ritus, -en** rite

die **Rocktasche, -n** coat pocket

die **Rolle, -n** role; das **Rollenheft, -e** part [folder containing actor's role]; das **Rollenstudium, -ien** studying a role

die **Rolltreppe, -n** escalator

das **Roß, -e** horse; **hoch zu Roß** on horseback

röten redden, flush

rotgeziegelt red-tiled, red-roofed

der **Rücken, -** back

die **Rückfahrt, -en** return trip

das **Rückgrat, -e** backbone

rück·kehren return

der **Rückschlag, ⁻e** setback

die **Rücksendung, -en** return

rücksichtslos inconsiderate

rück·treten, a, e step back

der **Rückweg, -e** return trip

das **Rudel, -** pack

das **Ruder, -** oar

rufen, ie, u call; der **Ruf, -e** call

die **Ruhe** rest, peace; **sich zur Ruhe legen** go to bed; **ruhen** repose, rest; **ruhig** calm, quiet

der **Ruhm** fame; **rühmen** praise, extol, glorify; **rühmlich** praiseworthy

rühren touch, move, stir

die **Rumsorte, -n** kind of rum

runden become smooth, round

runter down

der **Russe, -n** Russian; die **Russenbluse, -n** Russian blouse

sich **rüsten** prepare for

rüstig vigorous, active

rutschen slide, slip

rütteln shake, rattle

der **Saal, Säle** hall, large room

das **Saatkorn, ⁻er** seed

die **Sache, -n** thing, affair, business
sachte gentle
die **Saite, -n** string [of an instrument]
sakral sacred
die **Salve, -n** salvo
sammeln collect, gather
sämtlich all
sanft soft, gentle
der **Sarg, ⁔e** coffin
der **Satz, ⁔e** sentence, leap, bound
sauber neat, clean
die **Säule, -n** post, column
der **Schädel, -** skull
schaden harm, injure
das **Schaffell, -e** sheepskin
schaffen work, do, provide; **es macht mir zu schaffen** it gives me trouble
der **Schaffner, -** conductor
der **Schal, -e** scarf
schal commonplace, trite
die **Scham** shame; sich **schämen** be ashamed; **schamhaft** bashful
die **Schande** disgrace
die **Schar, -en** pack
schärfen sharpen
der **Scharfschütze, -n** sharpshooter
der **Schatten, -** shadow
die **Schatulle, -n** small chest, box
schauderhaft horrible
schauen look
der **Schauer, -** shower, thrill; **schauerlich** horrible; **schauern** shudder, shiver
der **Schaum** foam
das **Schauspiel, -e** play; der **Schauspieler, -** actor; die **Schauspielerei** play acting
die **Scheibe, -n** pane
scheiden, ie, ie part, separate
der **Schein, -e** light; **scheinen, ie, ie** seem
schelten, a, o chide, grumble, scold; **schelten auf** inveigh against

schenken give, present
scheren, o, o clip, shear
sich **scheren um** care about
scheu timid, shy; die **Scheu** aversion
scheußlich terrible
die **Schicht, -en** stratum, level, layer
schicken send
das **Schicksal** fate
schieben, o, o push, shove
schief sloping
schielen squint
die **Schiene, -n** conveyor belt
schießen, o, o shoot; die **Schießerei, -en** shooting; das **Schießgewehr, -e** gun
schiffbrüchig shipwrecked
das **Schild, -er** sign, shield
die **Schilderung, -en** representation
schillernd iridescent
schimmern glimmer
schimpfen abuse, complain
schlachten slaughter
der **Schlafwagenzug, ⁔e** train with Pullman cars
der **Schlag, ⁔e** stroke, blow; **mit einem Schlag** all at once; **schlagen, u, a** beat, strike; sich **schlagen** fight; **in Wachstuch schlagen** wrap in oilcloth
das **Schlagwort, -e** slogan, catchword
schlank slender
schlau sly, clever
schlecht bad, hard; **schlechtbezahlt** poorly paid; **schlechtgelüftet** poorly ventilated
schlechthin simply
schleichen, i, i slink, prowl
der **Schleier, -** veil
schleifen drag
schleppen drag, carry
schleudern throw, cast

schlicht simple, plain

schließen, o, o close; schließlich finally, in the last analysis

schlimm bad

schlingen, a, u coil, tie, twine

das Schloß, ⁻er lock, castle

schlottern hang loose, fit loose

schluchzen sob

der Schluck, -e swallow, draught

der Schluß, ⁻e conclusion, end

der Schlüssel, - key; das Schlüsselloch keyhole

schmachten languish

schmal narrow, lanky; schmallippig narrow-lipped

schmecken taste

der Schmerz, -en pain; schmerzen pain, grieve; schmerzhaft painful; schmerzlich painful

schmettern blare, smash

das Schmuckstück, -e jewelry

schmutzig dirty

die Schnauze, -n nose, muzzle

die Schneefläche, -n snow surface; schneenaß wet with snow; der Schneeschlamm snowdrift, soft snow

schneidig smart, "snappy"

der Schnupfen, - head cold

schnuppern sniff

schöpferisch creative; die Schöpfung, -en creation

der Schornstein, -e chimney

der Schoß, ⁻e lap, womb

der Schreck fear; der Schrecken, - terror, fear, horror; schreckenerregend horror-instilling; die Schreckensbotschaft, -en terrible news; schrecklich horrible, hideous

der Schrei, -e cry; schreien, ie, ie cry, scream

das Schreibheft, -e exercise book; die Schreibtafel, -n slate; der Schreibtisch, -e writing desk; die Schreibtischlade, -n desk drawer

schreiten, i, i proceed, walk

die Schrift, -en handwriting; schriftlich in writing; der Schriftsteller, - writer; die Schriftstellerei writing; das Schriftstück, -e document

der Schritt, -e pace, step

schrumpfen shrivel, shrink

die Schublade, -n drawer

schüchtern shy, modest

die Schuld, -en debt, guilt, blame; schuld an etwas sein be guilty; Schuld an etwas tragen be at fault; schuldig guilty

der Schulhof, ⁻e schoolyard

die Schulter, -n shoulder

der Schuß, ⁻e shot

die Schüssel, -n dish, bowl

die Schusterwerkstatt, ⁻e cobbler's shop

schütteln shake

der Schutz protection

schwach weak, feeble, poor; die Schwäche, -n weakness; schwachsinnig imbecile

der Schwager, ⁻ brother-in-law

die Schwalbe, -n swallow

schwanken totter, sway, vary; die Schwankung, -en variation

der Schwanz, ⁻e tail

schwatzen chatter

schweigen, ie, ie be silent, keep silent; schweigsam taciturn, silent

der Schweizer, - Swiss

die Schwelle, -n threshold

schwellen, o, o swell

schwer heavy, difficult, severe; schwerfallen, ie, a be difficult

das **Schwert, -er** sword
die **Schwiegertochter,** $\ddot{u}$ daughter-in-
law
schwierig difficult; die **Schwierigkeit,**
-en difficulty
der **Schwindel** giddiness
schwinden, a, u disappear, vanish
schwirren buzz, hum
schwitzen sweat
schwören, u, o swear
schwülfeucht humid
der **See, -n** lake
die **Seele, -n** soul
seelisch intellectual
segeln sail
der **Segen, -** blessing
sich **sehnen nach** long for
sehnig sinewy
die **Sehnsucht** longing
das **Seidenband,** $\ddot{u}$**er** silk ribbon; das
Seidenpapier, -e tissue paper
die **Seite, -n** side, page; die **Seitenlade,**
-n side drawer; das **Seitental,** $\ddot{u}$**er**
side valley; die **Seitenwand,** $\ddot{u}$**e** side
wall; **seitlich** to the side, sidewise
selbst self, even
selbständig independent
die **Selbständigkeit** independence
selbstlos selfless
die **Selbstversicherung** self-assurance
selbstverständlich of course, clear,
natural; die **Selbstverständlichkeit**
matter of course, naturalness
die **Selbstverteidigung** self-defense
die **Seligkeit** salvation
selten seldom, rare
seltsam strange
senken lower, let down
senkrecht vertical, perpendicular
der **Sessel, -** armchair
seufzen sigh
die **Sichel, -n** blade, sickle

sicher certain; die **Sicherheit** safety,
assurance; **sichern** secure; die **Si-**
cherung security
sichtbar visible
der **Siedler, -** settler; die **Siedler-**
bevölkerung population of settlers
siegreich victorious
die **Silbe, -n** syllable
der **Sinn, -e** sense, meaning, mind;
sinnen, a, o think, reflect; **sinnlich**
material
die **Sitte, -n** custom
die **Skepsis** skepticism
soeben just
sofort immediately; **sofortig** immediate
sogar even
sogenannt so-called
sogleich at once
die **Sommerglut** summer glow
sonderbar strange
sondern but rather
der **Sonnenaufgang** sunrise; der **Son-**
nenuntergang sunset
sonst otherwise, else, usual
die **Sorge, -n** anxiety, care; sich
Sorgen machen worry; **sorgen**
provide for; **sorgfältig** careful; **sorg-**
lich careful; **sorglos** carefree; **sorg-**
sam careful
sowas such a thing
soweit in as much as, as long as
sowie as well as
sowohl as well as
der **Späher, -** scout
spannen excite; die **Spannung, -en**
tension
sparen spare, save; **spärlich** meager,
scanty
der **Spaß,** $\ddot{u}$**e** joke, fun; **Spaß machen**
be fun

spazieren take a walk

speisen eat; das Speisezimmer, -
dining-room

spenden bestow

sperren lock; die Sperrung, -en barricade, closing

der Spezialberuf, -e specialized profession

der Spiegel, - mirror; spiegeln reflect

spielen play; das Spiel, -e game, play, performance; die Spielerei, -en tricks, trifles; die Spielregel, -n rule of the game; das Spielzeug, -e toy

die Spitze, -n tip; spitz pointed; spitzig pointed

der Sportheld, -en, -en athletic hero

spöttisch mocking, scornful

das Sprachgebiet, -e linguistic sphere; der Sprachgebrauch idiom; der Sprachsinn sense of the word; die Sprechweise, -n manner of speaking

die Sprosse, -n rung

die Spur, -en trail; spurlos without a trace

spüren sense, feel

das Stadium, -ien stage

der Stadtrand, ̈er city outskirts

stammeln stammer, falter

stammen come from

die Stammesgründung, -en founding of a race

der Stand, ̈e rank, station

standfest steady, able to stand

stand·halten, ie, a resist, hold one's own

der Standort, -e position, point of view

stapfen stamp, tramp

stark strong, very; stärken fortify brace; die Stärke, -n strength

starr rigid, fixed; starren stare; die Starrheit rigidity, numbness; der

Starrsinn obstinacy, stubbornness

statt instead of

statthaft admissible

der Staub dust

staunen be astonished

stecken stick, put, lie; stecken·bleiben, ie, ie get stuck, stop

stehen, a, a stand, stop

stehlen, a, o steal

steif stiff

steigen, ie, ie climb

sich steigern become intensified, increase

steil steep

der Steinbrocken, - stone fragment; die Steintreppe, -n stone step

stellen place; sich stellen take position, base; die Stelle, -n place; die Stellung, -en position; stellungslos jobless

der Stempel, - stamp

sterben, a, o die; der Sterbende, -n, -n dying man

stets always

stiften cause

der Stillstand standstill; zum Stillstand bringen stop; stillen silence

die Stimme, -n voice; stimmen tune; es stimmt it is all right, it is true

die Stirn, -en forehead

der Stock, ̈e cane

stocken stop, halt; ins Stocken geraten come to a stop

stöhnen groan

stolpern stumble

stolz proud; der Stolz pride

stören disturb; gestört out of one's mind; die Störung, -en disturbance

der Stoß, ̈e outburst, thrust; stoßen, ie, o hit, strike, bump into, push; die Stoßkraft, ̈e impetus, force

strafen punish, rebuke

strahlen radiate; strahlend bright; die

Strahlungstheorie, -n theory of radiation

der **Strand,** *ᵘ***e** beach; **stranden** be stranded

der **Straßengraben,** *ᵘ* gutter; das **Straßenpflaster, -** pavement

streicheln caress, stroke

streichen, i, i stroke, fly

das **Streichholz,** *ᵘ***er** match

streifen brush against, graze, touch upon; **gestreift** streaked

sich **streiten, i, i** quarrel

streng strict

streuen strew, scatter

strömen stream, flow

struppig shaggy

die **Stube, -n** room, sitting-room

das **Stück, -e** piece, play

die **Stufe, -n** step

stumm mute, silent

stumpf apathetic, dull

stürmen attack, storm

stürzen rush

stutzen stop short, hesitate

stützen lean, support

suchen seek, search for

südlich to the south

der **Sumpf,** *ᵘ***e** swamp

die **Sünde, -n** sin; **sündig** sinful

das **Szenenbild, -er** setting

tadellos perfect

die **Tafel, -n** board, table

die **Tagesfrage, -n** everyday matters

tagsüber during the day

taktfest rhythmic

das **Tal,** *ᵘ***er** valley

die **Tanne, -n** pine tree

die **Tapete, -n** wall paper

die **Tasche, -n** pocket; das **Taschentuch,** *ᵘ***er** handkerchief

die **Tat, -en** deed, act; **in der Tat**

indeed; **tätig** active; die **Tatsache, -n** fact; **tatsächlich** actually

taub deaf

die **Taube, -n** dove

taufen baptize

taugen be worth

tauschen exchange

täuschen deceive

der **Teil, -e** part; **zum Teil** partly; **teilen** divide, part, share

teilnehmen, a, o (an) take part (in); **teilnehmend** symphathetic

der **Teller, -** dish, plate

teuer dear, expensive, precious

die **Theaterwissenschaft** study of the theater; der **Theaterzettel, -** playbill

tief deep, low; die **Tiefe, -n** depth

das **Tier, -e** animal; die **Tierverwertung** making a profit from stock-farming; die **Tierzüchtung** animal breeding

die **Tigerhöhle, -n** tiger's den

die **Tischplatte, -n** table top

der **Tod, -e** death; die **Todesnachricht, -en** notice of death; die **Todsünde, -n** deadly sin

tollkühn rash, foolhardy

tönen sound

der **Tonfall,** *ᵘ***e** cadence

das **Tor, -e** gate

tot dead; der **Tote, -n, -n** dead person; **töten** kill; der **Totengräber, -** grave-digger; die **Totenklage, -n** dirge; die **Totenlampe, -n** wake lamp; die **Totenlandschaft, -en** landscape of the dead; die **Totenwacht, -en** death watch; **tot·schlagen, u, a** kill, murder

träge indolent, inactive

tragen, u, a   wear, carry; der Träger, -
bearer
die Träne, -n   tear
trauen   trust
die Trauer   grief; traurig   sad
der Traum, ⸱e dream; träumen dream
treffen, a, o   meet, hit, find, conclude,
reach; aufeinander·treffen encounter
treiben, ie, ie   drive; das Treiben, -
activity
trennen   separate
die Treppe, -n   stair
treten, a, e   kick, walk, step
treu   faithful
triefen, o, o   drip
der Trinkbecher, -   drinking cup
das Trinkgeld, -er   tip
die Trivialisierung   triteness
trocken   dry
trommeln   drum
die Tropen   tropics
tropfen   drop
der Trost   consolation
das Trottoir, -s   sidewalk
trotz   in spite of; trotzdem nevertheless, in spite of the fact that; trotzig
defiant
trüb   dark, gloomy, dull
die Trunksucht   drunkenness
das Tuch, ⸱er   cloth
tüchtig   efficient; die Tüchtigkeit
efficiency
tückisch   insidious, malicious
die Tugend, -en   virtue, good quality
sich türmen   pile up

das Übel, -   evil; das Übelnehmen
resentment
üben   practice
überall   everywhere, completely

überaus   exceptionally
überbringen, a, a   deliver
die Überbrückung, -en   bridging
überdies   besides, moreover
der Übereifer   overzealousness
überfallen, ie, a   surprise, attack, seize
überfliegen, o, o   glance at quickly
überfluten   flood, overcome
überführen   convey
der Übergang, ⸱e   transition
überhaupt   in general, at all
überkommen, a, o   overcome
die Überlandstraße, -n   state highway
überlassen, ie, a   relinquish, give up,
leave
überlebt   out of date, old-fashioned
sich überlegen   ponder, consider
die Überlegung, -en   reflection, thought
über·lesen, a, e   read over
überliefern pass on; die Überlieferung,
-en   tradition
übermächtig   overwhelming
das Übermaß, -e   excess
übermenschlich   superhuman
übernehmen, a, o   take upon oneself,
accept, take over
überraschenderweise   surprisingly
enough
überreden   persuade
überreichen   present
der Überrest, -e   remnant
die Überschätzung   overestimation
überschauen   survey
überschlagen, u, a   calculate
überschreiten, i, i   exceed
übersetzen   translate
übertrieben   excessive, exaggerated
das Übervernünftige   super-rational
überweisen, ie, ie   turn over
überwinden, a, u   overcome
überzeugen   convince; die Überzeugung, -en   conviction

übrig remaining, left over; **übrig haben** have in store

übrigens moreover, by the way

die **Übung, -en** exercise, practice

das **Ufer, -** beach, shore

die **Uhr, -en** watch

um around, after, about

um·arbeiten rework

umarmen embrace; die **Umarmung, -en** embrace

um·bringen, a, a kill

sich **um·drehen** turn around

um·fallen, ie, a collapse

umfangen, i, a clasp, encompass

umfassen encompass

die **Umgebung, -en** surroundings

umgehen, i, a go around

umgestalten transform, change

umher·stehen, a, a stand around

um·kehren turn around; **umgekehrt** the other way around, the reverse

um·kippen tip over, upset

sich **um·kleiden** change clothes

der **Umkreis, -e** circle, area, radius; **umkreisen** circle, go around

der **Umriß, -e** contour, outline

umschließen, o, o surround

umschreiten, i, i walk around

um·sehen, a, e look around

umsonst in vain

der **Umstand, ⸗e** condition, circumstance; **umständlich** ceremonious

um·steigen, ie, ie change trains

um·stimmen change one's mind

der **Umsturz, ⸗e** revolution

sich **um·wenden** turn around

um·werfen, a, o throw around

um·winden, a, u tie

unabänderlich irrevocable

die **Unabhängigkeit** independence

unablässig incessant, continual

die **Unannehmlichkeit, -en** unpleasantness

unanständig indecent

unauffällig inconspicuous

unaufhaltsam irresistible

unaufhörlich incessant

unauslöschlich indelible

unbeabsichtigt unintentional

unbedacht unthinking

unbedingt unconditional, unqualified

die **Unbefangenheit** ease

unbegreiflich incomprehensible

unbelastet unburdened

die **Unbelehrtheit** ignorance

unbeliebt unpopular

unbeschäftigt unoccupied

unbesorgt unconcerned

unbestreitbar incontestable

unbewandert inexperienced

unbeweglich immovable, motionless

unbewußt unconscious

der **Undank** ingratitude

undeutlich confused, vague

unecht false, "phony"

unentbehrlich indispensable

unerbittlich pitiless

unerfreulich joyless, unpleasant

unerläßlich essential

unerlernbar incapable of being learned

unermeßlich immeasurable

unerreichbar unattainable

unerschlossen unexplored, unopened

unerschöpflich inexhaustible

unerschüttert steadfast

unerträglich unbearable

unerwartet unexpected

unerwünscht unwanted

unfaßbar incomprehensible

unfaßlich incomprehensible

unförmlich misshapen, deformed

das **Ungeborene, -n, -n** unborn child

ungeduldig impatient
ungefähr approximately
ungehalten displeased, angry
ungeheuer enormous
ungemein unusual, immeasurably
ungerüstet unarmed, unprepared
ungeschickt awkward, unskilled
ungetauft unbaptized
ungetrübt serene
ungewohnt unusual
ungewollt involuntary
das **Unglück** misfortune
ungünstig unfavorable
unheimlich uncomfortable, weird
unlösbar inextricable
unmißverständlich obvious, taken for granted
unmittelbar directly, immediately
unmöglich impossible
unnütz superfluous, idle
unpathetisch sober
der **Unrat** refuse
unrecht unfair; **unrecht haben** be wrong
unruhig restless
unsäglich unspeakable
unschädlich harmless
unschätzbar immeasurable, inestimable
unscheinbar unpretentious
unschlüssig irresolute
unschuldig innocent
unsicher uncertain; die **Unsicherheit, -en** uncertainty, insecurity
der **Unsinn** nonsense; **unsinnig** absurd
unsterblich immortal
unten below, downstairs
der **Unterbeamte, -n, -n** subordinate official
unterbrechen, a, o interrupt
unter·gehen, i, a perish, go down

die **Untergrundbahn, -en** subway
der **Unterhalt** support, maintenance
unterhalten, ie, a entertain; die **Unterhaltung, -en** entertainment
unterirdisch subterranean
unterlassen, ie, a abstain, forbear
der **Unterleib, -er** abdomen
unterliegen, a, e be subject to, be defeated
unternehmen, a, o undertake
der **Unterricht** instruction
die **Unterschätzung** underestimation
unterscheiden, ie, ie differ; der **Unterschied, -e** difference
unter·schieben, o, o include, "palm off"
die **Unterschrift, -en** signature
unterstehen, a, a be subordinate to, be under
unterstreichen, i, i underline
unterstützen support; die **Unterstützung, -en** support
der **Untertan, -e** subject
unter·tauchen dive under, submerge
unterzeichnen sign
ununterbrochen continuous
unverbesserlich incorrigible
unverfälscht unfalsified
unvermeidlich unavoidable
unvermittelt abrupt
unvermutet unexpected
unverschlossen unlocked
unverständlich enigmatic
unverwandt fixed
unvorbereitet unexpected
unvorsichtig careless
unwahrscheinlich improbable
unwegsam pathless
unwiderstehlich irresistible
unwillkürlich involuntary
unwürdig unworthy, improper, undignified

unzählig numerous
unzufrieden dissatisfied
unzugänglich inaccessible
unzulänglich inadequate
üppig luxurious
uralt ancient, very old
der Urgroßvater, ⁔ great-grandfather
die Urlaubsbitte, -n request for leave
die Ursache, -n cause
die Ursprache original tongue
der Ursprung, ⁔e origin, beginning
ursprünglich original, pristine
der Urstamm, ⁔e original stock
das Urteil, ⁔e judgment
der Urwald, ⁔er primeval forest

verabscheuen abhor, detest
sich verabschieden take leave
veraltet outmoded
verängstigen frighten
verankern anchor
veranlassen cause
die Veranstaltung, -en function
verarbeiten assimilate
verarmen become poor
der Verband, ⁔e bond, union
verbieten, o, o forbid
verbinden, a, u connect, unite; die
    Verbindung, -en association, con-
    tact, communication
verbrechen, a, o commit a crime; das
    Verbrechen, - crime; der Verbre-
    cher, - criminal
verbreiten spread, expand; die Ver-
    breitung, -en expansion
verbrennen, a, a burn
verbringen, a, a spend [time]
verbunden obliged
verdammen condemn
verdauen digest

verdienen deserve, earn
verdoppeln double
verdunkeln darken
sich verdüstern grow gloomy
verehren honor, revere
vereinigen connect, unite, join
vereinsamen isolate, be lonely; die
    Vereinsamung isolation, loneliness
verfallen, ie, a sink
verfälschen falsify
die Verfassung, -en frame of mind
die Verflachung, -en superficiality
verfliegen, o, o pass away rapidly
verfließen, o, o elapse
verfolgen pursue, follow, persecute
verfügen decree, order; jemandem
    zur Verfügung stehen be at some-
    one's disposal; die Verfügung, -en
    disposal
verführen seduce
die Vergangenheit past
vergebens in vain
vergehen, i, a pass
vergiften poison
vergittern bar
vergleichen, i, i compare
das Vergnügen, - pleasure; vergnügt
    joyous, contented; die Vergnügungs-
    industrie entertainment industry
vergoldet gilt
verhalten, ie, a repress, keep back
das Verhalten, - attitude
das Verhältnis, -se condition, relation-
    ship
verheiratet married
verhindern prevent
das Verhör, -e examination
verhungern starve
der Verkauf, ⁔e sale; verkaufen sell
der Verkehr company, communication;

verkehren frequent, visit, have to do with

verkleiden disguise, make up

verkommen run down

die Verkrampfung, -en cramped state of mind

verkrüppeln stunt, cripple

verkünden announce

verladen, u, a load

verlangen demand

verlassen, ie, a leave; sich verlassen auf rely on

verlegen embarrassed; die Verlegenheit embarrassment

der Verleger, - publisher

die Verlesung, -en oral presentation

verletzen wound, hurt

verleugnen deny, disown

sich verloben become engaged

verlogen lying, untruthful, deceitful

die Verlorenheit loneliness

der Verlust, -e loss; verlustig gehen get lost, be lost to

sich vermählen unite

vermeiden, ie, ie avoid

vermeinen think, believe

vermögen have the power, be able; einen zu etwas vermögen induce someone to do something; das Vermögen, - fortune

vernachlässigen neglect

vernehmen, a, o hear; vernehmen lassen let out; vernehmlich audible

vernichten destroy

die Veröffentlichung, -en publication

verpacken pack up

verpflichten bind by obligation; die Verpflichtung, -en obligation, responsibility

verprügeln beat up, beat

verraten, ie, a betray

verrückt insane, crazy

versagen fail

die Versammlung, -en meeting

sich verschaffen obtain, acquire

verschicken ship, send

verschieben, o, o displace

verschieden various

verschleiern veil

verschließen, o, o close, lock

verschlingen, a, u devour, swallow

verschneit covered with snow

verschonen spare

verschulden be the cause of

verschweben vanish into thin air, hover

die Verschwiegenheit secrecy

verschwinden, a, u disappear

versenken lower

versichern assure, insure

die Versklavung enslavement

versöhnen conciliate, reconcile

verspätet belated, behind time; Verspätung haben be late

versperren lock

versprechen, a, o promise, give promise of

sich verständigen communicate with one another

verständlich intelligible, comprehensible

verständnislos devoid of understanding

sich verstärken increase, strengthen

verstaubt covered with dust

verstecken hide

die Verstopfung constipation

verstorben deceased

die Verstörtheit agitation

der Verstoß, ᵘe offense; verstoßen, ie, o give offense, offend

die Verstoßung banishment

verstreuen scatter

verstricken ensnare, entangle

versuchen try; der Versuch, -e attempt

verteidigen defend; die Verteidigung, -en defense

vertrauen confide in, trust; zu einem Vertrauen haben have faith in a person; vertraulich confidential; vertraut familiar

vertreiben, ie, ie drive off, expel; sich vertreiben pass [time]

vertreten, a, e block, represent

verurteilen sentence, condemn

verwandeln transfigure, transform; die Verwandlung, -en change

verwandtschaftlich kindred; verwandt related; in verwandtschaftlichen Beziehungen related; der Verwandte, -n, -n relative

verwechseln confuse, mistake

verweilen stay

verwenden use, employ as; verwendbar useful

verwildert run wild

verwindbar yielding

die Verwirklichung, -en realization

verwirren confuse; die Verwirrung confusion

verwöhnen spoil

verwunden wound

verwunderlich strange, astonishing

verzaubert bewitched

die Verzeichnung, -en distortion

verzeihen, ie, ie excuse, forgive

verziehen, o, o disappear, disperse

sich verzögern be delayed; die Verzögerung, -en delay

verzweifeln despair

das Vieh cattle

vielfach manifold, often

vielmehr rather, but rather

das Viertel, - fourth, quarter; das Vierteljahr, -e quarter of a year; das Vierteljahrhundert, -e quarter of

a century; die Viertelstunde, -n quarter of an hour; der Viertelton, ⁼e quarter tone

das Volk, ⁼er tribe, people; das Völkergemisch mixture of peoples; die Volksmenge, -n crowd; der Volksstamm, ⁼e tribe

die Vollendung culmination, perfection

völlig complete

vollkommen complete, perfect

die Vollmacht, ⁼e power of attorney, authority

vollständig complete

vollzählig complete, total, full

sich vollziehen, o, o take place, be completed

voneinander from one another

vor before, in front of; vor allem above all; vor sich hin to oneself, straight ahead

voran·gehen, i, a go ahead; voran·kommen, a, o make headway

voraus·berechnen figure out in advance; voraus·bezahlen pay in advance; voraus·setzen presuppose, presume; die Voraussetzung, -en supposition, hypothesis; voraus·spähen peer ahead

vor·behalten, ie, a reserve

vorbei·gehen, i, a pass by; vorbei·schießen, o, o rush past; vorbei·wischen whisk past

die Vorbereitung, -en preparation

das Vorbild, -er model, pattern; vorbildlich exemplary

vor·bringen, a, a advance, put forth

vordem previously, formerly

der Vorfall, ⁼e incident, event

vor·finden, a, u find

der Vorgang, ⁼e incident, event

vorgestern day before yesterday

vorhanden present; das **Vorhanden-sein** presence

der **Vorhang,** ⁻e curtain

vorher previously, before

vorhin before

vorig last, previous

sich **vor·kämpfen** fight one's way out, fight one's way through

die **Vorkenntnis, -se** previous knowledge

vor·kommen, a, o be found, appear, happen; das **Vorkommnis, -se** event, occurrence

vor·laden, u, a summon

vor·legen display, exhibit

vor·lesen, a, e read aloud; die **Vorlesung, -en** lecture

vor·liegen, a, e be

vorn in front; **von vornherein** from the start, as a matter of course

vorne in front

vornehmlich particularly

vornweg ahead

der **Vorposten, -** outpost

der **Vorrat,** ⁻e stock, supply

der **Vorschlag,** ⁻e suggestion

vorschnell overhasty

vor·schreiben, ie, ie prescribe, set forth, dictate

vor·schreiten, i, i advance

vor·setzen set before

die **Vorsicht** caution; **vorsichtig** careful

vor·singen, a, u sing for

vor·spannen hitch in front

vor·springen, a, u leap forward

die **Vorstadt,** ⁻e suburb

vor·stellen represent, demonstrate; sich **vor·stellen** imagine; die **Vorstellung, -en** performance, impression

vor·stürzen leap forth

vor·tanzen dance [for someone]

der **Vortrag,** ⁻e lecture; **vor·tragen, u, a** present, put before

vorüber past; **vorüber·fliegen, o, o** fly past; **vorüber·gleiten, i, i** glide past, pass by; **vorüber·rauschen** rush past

das **Vorurteil, -e** prejudice; **vorurteilslos** unprejudiced

vorweg·nehmen, a, o anticipate

der **Vorwurf,** ⁻e reproach

das **Vorzimmer, -** waiting room

wach awake; **wachsam** alert, vigilant

die **Wache, -n** guard

wachsen, u, a grow; **einer Sache gewachsen sein** be competent to undertake something

das **Wachstuch,** ⁻er oilcloth

das **Wachstum** growth

die **Wacht, -en** guard

wacker good, valiant

wacklig tottering, shaky

die **Waffe, -n** weapon

wagemutig bold, daring

wagen risk, attempt, dare

der **Wagen, -** car

der **Waggon, -s** railroad car, wagon

die **Wahl, -en** choice; **wählen** select, choose; **wahllos** at random, indiscriminate

der **Wahnsinn** madness

wahr true, real; **wahrhaft** truly, really; die **Wahrheit, -en** truth; **wahr·nehmen, a, o** perceive, see; **wahrscheinlich** probably

die **Waldinsel, -n** island of trees

die **Waldspitze, -n** corner of the forest

wallen move forward

walten look after
wälzen roll
die Wand, ¨e wall
wandeln change
der Wandschrank, ¨e cabinet
die Wange, -n cheek
wanken reel, stagger
die Wanne, -n tub
die Wäsche wash, underwear
ward *rare preterit of* werden
waten wade
wechseln change
wedeln wave, wag
weder neither; weder...noch neither
...nor
wegen on account of
der Weggenosse, -n, -n traveling
companion
weg·fahren, u, a depart
weg·räumen clear away, remove
weg·schaffen remove; die Wegschaffung removal
weg·schicken send away
weg·werfen, a, o throw away; weg-
werfend contemptuous
weg·ziehen, o, o move away
das Weh woe, pain; weh painful; weh
tun pain, hurt
sich wehren resist; wehrlos defenseless
weiblich female, feminine
weich soft; weichen, i, i give way,
yield; die Weichheit softness, tender-
ness
die Weide, -n pasture, meadow
sich weigern refuse
der Weinbauer, - wine grower
das Weinfaß, ¨er wine barrel
die Weinstube, -n restaurant where
wine is the principal drink served
die Weise, -n manner, way
weisen, ie, ie show, point out, direct

weißlich whitish
weit wide (open), far, distant; weit
und breit far and wide; von weitem
from afar; weitab far away; ohne
weiteres without further ado
weiter further, farther, additional;
weiter·berichten continue reporting;
weiter·ziehen, o, o move on, pull
on, drag on; weiterkommen, a, o
progress
weithin far, far off
die Welle, -n wave
weltbefahren worldly; das Weltgefühl, -e way of life; der Welthandel
world trade; das Weltkreuzworträtsel crossword puzzle of the world;
die Weltlichkeit worldliness; der
Weltteil, -e hemisphere
wenden turn
wenig little, few; wenigstens at least
werfen, a, o throw, cast
die Werkstätte, -n workshop
das Werkzeug, -e implement, tool
der Wert, -e value, estimation; wertlos
worthless; wertvoll valuable
das Wesen, - being, creature
die Wesensart, -en character
wesentlich essential; im wesentlichen
essentially
weshalb why, for what reason
der Wettbewerb, -e competition
wetzen whet, sharpen
wichtig important
wider against; widerlich repugnant,
loathsome; der Widerstand, ¨e resistance; der Widerstandsversuch, -e
attempt at resistance
wie as, how, when
wieder·auftreten, a, e reappear [on
stage]; wieder·haben have again;

wiederholen repeat; **wieder·kehren** return; **wieder·kennen, a, a** recognize; **wieder·sehen, a, e** see again
die **Wiege, -n** cradle; **wiegen** rock
Wiener Viennese
die **Wiese, -n** meadow
wiewohl although
wildnishaft pristine, wild
der **Wildvogelschwarm, ⁻e** flock of wild birds
die **Willkür** caprice, arbitrariness
winden, a, u twist, wrench
der **Winkel, -** corner
winken wave
winseln whine
winzig tiny
der **Wirbel, -** whirl, eddy, turmoil; **wirbeln** whirl, swirl
wirken have an effect; die **Wirkung, -en** effect
wirklich real; die **Wirklichkeit, -en** reality
wirr confused; das **Wirrsal** confusion
wirtschaftlich economic
das **Wissen** knowledge; der **Wissensdrang** drive for knowledge; **wissenschaftlich** scientific
der **Witwer, -** widower
woanders somewhere else
wohl well, probably, indeed, I daresay; **wohlgemerkt** N.B.; **wohlhabend** wealthy; die **Wohltat, -en** bliss; **wohl·tun, a, a** benefit, do good; **wohlverwahrt** well guarded; **wohlwollend** well-meaning
die **Wohnstube, -n** living room
die **Wohnungsmiete** room rent
die **Wolke, -n** cloud; der **Wolkenzug, ⁻e** cloud formation
die **Wortbildung, -en** word formation, compound; der **Wortlärm** noise of talking
wortwörtlich verbatim
wühlen rummage, dig
das **Wunder, -** miracle
wunderlich strange, odd
sich **wundern** be surprised, wonder
wundersam strange, wonderful
der **Wunsch, ⁻e** wish; **wünschen** wish
die **Würde** dignity; **würdelos** undignified
der **Wurstverkäufer, -** sausage salesman
die **Wurzel, -n** root; **Wurzel schlagen** take root, settle down; **wurzelhaft** rootlike; **wurzeln** root
wüst desolate; **wüstenähnlich** desert-like
die **Wut** rage, fury; **wütend** furious

zäh viscous, sticky
die **Zahl, -en** number; **zählen** count; **zahllos** innumerable; **zahlreich** numerous; das **Zahlungsmittel, -** means of payment
der **Zahn, ⁻e** tooth; **zahnlos** toothless
zart delicate, soft, tender; **zärtlich** tender, loving, soft
der **Zauber, -** spell, charm, enchantment; das **Zauberbuch, ⁻er** conjuring book; der **Zauberer, -** magician; der **Zaubername, -ns, -n** magical name; **zaubern** practice magic
das **Zeichen, -** sign, symbol; die **Zeichensprache, -n** sign language
zeichnen mark
der **Zeigefinger, -** index finger, trigger finger; **zeigen** show; **zeigen auf** point at; der **Zeiger, -** hand of watch
die **Zeile, -n** line
die **Zeit, -en** time; **zeit ihres Lebens**

during her lifetime; **in letzter Zeit** recently; **eine ganze Zeit hindurch** for a long time; **das Zeitalter, -** age; **die Zeitlang** while; **der Zeitpunkt, -e** moment; **die Zeitschrift, -en** periodical; **die Zeitung, -en** newspaper; **das Zeitungsblatt, ⁔er** newspaper, page of newspaper; **zeitweise** at times

die Zelle, -n cell

der Zementboden, - cement floor

zerbrechen, a, o shatter, break to pieces, be destroyed

zerschmelzen, o, o dissolve

zerstören destroy

zerstreut confused, distracted

der Zettel, - note

der Zeuge, -n, -n witness

ziehen, o, o move, pull, go, draw; **in die Länge ziehen** draw out

das Ziel, -e goal; **zielen** aim

ziemlich rather

zierlich dainty

zittern tremble

das Zivil civilian clothes

zögern hesitate

der Zorn anger; **zornig** angry

zubereiten prepare

zu·bringen, a, a spend [time]

das Zuchthaus, ⁔er prison; **der Zuchthäusler, -** convict

zucken quiver, move convulsively; shrug, twitch

zu·eilen hasten to

zuerst first, at first

der Zufall, ⁔e chance, fate; **zufällig** casual, accidental

zu·fallen, ie, a fall to, close

die Zufälligkeit, -en contingency

zufrieden·stellen satisfy

der Zug, ⁔e procession, train, feature; trait, process

der Zugang, ⁔e approach, entrance

zu·geben, a, e admit

zu·gehen, i, a approach

sich zu·gesellen join

zugleich at the same time

der Zugriff, -e interference

zugrunde·gehen, i, a be destroyed, perish

zu·hören listen; **der Zuhörer, -** listener

die Zukunft future; **das Zukunftsbewußtsein** consciousness of the future

zu·langen help oneself

der Zulauf crowd, influx

sich zu·legen procure, get, acquire

zuletzt finally

zu·machen close

zumal since

zumute sein (werden) feel

zunächst first of all, at first

die Zungenspitze, -n tip of the tongue

zunichte machen destroy

zurecht·kommen, a, o come at the right time

zu·reden talk

zurück·erwerben, a, o regain

zurück·fahren, u, a return

zurück·finden, a, u find the way back

zurück·geben, a, e answer, return

zurück·halten, ie, a hold back, reserve

die Zurückhaltung, -en reservation

zurück·holen fetch back

zurück·kehren turn back, return

zurück·kriechen, o, o crawl back

zurück·scheuen shy away from

zurück·spedieren send back

zurück·stellen return, put back

zurück·streichen, i, i brush back

zurück·ziehen, o, o withdraw

zu·rudern row toward

zu·rufen, ie, u call

zusammen·fahren, u, a start, move convulsively

zusammen·fallen, ie, a collapse

zusammen·fügen join together

zusammen·halten, ie, a hold together

zusammen·klingen, a, u play in harmony

zusammen·krampfen clasp together convulsively

die Zusammenkunft, ᵘe gathering, meeting

sich zusammen·nehmen, a, o pull oneself together

zusammen·raffen collect; **die Kräfte zusammenraffen** to collect oneself

zusammen·schießen, o, o chip in

die Zusammensetzung, -en contact, formation

zusammen·sinken, a, u collapse

zusammen·stellen put together, group

zusammen·zucken start, jerk

zu·schauen look at, watch; **der Zuschauer, -** spectator

zu·schieben, o, o close

zu·schlagen, u, a slam

zu·schreien, ie, ie cry out

zu·schreiten, i, i walk towards

zu·sehen, a, e see to [it], watch

die Zusicherung, -en promise, assurance

zu·spitzen sharpen to a point

zu·sprechen, a, o encourage; **einem Mut zusprechen** encourage a person

der Zustand, ᵘe condition

zu·stecken give secretly, put into someone's pocket

zu·stimmen assent, consent, agree

zu·stoßen, ie, o push; **einem zustoßen** happen to someone

zu·stürzen rush

zu·teilen assign, allot

zutiefst deeply

zu·treffen, a, o be the case

zu·treten, a, e approach

zuverlässig reliable

zuvor before

der Zuwachs addition

zuweilen now and then

sich zu·wenden, a, a turn towards

zu·werfen, a, o throw, cast

zu·winken nod, beckon

zu·ziehen, o, o draw

sich zu·ziehen, o, o incur

zwar indeed, true, to be sure, in addition

der Zweck, -e purpose

der Zweifel, - doubt; **kein Zweifel** no doubt about it; **zweifelhaft** dubious, questionable; **zweifellos** without a doubt

die Zweiggruppe, -n local chapter

zwingen, a, u force

das Zwischendeck steerage

zwischenein at times

der Zwischenfall, ᵘe incident, episode

der Zwischenraum, ᵘe interval, space, distance

das Zwischenspiel, -e interlude

der Zwist, -e quarrel